D1634081

Het geheim van Leonard Pelkey

# Het geheim van Leonard Pelkey

James Lecesne

Vertaald door Annelies Jorna

Pimento

De vertaalster ontving voor deze vertaling een werkbeurs van de Stichting Fonds voor de Letteren.

Voor Christopher Potter

www.pimentokinderboeken.nl

Oorspronkelijke titel *Absolute Brightness*

Omslagontwerp Mariska Cock
Omslagbeeld Getty Images
Black Pimento-logo Sander Verheijen
Opmaak binnenwerk ZetSpiegel, Best

ISBN 978 90 499 2296 2
NUR 284

Pimento is een imprint van FMB uitgevers,
onderdeel van Foreign Media Group

Ik bracht vlammende verbijstering

Ariël in *De storm*,
William Shakespeare

# 1

Ik stond bij de schappen met chips in een gangpad van de plaatselijke supermarkt, bekeek de hele uitstalling en zei iets in de geest van: 'Zeg, is zevenendertig verschillende soorten chips niet te veel van het goeie om een keus te moeten maken? Ik bedoel, het is toch bizar om in een land te wonen waar iedereen zanikt dat alles brandschoon moet zijn en waar ze je intussen meer laten betalen voor een merk dat ze "vies lekker" noemen?'

Zoals gewoonlijk had ma er geen woord van gehoord. In plaats daarvan stond ze midden in het pad, glimlachte verstrooid en tuurde op haar boodschappenlijstje alsof ze iets over haar eigen leven las wat ze nog niet wist. Mijn zus Deirdre hing met haar bovenlijf over het winkelwagentje en liet haar lange, weelderig kastanjebruine haar over de onbetaalde artikelen vallen. Zij kon me sowieso niet horen, al had ze het gewild, want ze had haar iPod in en neuriede zacht mee. Als je toevallig langs was gelopen, had je Deirdre waarschijnlijk aangezien voor zomaar iemand die op het punt stond over te geven in een wagentje, of je had haar geneurie opgevat als het zachte gekreun dat populair is bij helden in tv-series die dodelijk getroffen zijn door een kogel.

Deirdre gaat door voor de mooiste bij ons thuis, zodat ik liever een beetje uit haar buurt blijf. Als iemand zich gedwongen voelt ons met elkaar te vergelijken, schiet ik tekort. Letterlijk. Deirdre is zeker vijfentwintig centimeter langer dan ik. Deirdre is altijd de lange beauty geweest. En ik... nou ja, ik ben Phoebe. Ook vermijd ik het om lang stil te staan bij haar schoonheden, zoals de fijne bottenstructuur, stralende groene ogen of het eerder genoemde dikke, prachtige kastanjekleurige haar. Het is waar dat ik me nooit echt druk maak om mijn uiterlijk. Waarom zou ik ook? Dat is Deirdres terrein. Het was alsof Deirdre alle genetische voorbestemming voor schoonheid in onze familie had opgeëist, zodat voor mij de droesem restte. Iedereen had alleen oog voor haar, bewonderde haar, vertelde haar dat ze er prachtig uitzag, perfect gekleed ging, en vroeg waar ze haar schoenen kocht. Van top tot teen was ze de ster van Neptune. Ik hing er zo'n beetje bij. Het was maar goed dat ik veel van Deirdre hield, anders zou ik haar hartgrondig hebben gehaat.

Niet dat ik te lelijk voor woorden ben. Maar mijn armen en benen zijn altijd aan de stevige kant geweest, mijn heupen zijn te breed en ik heb een kont. Ik vind mijn borsten wel mooi. Toen ik eenmaal over de schaamte heen was dat ik borsten had gekregen, ontdekte ik dat ze me macht gaven over de jongens op school wanneer ik een bepaald soort topje droeg. Mijn gezicht is wel leuk, maar net iets te plat en te rond om méér dan gewoon leuk te worden gevonden. Persoonlijk vind ik dat mijn bruine ogen iets te ver uit elkaar staan en lang niet zo sprankelen als ik zou willen, maar omdat ik de wereld er goed genoeg mee kan zien, hoor je mij niet klagen. Ik verf mijn haar; dat doe ik al jaren. Dat is mijn handelsmerk, mijn manier om ervoor te zorgen dat ik niet over het hoofd word gezien of domweg vergeten. Zoals mijn moeder haar dochters altijd heeft voorgehouden: 'Ware schoonheid zit vanbinnen, maar zorg er in godsnaam voor dat je het vanbuiten ook ziet.'

Ma gaf Deirdre een por tussen haar ribben, zei dat ze rechtop moest gaan staan en haar oordoppen uit doen. En toen vertelde ze ons zonder verdere omhaal, midden in het zevende gangpad van de supermarkt, dat onze neef Leonard bij ons kwam wonen.

'En algauw,' voegde ze eraan toe. 'Zaterdag al, bedoel ik.'

'Ik wist niet eens dat we een neef hadden,' was het enige wat ik uit kon brengen.

Normaal blijf ik niet graag bij de diepvriesafdeling hangen. Je benen vriezen nog van je lijf als je lang in een short bij de bevroren patat en diepvriesmaaltijden staat. Maar we konden geen kant uit. Ma had besloten dat ze daar en op dat moment uit de doeken moest doen wie Leonard Pelkey was en waarom hij binnenkort onder ons dak kwam wonen. Tegen de tijd dat ze klaar was, stond ik te klappertanden en waren mijn vingers gevoelloos.

Blijkbaar was Leonard de zoon van ene Janet Dinges uit Phoenix die regelmatig in elkaar werd getremd door haar man. Uiteindelijk was ze er met baby Leonard vandoor gegaan en probeerde ze een nieuw leven op te bouwen. Jaren later, toen Leonard een jaar of elf was, ontmoette Janet mijn moeders broer Mike in een café. Nadat ze had ontdekt dat hij een baan had, ging ze met Mike samenwonen in een laag flatgebouw, waarvan de stijl op Spaanse architectuur moest lijken, tot ze een jaar later stierf aan borstkanker, waardoor mijn oom Mike werd gedwongen Leonards wettelijke voogd te zijn.

Maar Mike was niet bepaald een vaderfiguur. Hij hield het dan ook niet vol en had huilend mijn moeder gebeld. Interlokaal bekende hij dat hij de verantwoordelijkheid niet aankon om in zijn eentje dat joch groot te brengen. Ma vroeg waarom dit het eerste was wat ze in twee jaar van hem hoorde. Oom Mike legde uit dat hij heen en weer reisde tussen Mexico en zijn huis vanwege een of ander plan om vee te fokken, dat hij later voor een fortuin zou kunnen verkopen. Hij vroeg of Leonard in de tussentijd bij ons kon wonen – tot hij grof ging verdienen aan zijn veestapel.

Toen ma dit verhaal over Leonard had gedaan, gingen we op weg naar de kassa, waar mevrouw Toucci onze boodschappen optelde. Mevrouw T. greep gretig de kans aan tegen ma te zeuren; ze wilde een voorkeursbehandeling op zaterdagochtend omdat ze, zei ze, naar een bruiloft in Atlantic City moest. Ma zwichtte niet en legde mevrouw T. uit dat haar salon geen marktkraam was en haar zaterdagochtendafspraken nu eenmaal sacraal waren.

'O,' zei mevrouw T., die door het bovenstuk van haar dubbelfocusbril naar haar tuurde. 'En wat mag "saakraal" wel betekenen?'

'Dat je het wel kunt vergeten,' zei ma, terwijl ze haar creditcard overhandigde met de glimlach die haar handelsmerk was.

Deirdre en ik bungelden erbij, nog naduizelend van de onverwachte mededeling. We probeerden ons voor te stellen wat de komst van die onbekende jongen voor ons persoonlijk zou betekenen. Ik keek naar Deirdre en mimede: 'Denk maar niet dat ik mijn kamer opgeef.' Zij mimede terug: 'En anders ik niet.'

'Als ik even mag storen,' kwam ik tussenbeide toen mevrouw T. de creditcard aan mijn moeder teruggaf. Beide vrouwen draaiden hun hoofd om en keken me strak aan. Om je de waarheid te zeggen zag mevrouw T. eruit alsof ze hard aan een opknapbeurt toe was. Haar haar had de kleur van een papieren zak en het plakte op haar schedel alsof iemand er met een strijkijzer overheen was gegaan. Even overwoog ik of ik haar mijn diensten zou aanbieden, wat ik wel vaker deed voor klanten van ma als ze wanhopig genoeg waren om het dubbele tarief te betalen aan iemand die bij hen thuis wilde komen om hun haar te doen. Maar ik had er geen zin in. We hadden onze handen vol aan ons eigen huis-tuin-en-keukengedoe.

'Hoe oud is dat joch? Die neef van ons?' vroeg ik.

'Dertien. Maar hij wordt binnenkort veertien.'

Omdat ik toen vijftien was en Deirdre zeventien hadden we niets aan een jongen van die leeftijd onder ons dak. De aanhang van schoolvrienden die onze 'neef' mee naar huis zou slepen, was voor ons geen visvijver van PV's (Potentiële Vriendjes). Veel te jong – en veel te irritant.

'Ik zie dat hele gedoe met die Leonard niet zitten,' zei ik.

'Phoebe, doe niet moeilijk. Daar heb ik geen zin in,' zei ma en ze schoof haar creditcard terug in haar kunstleren portefeuille. 'Pak die tassen en zet ze in het wagentje. We hebben nog meer te doen.'

Ik wist hoe de wind waaide. Ik wist wat ma in haar schild voerde. Ze deed zoals ze altijd doet wanneer ze vastbesloten is dat haar leven ongehinderd doormarcheert. Ze zegt niets, maar haar gedrag spreekt boekdelen, met de boodschap: 'Zo staan de zaken. Zo doen we het voortaan. Wen daar maar aan.' En daardoor wist ik dat we met die Leonard opgescheept zouden zitten en dat niets wat je zei of deed ook maar iets aan die situatie kon veranderen.

Op sommige momenten in je leven voel je gewoon dat er pal onder je gympen een aardbeving plaatsvindt waardoor je leven nooit meer hetzelfde zal zijn. Ik zweer dat ik die dag het gevoel had dat de grond onder mijn voeten beefde en openscheurde en we met ons allen opeens aan de rand van een reusachtig ravijn in het grote onbekende keken. Het rare is dat alles ogenschijnlijk heel gewoon was. Een gewone maandag bij de supermarkt; uit de luidsprekers bonkte een song van Sting, het winkelende publiek vulde de voorraden voor de komende week aan en mevrouw T. zeurde aan ma's hoofd om een afspraak. Niets nieuws onder de zon. Maar ik trapte er niet in. Geen moment. En Deirdre ook niet.

'Waar moet hij slapen?' wilde Deirdre weten toen we op de parkeerplaats stonden, naast ma's milieuvriendelijke Honda.

Ma zette de boodschappen in de achterbak. Ik zag dat ze haar wenkbrauwen hoog optrok en haar lippen samenperste in een kleine o van 'geen commentaar'. Ze sloeg de klep met grote kracht dicht.

'Hoor eens,' zei ze op die toon die ze reserveerde voor klanten die na een behandeling klachten hadden, 'we treffen wel een regeling.'

We treffen wel een regeling?

We hadden een splitlevelwoning met twee verdiepingen en drie slaapkamers in een doorsnee woonomgeving aan de kust van New Jersey. Wij troffen nooit regelingen. Wij waren eerder zo'n gezin waar de dingen domweg gebeurden. Vaders die wegliepen. Ouders die scheidden. Oma's die doodgingen. Neven die kwamen inwonen. Alles wat toekomst was, leek zonder pardon het heden in te tuimelen en ons te overvallen. Daar kwam geen planning aan te pas en er kwamen al helemaal geen regelingen bij kijken. Goed, in mijn moeders kapsalon werden dagelijks (behalve op zondag en maandag) afspraken gemaakt, en omdat de salon zelf met het huis was verbonden door een smalle overdekte gang was de zaak formeel een deel van ons huis, maar die afspraken waren geen 'regelingen' maar 'boekingen'.

We treffen wel regelingen? Geloofde ze het zelf?

Omdat we geen logeerkamer hadden en Deirdre en ik allebei vierkant weigerden onze kamer op te geven aan een volslagen vreemde, dwong mijn moeder ons de hele middag om de kelder als woonruimte geschikt te maken voor Leonard. We braken onze rug onder het leegruimen van een plek bij een van de muren van betonsteen en het in rijen opstapelen van vijf dozen om een knus kartonnen kampementje te maken dat net groot genoeg was voor een oud ledikant, een kleine kast en een melkkrat dat verbouwd werd tot nachtkastje. Ook vonden we beneden een staande schemerlamp, zo'n ding met van die kegelvormige lampenkappen die we vastzetten voor het geval Leonard van het soort was dat boeken las. Ma kocht een prullenmand die rijkelijk versierd was met treinen. Ze zette het geval op de grond, deed een stap achteruit om hem te keuren en wuifde onze protesten weg met de opmerking dat wij de ballen verstand hadden van wat jongens leuk vonden. Aan die prullenbak te zien had ze dat zelf ook niet, maar we gaven het op. Om de illusie te wekken dat er een deur was, lieten we tussen twee stapels dozen een doorgang vrij. Daarna hing ma een blauwe, geplooide lap voor het gat, in een zielige poging iets van privacy te suggereren.

Het feit dat ik rugpijn had en al een hekel had aan onze gast voor hij een voet op ons grondgebied had gezet, kon mijn moeder niet schelen. Toen ik klaagde dat ik al het zware sjouwwerk moest doen, zei ze: 'Nou, als we een jongen in huis hebben wordt dat anders.' Ze keerde me haar rug toe en ging door met het opplakken van een paar gescheurde Sierra Club-milieuposters die al eeuwen opgerold en vergeten in de kelder lagen. Dat was ook weer zo'n briljant idee van haar. Ze zei dat de posters op ramen leken die uitzicht boden op meer adembenemende en wondermooie landschappen dan Leonard ooit zou aantreffen in Neptune, New Jersey. Ze koos als vergezichten de kwetsbare wildernis van het Yosemite National Park, de opkomende maan boven de Massanuttenberg in Shenandoah National Park en een onherbergzame uitgestrektheid van het poolgebied dat er zo bevroren uitzag dat het niet anders kon zijn dan dodelijk. Ik weigerde onder de indruk te zijn, vooral omdat deze hele *regeling* pure heiligschennis was van de herinnering aan mijn dode oma.

Dat zal ik even uitleggen.

Nadat mijn nana Hertle was overleden, wist niemand wat we met haar spullen moesten doen. Het meubilair was te goed om met de vuilnisman mee te geven, maar niet mooi of bijzonder genoeg om met winst verkocht te kunnen worden op eBay. Haar kleren waren alleen bijzonder omdat ze van haar waren geweest; haar snuisterijen, pannenlappen, inspirerende boeken, gehaakte onderhemdjes, Schotse baretten, verzameling cocktailprikkers, ouijabord, yogamatje en elektrische sapcentrifuge stonden nog maandenlang stof te vergaren in haar flat. In die tijd woonde mijn vader nog bij ons en het had er alle schijn van dat hij zwaar depri was. Zo gek was dat nou ook weer niet. Zijn moeder was net overleden, en zodra iemand (in het bijzonder ma) voorstelde dat hij naar nana Hertles huis zou rijden om haar eigendommen in te pakken, beweerde hij dat hij daar niet tegen kon. Voorlopig loste hij het op door naar zijn werk te gaan, thuis te komen, naar spelprogramma's op de tv te kijken en de huur van oma's flat te betalen.

Maar de huur betalen voor de flat van iemand die dood was, vond mijn moeder hetzelfde als geld uit het raam gooien. Op een dag, zonder iemand te waarschuwen, reed ze dan ook naar nana's flat, sleepte al het meubilair de stoep op, hing overal een prijskaartje aan, verkocht het meeste en stopte alles wat onverkoopbaar bleek in dozen en kisten die ze in onze kelder opsloeg. De lege flat werd daarna onderverhuurd aan een Pools stel met een kersverse baby, en dat was dat.

Ik was nog maar elf toen nana doodging, zodat van mij niet werd verwacht dat ik over die opslag nadacht; maar verder dacht ook niemand anders in ons gezin erover na. Het gevolg was dat de dozen bleven staan waar ze stonden, inzakten, slappe randen kregen en een beetje naar schimmel gingen ruiken. Ik denk dat ma trots op zichzelf was nu ze eindelijk een bestemming voor de dozen wist en tegelijkertijd het probleem had opgelost waar Leonard moest slapen. Ze zei steeds weer dat Leonard het prachtig zou vinden, echt prachtig.

In de dagen die volgden verkeerden Deirdre en ik in een staat van zweverig ongeloof. Het leven ging door alsof er niets aan de hand was en we probeerden er niet aan te denken dat daar al heel gauw een eind aan zou komen. Niemand had het erover dat een vreemde, een jongen, een ongenode gast binnenkort bij ons in huis kwam, en niemand noemde zijn naam.

We deden gewoon wat we altijd hadden gedaan. Als ik daar nu op terugkijk, besef ik dat wij, al zouden we van plan zijn geweest de Leonard Pelkey die we ons voorstelden met open armen in ons midden te ontvangen, op geen enkele manier voorbereid konden zijn op de schok van de bijna veertienjarige jongen die op zijn eerste dag in onze woonkamer stond.

Leonard droeg een capribroek (een Schotse ruit van roze en limoengroen) en een te klein T-shirt, dat zijn middenrif bloot liet. Hij had schoenen aan die veel weg hadden van sandalen die boven op twaalf centimeter hoge, houten onderstukken waren gelijmd. Hij had in beide oren gaatjes, al schitterde er alleen in zijn linkeroorlel een lichtblauw stipje. Hij had een tas bij zich die eruitzag als de reistas van een piloot uit de jaren zestig. De draagband hing over zijn schouder, als bij een damestas.

'Ciao,' zei hij tegen me en hij stak glimlachend zijn hand uit.

Ik pakte zijn smalle vingers en schudde ze kort, terwijl ik inwendig met mijn ogen rolde. Hij was wel een heel aparte. Begrijp me niet verkeerd. Ik hou van anders zijn. Ik ben ook anders. Maar als het overdreven anders wordt, is het geen zelfexpressie meer en wordt het domweg bizar. Ik besloot ter plekke dat hij en ik geen dikke maatjes zouden worden, en als om dat te onderstrepen draaide ik me om en maakte ik dat ik wegkwam, zo snel als ik kon zonder iets om te gooien.

Vanuit de eetkamer kon ik Leonards spiegelbeeld zien in de grote, vergulde spiegel die boven de bank aan de achtermuur hing. Hij zag mij niet, tenminste eerst niet; hij had het veel te druk met leuk doen tegen mijn moeder, praatte honderduit over zijn reis, somde op wat hij in het vliegtuig had gegeten, vertelde met wie hij had gepraat, haalde spullen uit zijn reistas en legde omstandig uit waar hij alles vandaan had, inclusief de tas. Ik dacht dat hij nooit zijn mond zou houden.

'Ik heb die tas in het vliegtuig gekregen, want de stewardess vond dat ik de leukste jongere was die ze in tijden had ontmoet. Het is een echte. Ik zei tegen haar dat ze niet nog aardiger tegen me moest doen, anders moest ik haar op mijn Julie Andrews-imitatie trakteren. Zegt zij: wie is Julie Andrews? Zeg ik: je gaat me toch niet vertellen dat je dat niet weet?'

Het kon me echt niet boeien wat hij bij zich had en wie hij kon imiteren, maar zijn verschijning interesseerde me bovenmatig. In visueel opzicht was hij als een code die je meteen begreep en toch onmogelijk kon kraken. Ik bedoel, het was niet alleen het feit dat hij overduidelijk homo was. Kom even, ik kijk vaak genoeg tv om niet geschokt te zijn door nichterigheid. Maar Leonard had ook iets wat erom leek te vragen uitgelachen te worden. Alsof hij zei: toe maar, heb het lef eens, zeg dan iets, ik zie heus wel wat je denkt. Het ongelooflijke was dat niemand een woord zei. Deirdre niet. Ma niet. En ik ook niet, omdat ik de kamer uit was.

Leonard had een smal gezicht met die typische trekken van het Midden-Westen. Hij had een kleine mond, die onopvallend zou zijn geweest als hij hem een moment stil had weten te houden. Op de rug van zijn neus zaten sproeten die de indruk wekten dat ze erop waren geschilderd voor een musicaluitvoering waarin hij een boerenlul moest spelen. Zonder die ogen van hem, twee groene speldenknoppen van vonkende intensiteit, zou je hem misschien over het hoofd hebben gezien. Ze waren zo fel dat zijn hele hoofd er stralend en groot door leek, al stond het boven smalle schouders. Door die ogen nam hij ruimte in, alsof zijn scherpe blik hem ook voor anderen zichtbaarder maakte, meer aanwezig. Door de manier waarop die ogen de kamer rondkeken en van het een naar het ander flitsten, leek het alsof zijn leven afhing van zijn gave elk afzonderlijk detail in zich op te nemen, elk steekje van je kleding op waarde te schatten, de afstand naar elke deur te berekenen en de tijd die nodig was om daar te komen. Ook had hij de aanbiddelijkste wimpers die ik ooit bij een jongen had gezien, lang en zijdeachtig en donker; maar misschien gebruikte hij mascara.

'Ik zie je wel,' zei hij tegen mijn beeld in de spiegel, waardoor ik natuurlijk in elkaar kromp en vervolgens met weerzin de keuken in sloop.

Ik moest mijn moeder waarschuwen. Ik vond het mijn plicht haar te vertellen dat ik een heel slecht voorgevoel had, hetzelfde gevoel dat ik een paar jaar geleden had toen pa het met Chrissie Bettinger aanlegde, een gebeurtenis die er ten slotte natuurlijk op uitdraaide dat mijn ouders gingen scheiden en ons hele gezin uit elkaar viel. Nana Hertle had altijd haar best gedaan me ervan te overtuigen dat ik bovennatuurlijke gaven had. Ik zei dan steevast dat ik daar niet in geloofde. Maar toen ik besefte dat ik mijn vader ervan had kunnen weerhouden weg te gaan als ik naar mijn zeurende voorgevoelens had geluisterd, begon ik me af te vragen of ik misschien inderdaad een bijzondere kracht had om de toekomst te kunnen voorspellen. Had ik destijds maar iets gezegd. Nu moest ik het zekere voor het onzekere nemen. Toen Leonard dan ook eindelijk buiten gehoorsafstand in zijn geïmproviseerde kelderkamer zat en ma weer boven kwam en in de keuken was, greep ik haar arm en zei: 'Zie je het dan niet? Die jongen is een gril van de natuur. Hij komt van een andere planeet. Ik bedoel, wat heeft hij wel niet aan zijn voeten?'

'Phoebe, laat mijn arm los,' zei ze en ze kneep haar ogen tot spleetjes en haar stem werd kil. 'Het zijn een soort sandalen. Ze heten huaraches, geloof ik. En wie weet, misschien zijn ze heel populair onder de jongens waar hij vandaan komt.'

'Waar is dat dan? Mars?'

Mijn moeder zei dat ik ronduit gemeen deed en ze niet meer naar me wilde luisteren. Om van me af te zijn, droeg ze me op een stapel schone handdoeken naar Leonard te brengen.

Hij lag op zijn nieuwe bed in zijn kelderhol. De zogenaamde huaraches waren uitgeschopt, en hij lag naar het stelsel van buizen en bedrading tegen de plafondbalken te kijken alsof hij een hemel vol schitterende sterren in een zomernacht zag.

'Echt cool. Vind je niet? Ik ga het "mijn dozenhok" noemen. Vat je 'm? Al die dozen. En ik hok hier.'

'Ja,' zei ik zo stroef als ik maar kon. 'Ik vat 'm.'

'Hartstikke gaaf.'

Ik vond dat ik Leonard diende uit te leggen waarom 'hartstikke gaaf' een uitdrukking was die hij uit zijn vocabulaire moest schrappen. Als hij vrienden wilde maken in Neptune, zei ik, waren zulke woorden taboe. Hij staarde me alleen maar aan alsof er iets raars op mijn gezicht zat.

Ten slotte zei ik: 'Wat is er?'

'Niets. Ik vroeg me alleen af of je weleens aan een carrière bij het tv-journaal hebt gedacht. Je hebt echt een gezicht voor de camera. Je haar moet anders, maar je gezicht is ideaal.'

Ik kon mijn oren niet geloven. Onder het uiteenzetten van deze briljante diagnose had hij zijn borst opgeblazen alsof hij zich groter en belangrijker wilde maken. Maar hij had de schamele ribbenkast van een jochie dat een kinderziekte heeft overleefd. Als ik mijn kop erbij had gehad, had ik lik op stuk kunnen geven met een bot, eerlijk antwoord. Ik had hem kunnen uitleggen waarom ik in nog geen miljoen jaar elke dag slecht nieuws wilde brengen met een vrolijk gezicht, een decolleté en een ouderwetse coupe. Het idee was walgelijk. Het feit dat mijn haarkleur op dat moment magenta was en ik in mijn linkerneusgat een piercing met een granaatje had, moest toch iedereen die niet blind was en een greintje verstand had ervan overtuigen dat ik mijn eigen plannen had, plannen die niets te maken hadden met een 'gezicht voor de camera'.

Maar Leonard was pas geland vanaf Mars, zodat hij vast geen kaas had gegeten van de signalen, gewoontes en gezichtsuitdrukkingen van aardbewoners. Ik besloot er niet op in te gaan. In plaats daarvan koos ik ervoor de trap op te stampen om goed te laten merken dat ik geen tijd had voor zulke onzin. Tegelijkertijd kwam ik daarmee zover uit zijn buurt als maar kon in een huis dat zo klein en vol was. Ik smeet de deur dicht en trok me in mijn kamer terug om *Madame Bovary* te lezen. Terwijl Emma Bovary achter in een rijtuig door de straten van Rouen denderde en wild en hartstochtelijk de liefde bedreef met monsieur Léon, bezwoer ik mezelf plechtig nooit meer een woord met Leonard te wisselen, want het lag er duimendik op dat hij een sukkel was.

# 2

Onze eerste maaltijd samen was een vorm van vroeg eenentwintigste-eeuwse marteling. Boven de spaghetti en gehaktballen probeerde Leonard erachter te komen hoe het zat tussen mijn ouders. Waarom waren ze niet meer bij elkaar? Waar woonde pa nu ze uit elkaar waren? Waarom was hij weggegaan? Was het een officiële echtscheiding? Kwamen ze misschien weer bij elkaar? Ma probeerde al zijn vragen te ontwijken.

'Ik weet niet waar hij is.'

'Dat moet je me niet vragen.'

'Zullen we het ergens anders over hebben?'

'Wil je nog een gehaktbal?'

'Zo is het wel mooi geweest.'

Toen Leonard van geen ophouden wist, besloot ze het over een andere boeg te gooien.

'Je weet toch hoe een slak zijn huisje in de steek laat?' zei ze, terwijl ze ongevraagd Leonards bord voor de tweede keer vol schepte. 'Nou, zo is het met je oom ook. Alleen is hij veel sneller dan een slak. En hij ging niet alleen.'

Als mijn moeder het over mijn vader had, nam ze nooit het

woord 'scheiding' in de mond; dat druiste in tegen haar katholieke geloof. Bovendien was het niets voor haar om zich over van alles en nog wat uit te spreken. Zo bazuinde ze bijvoorbeeld ook niet rond waarom Chrissie Bettinger, een meisje dat zij alle kansen had gegeven en onder haar eigen dak had gehuisvest, ervandoor was gegaan met haar man. Niet dat ze tekst en uitleg hoefde te geven aan de bewoners van Neptune; iedereen was allang op de hoogte.

Een tijdje was ma het nieuws van de dag geweest en de vaste klanten van Hair Today leefden mee met een groot aantal nieuwe bijzonderheden van de scheiding. Maar zelfs na al het geschreeuw en geruzie, na de ochtend dat we wakker werden en zagen dat pa's spullen opgestapeld lagen op het gras voor het huis, nadat de advocaten de echtscheidingspapieren hadden getekend en alles officieel voorbij was, vocht ma tegen het idee dat iemand als zij gescheiden kon zijn. Als ernaar gevraagd werd, hield ze het op 'uit elkaar zijn'. Ze zei eens tegen Deirdre en mij dat ze als haarstyliste wel kon opdoeken wanneer bekend werd dat ze was gescheiden. Maar het was allang bekend, en zij bleef het ontkennen.

Er zijn foto's van mijn moeder van toen ze nog een jongere versie van zichzelf was, en ook toen speelde ze het klaar om voor de camera te lachen, wat er ook gaande was. Ze lachte toen ze een kamer met gevlamde houten wanden binnenkwam; lachend en bewonderend keek ze op naar haar vader, die met een rauwe biefstuk en een schort met het opschrift KUS DE KOK bij de barbecue stond; ze lachte toen ze betrapt werd met roze krulspelden in haar blauwzwarte haar en zonder een spoortje make-up; ze lachte toen ze in haar trouwjurk voor een heel erg nep herfstdecor stond; ze lachte toen ze naar

Motel 6 even buiten Phoenix wees waar zij en pa overnachtten tijdens een rondreis; en ze lachte ook toen ze aan zee zat met miniuitgaven van Deirdre en mijzelf spelend achter zich.

Aan elke foto las je af dat ze er geen idee van had wat een trieste, zielige soap haar latere leven zou worden. In die dagen, toen ze nog onthutsend mooi en vol beloften was, sprong ze waarschijnlijk 's ochtends blij uit bed, maakte zich op, deed haar haar, kleedde zich aan, ging op pad, had leuke dingen in het vooruitzicht en was er van alles wat haar aan het lachen maakte. Maar tegen de tijd dat ze mij kreeg, had ze zich die lach aangemeten om elke situatie het hoofd te bieden. De glimlach was een gewoonte geworden. Nee, haar glimlach was meer dan een gewoonte voor mijn moeder; zo was ze nu eenmaal.

Ik kende andere moeders, de moeders van de meisjes van mijn leeftijd, die een geweldig leven hadden met een man met een goede baan, mooie huizen, kleren, auto's, prachtige keukens en magnetrons, alles wat hun hartje maar begeerde, en toch lang niet zoveel lachten als mijn moeder. Zelfs nadat mijn vader had aangekondigd dat hij bij ons wegging om met Chrissie Bettinger samen te wonen, glimlachte mijn moeder nog. En lang nadat hij was vertrokken glimlachte ze nog steeds.

'Het is goed, hoor, tante Ellen,' zei Leonard, die zich vooroverboog en aan het diamanten hartje van haar trouwring frummelde. ''t Is eigenlijk bij ons allemaal anders gelopen dan we wilden. Trouwens, hoeveel karaat is dit?'

Ik kan me niet herinneren dat ik mijn moeder ooit had zien huilen, maar daar aan de keukentafel boven een bord spaghetti met gehaktballen stroomden de tranen haar opeens over de wangen. Ze huilde heel stilletjes. Zonder woeste uithalen en snikken. Het was alsof Leonard de knop had gevonden om haar tranen aan te zetten. En niemand was verbaasder dan Deirdre en ik. We zaten het met open mond te aanschouwen. Als ik niet had gekauwd op een stuk gehaktbal dat ik probeerde door te slikken, was ik zelf ook vast in huilen uitgebarsten. Maar ik wilde niet ook nog eens de Heimlichgreep aan onze eettafelactiviteiten toevoegen, zodat ik mijn mond dichtdeed en doorkauwde alsof er niets aan de hand was. Deirdre reageerde door een smoesje te mompelen, naar boven te gaan en niet meer terug te komen.

'Sorry hoor,' zei ma gesmoord in haar papieren zakdoekje. 'Sorry. Ik wilde niet... het is alleen... ik weet niet. Ik ben doodop. Van de hele week. Het is me gewoon te veel. Normaal doe ik nooit zo... Waarom zit ik het eigenlijk uit te leggen?'

'Mijn moeder huilde altijd op feestdagen,' zei Leonard, bij wijze van troost en om haar het gevoel te geven dat ze zich niet hoefde te verontschuldigen. 'Ook op verjaardagen.' En toen, alsof het besef hem zomaar inviel, voegde hij eraan toe: 'Ik mis haar.'

Daar zaten we dan de mensen te missen die er niet waren. Opeens ging Leonard rechtop zitten en sperde zijn ogen wagenwijd open. Er schoot hem iets te binnen.

'Hé, wacht eens. Is dit soms een speciale dag of zo voor jou en oom Dinges?'

Ma keek op, bijna loensend, knipperde toen met haar ogen alsof ze zonder bril iets probeerde te zien wat heel ver weg was. En toen zag ze het, zo scherp alsof het bij toverslag aan de horizon opdoemde. Wij zagen dat ze het zag – de datum. Dertig jaar geleden, ongeveer op ditzelfde moment, had mijn moeder mijn vader leren kennen.

Weer schoten de tranen haar in de ogen, en ze kon geen woord uitbrengen.

Leonard draaide zich naar mij toe en vroeg met een stem die zowel vleiend als dringend klonk of we ook wodka in huis hadden. Wodka? Waar hadden we wodka voor nodig? Ik snapte er niets van. Maar het volgende moment stond ik tot mijn eigen verbazing al op een stoel in de eetkamer, draaide de sleutel van de drankenkast om en pakte een fles Smirnoff. Ik hoopte er maar het beste van.

Toen ik weer in de keuken kwam, stond Leonard bij het aanrecht met een krop ijsbergsla in zijn handen. Hij scheurde drie knapperige buitenbladen af en spoelde ze schoon onder het stromende water. Toen legde hij die lichtgroene halve maantjes op de afdruipplaat en depte ze droog met keukenpapier. Hij pakte ijsblokjes uit de vriezer en legde ze één voor één in de kommetjes van sla.

'Bedankt,' zei hij, en hij rukte de fles wodka uit mijn handen. Hij goot een stevige scheut wodka in een slablaadjeskommetje en gaf het aan ma. 'Ik noem het een Titanic, vanwege de ijsbergsla. Je drinkt de wodka, zuigt op het ijsblokje en eet daarna het slablad. Het doet wonderen. En je knapt ervan op. Probeer maar.'

Met een ongelovig gezicht tuitte ma haar lippen om de eerste slok te nemen. Ik vond het een krankzinnig gedoe, maar ik moest toegeven dat de cocktail zijn eerste wonder al verricht had: ma huilde niet meer. Ze zat de smaak van de wodka te koesteren en keek neer op het plasje alcohol in het slablad terwijl de ijsklontjes tinkelend in haar hand dobberden. Leonard draaide zich weer om naar het aanrecht en begon de andere twee slakommetjes vol te laten lopen met water uit de kraan.

Toen hij klaar was, gaf hij er een aan mij en nam zelf de andere.

'Proost,' zei hij. 'In die van ons zit geen alcohol. Dat spreekt vanzelf. Zou Deirdre ook willen?'

'Absoluut niet,' zei ik.

Zo zaten we met ons drieën een ijsbergcocktail te drinken. Ik voelde me Alice in Wonderland.

En dat was natuurlijk nog maar het begin.

Nog voor het einde van Leonards eerste maand bij ons, ging hij aan het werk in de salon. Hij zei er altijd van gedroomd te hebben dat hij in de schoonheidsbranche terecht zou komen, en hij vond zichzelf de grootste bofkont van de wereld toen ma hem vroeg om de receptie waar te nemen, de telefoon te beantwoorden en afspraken te noteren. Omdat school nog niet was begonnen en Leonard nog geen vrienden had in de buurt (en het was twijfelachtig of hij die ooit zou krijgen), stond niets hem in de weg zijn tijd in de salon door te brengen, de namen van de klanten uit zijn hoofd te leren en zijn taak uit te breiden met bezigheden die, zoals hij dat noemde, 'nuttig en praktisch' waren.

Vanaf het allereerste moment gedroeg hij zich alsof de hele zaak van hem was. Hij floot musicaldeuntjes terwijl hij de pluizige, muiskleurige vlokken oudedameshaar opveegde waar de vloer van de salon mee bezaaid lag. Hij stak zijn vingers onder de ouderwetse droogkappen en zei met een gezag dat nergens op sloeg: 'U kunt nog wel een paar minuutjes hebben, mevrouw Mixner.' Hij nam het geld aan bij de kassa en zorgde voor wisselgeld, koffie en prietpraat. Hij downloadde de muzikale behangversie van popsongs, brandde cd's en liet ze horen door een gloednieuw geluidssysteem dat hij zelf installeerde. Hij nam het zelfs op zich om naar de waslijst kwalen, gebreken en gezinsproblemen te luisteren van vrouwen die vijf keer zo oud waren als hij.

Ik kende ma's klanten veel beter dan ik wilde toegeven. Als ze boven de zestig waren, binnen een straal van zeventig kilometer woonden en nog een telefoon konden pakken om een afspraak te maken, wist ik alles van hen – en niet alleen de coupe en kleur van hun kapsel of het model van hun lievelingsjurk. Nee, ik kon je ook alles vertellen over hun familiedrama's, het merk en model van hun auto, geboortedatum, de laatste keer dat ze gevreeën hadden, de naam van de vent met wie ze voor het laatst gevreeën hadden, hun favoriete en minst favoriete tv-programma's, hun favoriete filmster en op de koop toe de bijnamen en eigenaardigheden van elk kleinkind. Ondanks het feit dat ik in mijn vrije tijd het liefst boeken las en mezelf verloor in het werk van schrijvers als Jane Austen en Charles Dickens, maakten die oude struiken met hun opgekamde haar en zwaar opgemaakte gezichten in goede en slechte tijden het universum uit waarin ik was geboren. Het waren míjn mensen.

Nu maakte ook Leonard deel uit van die wereld en hij had in de salon precies de taak overgenomen die van mij was geweest, waarbij hij zelfs zover ging dat hij mijn oude jasschort en headset droeg. Terwijl ik over het algemeen een hekel had aan alles wat met de salon te maken had en geen bal gaf om de vrouwen die met de regelmaat van de klok kwamen en gingen, vond Leonard het hele gruwelijke circus een feest en liep hij zo warm voor de klanten als een bos haar dat in de fik vloog. Dit benaderde hier op aarde nog het meest zijn idee van doodgaan en regelrecht in de hemel komen.

Ik denk dat de meeste mensen Hair Today geen al te slechte salon zouden vinden. Het was een doorsnee schoonheidssalon, ingericht met tinten zachtroze en blauwgrijs, die in onze voormalige garage opereerde. Niet chic, maar ook niet sjofel. Halverwege de jaren negentig, toen ma de garage tot ver buiten zijn voegen had laten uitbreken, uitbouwen, isoleren, schilderen en inrichten leek het de natuurlijkste gang van zaken om het hele zaakje met het huis te verbinden door middel van een mooie gang. Ze moest ook op regenachtige dagen tussen het woonhuis en de salon heen en weer kunnen gaan zonder nat haar te krijgen, wat de extra onkosten rechtvaardigde van ramen met luxaflex en een dak met balken; en omdat we geen van allen echte buitenmensen waren, misten we geen van allen de achtertuin, die nu helemaal was volgebouwd.

Als je door de voordeur de salon binnenkomt, staan meteen achter de balie drie droogkappen. Vrouwen op leeftijd, met een hoofd vol rollers onder een haarnet, worden daar geparkeerd zodat hun kapsel en hun hersens tegelijkertijd tot krakende krulletjes kunnen roosteren. Twee comfortabele kapstoelen staan pontificaal midden in de salon – de ene wordt bediend door mijn moeder, de andere is een monument ter herinnering aan Leslie Shilts, een vrouw met veel haar en overdreven gelakte nagels die twee dagen in de week kwam werken tot ze met ma brak en haar eigen zaak begon in Avon.

Het decor van de salon is modern, met een knipoog naar de goede oude tijd. De sfeer is zakelijk maar vriendelijk. Ondanks de ozonverwoestende spuitbussen haarlak en de blootstelling aan bepaalde chemische stoffen waar een laboratoriumrat blind van zou worden, houden de klanten van de algemene indruk. Tenslotte is het ons werk om tegen de verdrukking in het schoonheidsideaal van de klant in haar eigen ogen tot leven te brengen. Als iemand komt aanzetten met een foto van bijvoorbeeld Nicole Kidman en ons smeekt ervoor te zorgen dat zij er ook zo uitziet, knikt ma en neemt haar mee naar de wasbakken. Ma zegt nooit dat Nicole nu eenmaal dertig jaar jonger is en haar heeft dat nog handelbaar is. Ze zegt nooit: 'Lieverd, heb je de laatste tijd nog weleens in de spiegel gekeken?' Ze glimlacht en maakt er het beste van. Daar wordt ze voor betaald. Meestal gaat de klant tevreden weg, al lijkt ze in de verste verte niet op Nicole Kidman. Iedereen vindt het nu eenmaal heerlijk om in de watten te worden gelegd.

Oorspronkelijk stond de salon bekend als kapperszaak Beauty. Ergens eind jaren negentig kwam ma van een groot congres in Las Vegas terug met het briljante idee haar zaak 'een salon' te gaan noemen en de naam te veranderen in Hair Today. Een paar weken lang hoorde je niets anders dan 'oh' en 'ah' om de neonreclame aan de voorkant en ma's nieuwe werkkleding. Maar algauw was alles weer bij het oude. De enig blijvende verandering leek de manier waarop we de telefoon aannamen, ongeveer zo:

'Hair Today. Wat kan ik voor u doen?'

'Wat?'

'Met Hair Today spreekt u. Wat kan ik voor u doen?'

'Dan heb ik zeker het verkeerde nummer. Wacht eens. Dit is toch Beauty?'

'Vroeger heetten we Beauty, maar nu heten we Hair Today.'

'Waarom? Wat was er mis met Beauty?'

'Niets. We zijn gewoon van naam veranderd... Mevrouw Bustamante? Bent u dat?'

'Ja. Met wie spreek ik?'

'Met mij. Phoebe.'

'Goh meid, waarom zeg je dat dan niet meteen? Ik bel alleen even om te zeggen dat ik iets later kom dan drie uur.'

Na twee jaar dienst te hebben gedaan als receptioniste en parttimewashulp vond ik het tijd om iets anders te gaan doen. Ik was doodziek van mijn medeplichtigheid aan het verwoesten van de ozonlaag met spuitbussen omdat mevrouw Weinstein zich zo nodig veilig moest voelen onder een harde helm van haar op de bat mitswa van haar kleindochter.

Ik moet ook toegeven dat mijn idee van schoonheid het stadium had bereikt waarin ik gek werd van het getut tussen de pincetten, permanenten, bloemenjurken en haarverf met idiote namen als Herfstdauw en Champagnemoment. Ik was aan een heel ander leven toe en wilde met heel andere mensen omgaan. Van mij mag iedereen haar haar touperen en zelfs in de zon nog een plastic regenkapje dragen, maar ik wilde domweg mijn horizon verbreden. Na een zondvloed aan hete tranen, heftige ruzies, geschreeuwde ultimatums en dichtslaande deuren – gedrag dat, volgens mij, zo ver van persoonlijke schoonheid afstaat als maar kan – kwam ik tot de conclusie dat ma en ik niet langer door één deur konden en dat Hair Today al die heisa niet waard was. Dus stapte ik op.

Als er weer eens iets aan mijn haar moest gebeuren, ging ik voortaan naar Supercuts in Asbury Park, een paleis van spiegelglas waar rockmuziek werd gedraaid en waar ik tamelijk onverschillig werd geknipt door iemand van ongeveer mijn leeftijd, die zich niet druk maakte met een föhn omdat ik bij thuiskomst toch meteen mijn haar ging wassen. Als ik mijn haar wilde verven (iets wat ik sinds ongeveer mijn twaalfde regelmatig doe) fikste ik dat zelf wel in de badkamer boven.

Deirdre had een moeilijker band met de salon dan ik. Ze had er nooit echt gewerkt, en ik geloof eigenlijk dat ze een beetje neerkeek op de zaak omdat zijzelf van nature al prachtig haar had. Haar lange, glanzende, kastanjebruine haar hing tot over haar schouderbladen en liep uit in een soepele v op haar rug. Als bij een kampioenshond, die voortdurende zorg en een bijzonder dieet kreeg maar tegelijkertijd bij hondenshows de jury in alle staten van verrukking bracht zodat hij alle beschikbare medailles mee naar huis kon nemen, was iedereen altijd opgetogen over haar haar. Dat had tot gevolg dat haar plicht tegenover Hair Today meer in de richting van reclame lag. Bijvoorbeeld, als Deirdre naar huis liep en op straat op niets of niemand lette, kwam het vaak voor dat een vrouw haar aanklampte omdat ze zo nodig een compliment moest maken over Deirdres haar. Dan vroeg zo'n mens haar natuurlijk hoe ze aan die coupe was gekomen. Deirdre glimlachte dan wat en zei: 'O, mijn moeder heeft een salon, ziet u, dus het blijft in de familie, hè.' Volgende vraag: 'Hoe heet de salon van je moeder?' Dat was het sein voor Deirdre om haar haar achterover te gooien en laconiek te zeggen: 'Hair Today', waarna ze weer in gedachten verzonken doorliep. De vrouw, die hoopte dat ze er ook zo kon uitzien als Deirdre, onthield die naam en je kon er donder op zeggen dat ze een week later kwam opdagen.

Niemand zei hier natuurlijk ooit iets over. Ik heb eens de opmerking gemaakt dat ik het onbegrijpelijk vond dat een moeder een van haar eigen kinderen als lokaas gebruikte.

'Wat bezielt jou eigenlijk?' vroeg ma, met haar handen in haar zij en een verbeten gezicht. 'Dacht je dat ik met mijn overvolle agenda tijd had om zulke listen te verzinnen? Waar zie je me voor aan? Ik ben Proctor & Gamble toch niet?'

Het eerste wat me opviel toen Leonard in de salon begon, was dat ma bedachtzaam in de zaak rondliep. Dat was ongewoon, want het was meer haar stijl om gekweld en overwerkt over te komen, soms op het hysterische af. Haar dag begon normaal om negen uur 's ochtends en verliep met sneeuwbaleffect tot lawineafmetingen tegen de middag. Om drie uur 's middags was ze zo druk bezig problemen op te lossen en rampen te voorkomen dat ze amper een minuut voor zichzelf had. Als er al een gedachte bij haar opkwam, liep die een goede kans om meteen verdrongen te worden door de eisen die haar klanten stelden.

Toen Leonard er eenmaal was, vond ma vreemd genoeg tijd om voor een spiegel stil te blijven staan en heimelijk haar uiterlijk te keuren. Ze leek niet langer tevreden met de persoon die terugkeek. Ze begon aan veranderingen te denken, zoals flatterende lippenstift, nieuwe werkkleding, rare diëten en zelfs een facelift. Was het toeval dat ze kort na Leonards komst op zulke ideeën kwam en er een paar uitvoerde? Vast niet. Zoals iedereen binnen een straal van vijfentwintig kilometer algauw ondervond, was Leonard een fanatieke voorstander van metamorfosebehandelingen.

Op lege bladzijden van zijn ringband tekende Leonard gezichten van geslachtsloze meisjes, jongens, mannen en vrouwen; en daarna, met gebruik van alleen een balpen en zijn op hol geslagen verbeeldingskracht, transformeerde hij hun gezichten tot iets excentrieks. Dat was meer dan zomaar een hobby, meer dan zomaar poppetjes tekenen; het was zoveel als een vaste baan voor hem, een obsessie. Hij kon uren bezig zijn met het verlengen van wimpers, het epileren van wenkbrauwen, het bedenken van kapsels, het vergroten van lippen, het bijwerken van jukbeenderen, een neus verkleinen, een gezicht sprankelender en levendiger maken. Ik denk dat hij het liefst een nietsvermoedende halvegare had geronseld om voor proefkonijn te spelen, maar niemand trapte erin.

Op een keer wilde hij ma opgeven voor een tv-programma waarin ze volslagen onbekenden een nieuw uiterlijk gaven en daarna het huis in eenzelfde stijl opknapten. Ma zei steeds weer dat ze het veel te druk had om er zelfs maar van te kunnen dromen aan zoiets mee te doen. Maar Leonard bleef op haar inpraten. Hij hield haar voor dat we allemaal de plicht hadden aan onszelf te werken, omdat we anders hopeloos ouderwets werden, om niet te zeggen voorhistorisch. Het maakte hem niet uit of de make-over een mens of een keukenkruk betrof, hij geloofde in vooruitgang en verbetering. Hij had voor alles en iedereen plannen – inclusief zichzelf. Ik hoorde hem eens tegen ma zeggen: 'Er is niets met jou aan de hand wat niet verholpen kan worden met een nieuwe look en een creditcard.'

Het is natuurlijk mogelijk dat ma op eigen houtje een manier had gevonden om iets aan haar uiterlijk te doen. Tenslotte word je er een beetje moe van om dag in, dag uit hetzelfde oude, teleurgestelde mens te zijn. Maar het valt niet te ontkennen dat Leonards aanwezigheid en zijn manie voor make-overs een flinke zet in die richting waren. Enfin, binnen een maand was mijn moeder een ander mens. De grijsblauwe gympen, die ze al honderdvijftig jaar op het werk droeg, had ze eindelijk afgedankt en opeens flitste ze door de salon op hippe felroze ballerina's. Ook trok ze niet meer snel de eerste de beste oude broek aan voor ze ging werken. In plaats daarvan droeg ze een kort rokje, zo kort dat het leek alsof haar benen een eigen leven leidden en er elk moment zonder haar vandoor konden gaan. Ze ging lipstick, oogschaduw en rouge gebruiken. Ze zag eruit als een oud boek dat in een nieuw jasje werd heruitgegeven om een kaskraker te worden. En het ergste van alles? Je mocht er niets van zeggen!

'Wat heb jij?' vroeg ik.

'Waar heb je het over?' zei ze ontwijkend.

Toen ik op de avond voordat het vuilnis werd opgehaald haar partij afgedragen, wijde werkschorten van nappa in een vuilniszak op de stoep zag staan, wilde ik er het mijne van weten. Ze zei dat ik me met mijn eigen zaken moest bemoeien, maar als ik het dan per se wilde weten, ze had een heel nieuwe voorraad roze tricotjurken besteld van een heel ander model, het soort jurk dat volgens haar 'afkleedde'. Ze droeg al een week lang het prototype. 'Het bevalt me,' zei ze. 'Het staat gewoon veel beter.' En als bewijs liep ze een modeshowtje, draaide midden in de keuken rond en ik zag de woorden Hair Today dramatisch over haar borsten geborduurd.

De klanten keken met grote ogen naar ma, en je zag zo aan de manier waarop hun blik haar volgde bij haar gangen in de salon dat zij ook wilden hebben wat ma had, wat het ook zijn mocht. Ik bedoel niet dat ze haar jurk of nieuwe schoentjes wilden. Nee. Ze wilden hun oude leven terug, hun benen, borsten, mooie haar, strakke vel – de hele handel. Als iemand als mijn moeder, een vrouw die van nature niet warm liep voor veranderingen, binnen een paar weken tijd zo'n dramatische transformatie kon ondergaan, moest het hun ook lukken. En het was niet zo moeilijk om door te hebben dat Leonard het genie achter dit alles was.

'Waar heb je die jurk gevonden?' vroegen ze mijn moeder langs hun neus weg.

'Leonard heeft hem gevonden. In een catalogus,' zei ze, op een toon alsof het de gewoonste zaak van de wereld was.

'Wat heb je met je haar gedaan?' wilden ze weten.

'Ideetje van Leonard. Wel spannend, hè?'

Algauw stond de telefoon roodgloeiend.

'Is Leonard er ook?'

'Mevrouw Ladinsky?' vroeg ik, met een stem hoog van verbazing. Ze mocht best merken dat ik het knap vreemd vond als een vrouw van zevenenzestig, die het dunne haar van een suikerspin had en vervreemd was van haar man die nu in Tampa woonde, om tien uur 's avonds op een schooldag naar mijn veertienjarige verwijfde neef vroeg.

'Ja, spreek je mee. Meid, geef me Leonard even, wil je?'

'Moment,' zei ik, en ik drukte de hoorn tegen mijn nachtpon, haalde een paar keer diep adem en liet een geschikte pauze voorbijgaan. Toen dat lang genoeg had geduurd, zei ik in de telefoon: 'Sorry mevrouw L., maar Leonard staat onder de douche. Ik weet het niet zeker, maar ik geloof dat hij zich afrukt en daar stoor ik hem liever niet bij.'

'Ik bel wel terug.'

Klik.

Ik verzweeg die telefoontjes voor Leonard. Waar haalden ze het lef vandaan om op alle uren van de dag en nacht te bellen en me te behandelen alsof ik zijn secretaresse was? Daar klopte geen bal van.

We hadden ons natuurlijk beter kunnen afvragen waaróm

Leonard zoveel invloed had. Ik had oeverloos geprobeerd mevrouw Cafiero ervan te weerhouden haar haar in de tint Zonsondergangnevel te verven, omdat ik wist wat er allemaal in die kleur zat. Waarom had ze nooit naar mij geluisterd? Opeens was er een weeskind in ons midden dat een macht had over mevrouw C. waar niemand aan kon tornen. Op zijn voorstel kwam mevrouw C. op een zonnige dinsdag de salon in gewandeld en droeg ma op: 'Haal alles er maar af! Ik wil het voortaan puur natuur!'

Leonard had het trouwens zo druk met iedereen een metamorfose aanpraten, iedereen aan te moedigen zichzelf te zijn of liever te worden wat ze volgens hem hoorden te zijn, dat alle vrouwen binnen de kortste keren hun haar, de lengte van hun rok, hun kraaienpootjes en boezem stonden te inspecteren voor de grote passpiegel in de salon. Ze waren uren bezig met bedenken of ze inderdaad blond moesten worden, gaan joggen, nieuwe kleren kopen, epileren, scrubben, internetten, leren autorijden, of iets anders aanpakken van de duizend-eneen dingen die Leonard voorstelde om hun leven op te leuken. Leonard was de vraagbaak waar al onze klanten van hadden gedroomd, de jongen die hen opmerkte, de jongen die wilde wat het beste voor hen was.

Ik liet me geen seconde voor de gek houden. Ik vermoedde dat Leonard zich bij iedereen inlikte zodat ma hem onmisbaar zou vinden en hem uiteindelijk zou vragen voorgoed te blijven. Want laten we eerlijk zijn, hij kon nergens anders heen. Wij waren zijn laatste kans, en hij was wanhopig. Ik zag alleen niet in waarom wij degenen waren die verantwoordelijk voor hem moesten zijn, waarom hij bij ons moest wonen, of waarom iedereen ons steeds vertelde dat we zo goed bij elkaar pasten. Het idee mijn hele leven opgescheept te zitten met Leonard, of zelfs maar een jaar, was meer dan ik kon verdragen. Daarom legde ik me er de maanden die volgden op toe zijn slechte eigenschappen aan ma duidelijk te maken en zijn ware, berekenende aard bloot te leggen. Als hij eenmaal iets onvergeeflijks had gedaan, zou ma zeker andere 'regelingen' treffen en hem de deur wijzen. Ik moest natuurlijk wel sluw te werk gaan. Ik had het zo druk met het beramen van een plan dat de mogelijkheid nooit bij me opkwam dat Leonard zelf zijn glazen zou ingooien. En dat was precies wat er gebeurde. Ik hoefde geen vinger uit te steken. Het ging bijna te gemakkelijk.

# 3

'Vinden jullie het hier niet leuk?' vroeg ma, terwijl ze haar lippenstift bijwerkte en in het verlichte spiegeltje van haar poederdoos keek. Het was Thanksgiving Day en ma was van haar lieve leven niet van plan om op haar vrije dag met een kalkoen in de oven te gaan worstelen, waardoor we bij restaurant Fin & Claw terechtkwamen.

'Goh, ik dacht dat jullie het hier leuk vonden, jongens,' zei ma. 'Kijk. Ze hebben die cranberrysaus uit blik die jullie zo lekker vinden. We hoeven niet te blijven als je er niets aan vindt. Ik dacht dat het jullie idee was.'

Toen depte ma haar lippen droog met een zakdoekje en keek nog even keurend naar haar bijgewerkte gezicht voor ze het doosje dichtklapte.

'Het was toch jouw idee, Deirdre?' vroeg ze.

Toen ging Deirdre over de rooie. 'Nee! Het was helemaal niet mijn idee. Het was Leonards idee, weet je nog? Dat weet je best. En ma, dat moet je niet aan tafel doen! Dat is heel...'

'Wat moet ik niet aan tafel doen?'

'Dat!' snauwde Deirdre terug, met een blik op de poederdoos.

'Ach, stel je niet aan, Deirdre,' zei mijn moeder en ze stopte de poederdoos in haar tasje zodat hij niet meer zichtbaar was. 'Er is hier toch geen mens.'

Ik keek om me heen. Het was een zee van bejaarden, het soort mensen dat wil eten voordat de zon ondergaat, het soort dat niet meetelt.

'Je wordt bedankt,' zei Deirdre, met een houding alsof ma had gezegd dat wij de mensen waren die niet meetelden. Ze staarde in een denkbeeldige verte alsof de hele wereld haar gestolen kon worden en er niets de moeite van het bespreken waard was.

'Was ik maar nooit geboren,' zei Deirdre lusteloos.

'Weet je,' begon Leonard met een overdreven levendige glans in zijn ogen, 'ik heb ergens gelezen dat geboren worden net zo'n unieke gebeurtenis is als meemaken hoe een éénogig schildpad eens in de honderd jaar naar de waterspiegel van de oceaan komt en toevallig zijn kop door een gat in een stuk hout steekt dat daar zomaar drijft.'

We keken alle drie naar hem alsof hij zo'n idioot bij de bushalte was die je brochures in handen wilde proppen over het leven na de dood – waarmee ik bedoelde dat we ons best deden níét naar hem te kijken.

'Nou ja, dat zeggen ze tenminste. Het is echt uniek.'

Deirdre kreunde, greep haar tasje en stond van tafel op.

Er is een tijd geweest waarin Deirdre wel de laatste was om zo rot te doen, want er heeft een Deirdre bestaan die gelukkig was. Op school haalde ze altijd tienen, ze vond alles leuk, praatte met iedereen en verzon ter plekke scherpzinnige liedjes over ma's klanten. Ze glimlachte tegen vreemden en ze wist kennissen de indruk te geven dat ze belangrijk waren.

Toen ze negen was en zich opgaf als cheerleader was ze binnen een halfjaar aanvoerster, niet omdat ze zo uitblonk in spagaten of hoge kicks, of er zo mooi uitzag in een plooirokje, maar omdat ze de gave had de meiden enthousiast te maken. Het is doodzonde dat ze op de middelbare school niet doorgegaan is als cheerleader, maar tegen die tijd was het vlammetje in haar aan het uitdoven. Niemand wist hoe dat kwam. Destijds nam ik maar aan dat ze veel aan haar hoofd had en dat de scheiding van onze ouders zijn tol had geëist. De puberteit kon ook een verklaring zijn. Iedereen wist dat de puberteit allerlei onvermoede veranderingen kon veroorzaken; je wist alleen niet precies in welke mate. Voor Deirdre was de mate extreem.

'Ik denk dat ze een nieuwe look nodig heeft,' zei Leonard, die met een dun, rood feestrietje zijn cola light zat te drinken. 'Iets heftigs. Iets van: hé, geef je ogen maar eens goed de kost aan mij.'

Zelfs ma rolde met haar ogen bij die woorden.

'En nog eens wat,' kwam ik ertussen, 'ik wil wel even gezegd hebben dat het een idee van Leonard was. Dit restaurant. Niet van Deirdre. Niet van mij. Van hem.'

Even over de Fin & Claw: het restaurant is vooral op zomertoeristen gericht, maar blijft het hele jaar open voor de vaste bewoners als deerniswekkend decor van verjaarsfeesten, jubilea, reünies, diners ter ere van afgestudeerden, geboortes, bankpresidenten en de Rotary. Elk gezin binnen een straal van dertig kilometer heeft bijgedragen aan het succes. Veel keus hadden we dan ook niet. Het was een van de weinige tenten in Neptune waar je Thanksgiving Day buitenshuis kon vieren. Op de voorkant van het menu stond de tent beschreven als 'een vorstelijke steiger geschikt voor een zeegod', maar het was in feite niets anders dan een zooi goedkope souvenirs en badplaatsprullen die ontworpen waren om de zomergasten te doen geloven dat ze echt ver van huis op vakantie waren. Zeesterren, palmbladen en reddingsboeien zaten verstrikt in slingers van visnetten, die dramatisch langs het plafond en de steunbalken waren gedrapeerd. Opgezette zeedieren en visgerei hingen aan de muren. Grote schelpen (die langs de kust van New Jersey niet voorkwamen) stonden uitgestald op richels en vensterbanken rondom het vertrek. De saladebar was al een hoofdattractie geweest voor ze de doorzichtige hygiënische vitrines hadden geplaatst.

Maar het decor was niet de enige reden waarom ik zo hartgrondig en hartstochtelijk de pest had aan de Fin & Claw. Het probleem was dat niemand in Neptune er een voet kon zetten zonder aan een ernstige aanval van herinneringen te lijden. Ons gezin was geen uitzondering. De vorige keer dat ik hier was, draaide ik me om naar Deirdre en fluisterde haar toe dat we vanaf dat moment naar de tent zouden verwijzen als 'het graf van onze voorbije jeugd'. Het was alsof alles wat we daar ooit als gezin hadden meegemaakt dood tussen de balken hing. Mijn zevende, achtste en tiende verjaardagsetentjes, naast de belangrijke zestiende verjaardag van Deirdre. Mijn vader zweefde daar ook (al probeerde ik niet naar hem te kijken). Elk schietgebedje dat ik ooit aan dat balkenplafond van de Fin & Claw had gericht tijdens eindeloze zondagse uitstapjes hing naast die gruwelijke plastic kreeften en de versplinterde roeispanen.

Josh Mintern, die zich voordeed als hulpkelner in een bloedrood jasje dat vloekte met zijn oranjerode haar, kwam een mandje brood naar onze tafel brengen. Geen wonder dat hij me niet durfde aan te kijken – de broodjes waren zo oud dat ze met droge tikken tegen elkaar botsten toen hij ze voor me op tafel zette. Er zat een gouden waas van een snor op zijn bovenlip en ik dacht: godallemachtig, we worden allemaal volwassen, en over tien minuten zijn we bejaarden die de vroegevogelhap bestellen en over klontjes in de jus klagen.

'Hé Josh,' zei Leonard, en hij keek met een stralende lach naar hem op.

We waren allemaal stomverbaasd dat Leonard iemand in de stad bij naam kende, laat staan een schoolgenoot die een klas hoger zat. Josh zelf leek al even verbijsterd. Hij stond erbij te kijken alsof hij zojuist een klap op zijn kop had gehad met een van zijn eigen broodjes.

Toen Josh zich zwierig uit de voeten had gemaakt en in de keuken was verdwenen, boog Leonard zich voorover en keek knipperend met zijn ogen naar de ingang alsof hij iemand verwachtte. Je moest wel blind zijn om niet te merken dat Leonard gek deed, zelfs voor zijn doen. Ma keek hem scherp aan.

'Leonard, ik weet niet wat je hebt, maar flikker niet zo met je ogen.'

'Moeder!' zei ik, op een toon die ik voor restaurants reserveerde. 'We hebben je al duizend keer verteld dat "flikker" een woord is dat je niet meer moet gebruiken.'

Ik zei er niet bij dat 'flikker' een woord was dat ik sowieso niet meer gebruikte in de buurt van Leonard – niet in die betekenis, niet in dezelfde kamer, niet eens in mijn gedachten. Woorden als 'mietje', 'sissy', 'nicht', 'poot' en alles wat maar in de verste verte seksuele bijbetekenissen had, waren voorlopig ook uit mijn woordenboek geschrapt. Ik mocht van mezelf niet eens meer over hun betekenis nadenken – vooral omdat er op school openlijk heel wat werd gepraat en gescholden in die termen.

Dat leek Leonard trouwens koud te laten. Als ik toevallig ergens met hem liep en iemand een woordbommetje als 'sissy' in zijn richting gooide, deed hij alsof er een zwakke elektrische zoemtoon in de lucht hing, zonder een waarneembare oorzaak om je druk over te maken. Op een keer keek Leonard even naar mij, zuchtte en vestigde toen mijn aandacht op zijn gloednieuwe wijnrode mocassins.

'Vind je dat die schoenen mijn voeten klein doen lijken?' vroeg hij, zich niet bewust van de dreiging die boven zijn hoofd hing.

Op zulke momenten wist ik niet of ik hem wel kon zoenen of hard op zijn nieuwe schoenen wilde trappen. Als ik een beter mens was geweest, zou ik vast het lef hebben gehad om die plaatselijke pestkoppen lik op stuk te geven. Ik zou ze recht in hun smoel hebben gezegd dat ze het niet moesten wagen om mensen die zich zo gedroegen als mijn neef te terroriseren. Maar een reputatie van wereldverbeteraar met een grote bek en de verdediger van plaatselijke nichten kon ik helemaal niet gebruiken.

'Zit niet zo op je stoel te draaien,' zei mijn moeder tegen Leonard.

'Ja, maar ik zit niet graag met mijn rug naar de deur,' zei Leonard.

Als we naar een restaurant gingen, stond Leonard er altijd op een plaats met zicht op de deur te krijgen. Hij beweerde dat het een oude Italiaanse traditie was.

'Je weet maar nooit wie er binnen kan komen,' legde hij ons uit.

Maar die avond in de Fin & Claw hield mijn moeder voet bij stuk en dwong hem tegenover ons te gaan zitten, met zijn rug naar de deur.

'Je hebt geen druppel Italiaans bloed, Leonard,' zei ze, 'dus hou maar op.'

Hij trok zijn dunne wenkbrauwen op (ik zweer dat hij ze epileerde) en zei: 'Je kent dat toch? Mannen van middelbare leeftijd in joggingpakken worden om de haverklap boven een bord spaghetti neergeschoten. Omdat ze vergeten de deur in de gaten te houden.'

'Leonard, je kijkt te veel tv.' Meer woorden wilde ik er niet aan vuilmaken.

Op datzelfde moment werd ma krijtwit en leek het alsof haar gezicht elke uitdrukking verloor. Ze keek alsof ze net een man zijn mitrailleur had zien richten om het vuur te openen. We hielden allemaal onze adem in.

Als je met iemand verbonden bent door een bloedband of de kracht van liefde, is het alsof je een soort innerlijke geigerteller hebt die sneller en luider gaat tikken als die iemand in de buurt komt. Op dat moment klikte de mijne als een bezetene, en ook zonder me om te draaien wist ik dat mijn vader net het restaurant was binnengekomen en op ons af liep.

'Haal Deirdre,' zei mijn moeder zonder me recht aan te kijken. 'We gaan op staande voet weg.'

Ik stond van tafel op, sjeesde door de eetzaal naar de damestoiletten en botste tegen tante Bet op (die geen echte tante is); haar korte, gedrongen lijf versperde me de weg en het zag er niet naar uit dat ze op weg was naar een ander doel. Tante Bet had een appelvormig gezicht en een peervormig lichaam; haar permanent, die door mijn moeder was ingezet en geverfd, had een bleke champagnekleur en wiebelde altijd wat mal op haar hoofd. Ze keek me doordringend aan en lachte me toe met een glimlach die niet valser had kunnen zijn.

'Ho. Waar is de brand, jongedame?' vroeg ze op die zogenaamd sympathieke toon van haar, terwijl ze mijn arm vasthield. 'Doe eens rustig. We zitten er niet om te springen dat we je op Thanksgiving Day naar de spoedpoli moeten brengen.'

Op dat moment kwam Deirdre de toiletten uit en bleef stokstijf staan. Ze vroeg zich kennelijk af wat er gaande was tussen tante Bet en mij. Maar toen tante Bet mijn arm losliet, keek Deirdre weer om zich heen en richtte haar blik strak op de gebeurtenis bij ons tafeltje. Daar stond pa, in hoogsteigen persoon.

'Kom mee,' zei ik tegen haar. 'We gaan. Ma zegt dat we op staande voet vertrekken.'

Ma stevende regelrecht naar de deur van het restaurant. Deirdre en ik besloten haar op de voet te volgen, al was ik degene die voor ons beiden besliste door haar mouw te grijpen en haar mee te trekken. We stonden al zowat buiten toen ma onverwachts bleef staan. Ze stond erbij als een vrouw in een droom, die opeens bedenkt dat ze haar kleren is vergeten maar niet naar zichzelf durft te kijken uit angst dat ze inderdaad naakt blijkt te zijn. Omdat Deirdre en ik haar letterlijk op de voet volgden, struikelden we bijna over haar heen.

'Onze jassen,' zei ma, beseffend dat we op het punt stonden zonder de nodige bovenkleding naar buiten te gaan. Het was tenslotte november. Voor we het wisten, was ma alweer op weg naar ons tafeltje, waar Leonard en mijn vader zaten.

'O help,' zei ik tegen de rug van ma's pompoenkleurige broekpak terwijl ik mijn uitgeglipte schoen weer probeerde aan te doen. 'Ma, we moeten weg. We gaan nu meteen weg.'

Maar ma stond al bij de tafel en keek zo woedend neer op Leonard en mijn vader alsof het misdadigers waren. Het is maar goed dat ze geen wapen bij zich had.

'Hé, kijk eens wie we daar hebben,' zei Leonard tegen haar en hij wees naar mijn vader. 'Hoe bestaat het, hè? Dat is ook wat.'

Ik keek Leonard strak aan en probeerde hem telepathisch mijn wil op te leggen, maar hij was zo goed als achterlijk als het om gezinsproblemen ging en het lukte niet. Hij ging alleen rechtop zitten en zei: 'Het is hem. Het is je vader', alsof er verwarring was over de identiteit van mijn eigen vlees en bloed.

Ik heb mijn vader altijd een knappe man gevonden. Ik heb Electra, mijn beste vriendin, eens opgebiecht dat ik hem een soort goudkleurige uitgave van George Clooney vond. Ze lachte zich gek en hield zich in toen ze besefte dat ik het meende. 'Nou ja, een beetje,' gaf ze toe, 'maar niet heus.' Toch was er een gelijkenis – in ieder geval in míjn ogen. Hij had een lichte huid met sproeten en dik, gemberkleurig haar. Zijn gezichtstrekken waren scherp en krachtig, zijn lippen waren mooi vol, en de kleine, gele haartjes op zijn onderarmen glansden. Terwijl ik alle donkere kenmerken van mijn moeders Zuid-Italiaanse familie had geërfd, had Deirdre haar schoonheid, lichte tinten en groene ogen van onze vader.

Die middag zag hij er ouder uit dan ik me hem herinnerde, en moe. Zijn vuisten lagen gebald op tafel, hij droeg een lichtgroen geblokt overhemd met korte mouwen en keek naar ons alsof we krankzinnig waren. Wij stonden daar maar wat. Hij zei geen woord. Helemaal niets. Hij dwong zijn mond tot een lach, maar hij keek verdrietig en er sprongen tranen in zijn ogen. Ik keek weg. Ik kon het niet verdragen. Deirdre stond naar de visnetten boven haar hoofd te staren alsof ze daar zojuist iets had opgemerkt wat ze allang kwijt was. Ze zag er moedeloos uit, zoals ze daar alleen midden in het volle restaurant stond. We waren allemaal alleen.

Intussen fladderde tante Bet van de ene tafel naar de andere in de zaal om met de klanten te babbelen. Ze hield ons in de gaten; ze kende de situatie tussen mijn ouders goed genoeg om te weten dat het lastig kon worden, maar ze bagatelliseerde het en deed alsof ze niet eens merkte dat we noodgedwongen bij het tafeltje stonden dat nu van mijn vader was. Het lag er duimendik bovenop dat er iets mis was.

'Niets aan de hand, hoor,' hoorde ik haar zeggen tegen drie oude vrouwen, met truien om hun schouders geslagen, en haren in dezelfde kleur als hun servetten. Ze rekten hun nek om te zien wat er zou gaan gebeuren. Er was duidelijk wél iets aan de hand met ons, maar tante Bet hield vol: 'Het is niets. Beetje gezinsheibel.'

Het idee dat de laatste drie jaar en alles wat we hadden doorstaan – het uit elkaar gaan, de scheiding, leven zonder mijn vader, toekijken hoe ma de eindjes aan elkaar probeerde te knopen – in de ogen van andere mensen *niets* was, maakte me gek. Ik kon wel krijsen, of iemand de ogen uitkrabben, maar in plaats daarvan stond ik er net zo hulpeloos bij als de anderen, wachtend op de dingen die komen gingen.

'Kom mee, Leonard,' zei ma. 'We gaan naar huis.'

'Ellen...?' Mijn vaders stem kwam als een verrassing. We keken hem allemaal aan. Hij haalde diep adem, alsof hij een lange speech ging houden en tegelijkertijd een beroep deed op mijn moeders gevoel voor rechtvaardigheid.

'Niet doen. Oké?' zei ma tegen hem. 'Niet doen.' En om haar woorden te benadrukken strekte ze haar vlakke hand uit. Ik zag dat ze haar trouwring niet droeg. Wanneer had ze die afgedaan? vroeg ik me af. Misschien had ze hem niet meer gedragen na die avond waarop Leonard het diamantje had aangeraakt en haar had laten kennismaken met zijn Titanic-cocktail.

'Jassen,' zei ma over haar schouder tegen ons. Dat was haar manier om conversatie te voorkomen en ons zo snel mogelijk daar weg te krijgen.

Leonard stond op. We probeerden elkaar niet aan te kijken terwijl we ons in onze herfstjassen hesen, maar ik merkte toch dat Leonard op was van de zenuwen.

Toen hoorde ik mijn vader zeggen: 'Het spijt me.' Maar hij zei het heel zacht, bijna binnensmonds, en niet duidelijk genoeg om er veel goeds mee uit te richten.

'Wat zeg je?' zei ma.

Hij keek op naar ons en herhaalde het toen harder. 'Het spijt me. Geloof me, dit had nooit mogen gebeuren. Het is mijn schuld. Het... het spijt me zo.'

Hij zei het wel, maar elke lettergreep klonk goedkoop en toonloos. Het waren de woorden die we eigenlijk al heel lang van hem wilden horen. We wilden dat hij spijt had, dat hij moest huilen; we wilden hem ongemakkelijk zien schuiven op zijn stoel en hem om vergeving horen smeken. Maar nu het zover was, leek het niet meer genoeg.

Tante Bet kwam naar ons toe. Ze liep iets voorovergebogen en trok een klaaglijk gezicht.

'Meisjes toch,' zei ze, 'blokkeer het gangpad nou niet.'

We keken haar na toen ze naar de keuken liep alsof we nog nooit zo'n raar mens hadden gezien. En op dat moment leek Deirdre weer af te dalen van de onbekende planeet waar ze zich had verscholen. Ze knipperde een paar keer met haar ogen en lachte. Het was geen blije lach. Hij klonk laag, schor en een beetje dreigend.

Toen deed ze een greep in de saladebar naast haar. Met een gebaar zo licht alsof ze met rozenblaadjes strooide, gooide ze een handvol slablaadjes naar mijn vader. De groene krullen dwarrelden neer op zijn haar en schouders en sommige vielen op de grond en op tafel. Ik hoorde iemand aan een naburig tafeltje de adem inhouden van schrik. Iedereen was overdonderd – ook mijn vader. Hij zat roerloos naar de rommel op tafel te staren.

Weer stak Deirdre haar hand uit, maar nu was ik haar te snel af. Ik kon haar arm grijpen en haar tegenhouden. Maar ze draaide zich als de bliksem om en greep een vuistvol slabladeren met haar vrije hand. Deze keer miste ze, en de sla dwarrelde lukraak rond, raakte niemand in het bijzonder en iedereen in het algemeen. De blaadjes kwamen overal in waterglazen en dessertcoupes neer.

Tante Bet kwam aangesneld. Ze keek naar het kleed dat bezaaid lag met sla alsof haar porselein daar in duigen lag. Ze was echt overstuur. Gekker moest het niet worden, zei ze terwijl ze Deirdre en mij en Leonard naar de deur werkte. Met gedempte stem dreigde ze de politie erbij te halen en ze bleef maar zeggen dat we voortaan niet meer welkom waren in haar restaurant, met ons schandalige gedrag. Wij waren ronduit asociaal, siste ze.

Deirdre, Leonard en ik hingen zeker twintig minuten op de parkeerplaats rond zonder te weten wat we moesten doen. We stonden te wachten tot ma buiten kwam, in zou stappen en met ons naar huis rijden zodat we daar gezamenlijk konden gaan mokken; maar ze bleef weg. We bespraken of we weer naar binnen moesten om haar te redden, maar niemand voelde iets voor het risico op een nieuwe scène met tante Bet. Leonard was het ermee eens dat hij dan maar poolshoogte moest gaan nemen. Hij liep om het gebouw heen en loerde als een ware spion door de ramen. Toen hij terugkwam, meldde hij dat ma tegenover pa aan tafel zat. Ze waren aan de praat. 'Als oude vrienden,' zei hij opgewekt. De slarommel was opgeruimd en alles zag er heel gewoon uit.

'We moeten weer naar binnen,' zei Deirdre.

'Waarom zouden we?' zei ik.

'Om ma te halen.'

'Mooi niet. Ik zet daar geen voet meer. Ik wil er nooit meer eten. Nooit van m'n leven. Trouwens, misschien eet ik sowieso de rest van mijn leven niet meer. Ik weet niet hoe jij erover denkt, maar na dit alles ga ik net zo lief dood. Echt. Ik meen het.'

Dat was dat – een hele speech van mij.

'Eigenlijk is het wel geinig ook,' zei Leonard.

'Geinig?'

'Ja. Je ouders hebben elkaar toch in de Fin & Claw ontmoet?'

'Ja,' zei Deirdre. Met haar hoed op en een sjaal om zat ze op de motorkap van ma's auto als een verlepte schoonheidskoningin na de feestoptocht om haar verkiezing te vieren. 'En wat dan nog?'

'O niks,' zei Leonard. 'Ik zeg het zomaar.'

Met een ruk draaide ik mijn hoofd naar hem om en ving nog net een lachje op, een besmuikt in zichzelf gekeerd lachje dat niet was bedoeld voor anderen. Toen hij me zag kijken, verdween de grijns meteen; hij trok zijn geplukte wenkbrauwen op en zei: 'Wat?' Toen ik met geen andere reactie kwam dan een kwade, alwetende blik, voegde hij eraan toe: 'Wat nou?'

Ma kwam het restaurant uit en marcheerde de parkeerplaats over. Ze klemde haar sleutels in haar vuist en keek alsof de eerste de beste die haar een strobreed in de weg legde een oplawaai kon krijgen. Voor de verandering kon er nu eens geen glimlach af. We sprongen allemaal snel van onze zitplek en wachtten tot ze de portieren opendeed, maar in plaats van haar sleutels in het slot te doen liep ze op Leonard af en greep hem bij zijn jaskraag.

'Als je ooit, ooit nog zoiets flikt, trap ik je persoonlijk zo hard het huis uit dat je in één moeite terug bent waar je vandaan komt en dan wil ik je nooit meer zien. Begrepen?'

Leonard stond er slungelig bij, wist niet wat hij moest zeggen.

'Begrépen?'

'Ja,' antwoordde hij. En er was geen spoor meer te bekennen van de glimlach die vanaf het moment dat hij bij ons kwam bijna steeds op zijn gezicht geplakt had gezeten.

# 4

De feestdagen waren in aantocht en alle klanten stonden voor een afspraak geboekt. Als echte christenen gingen Leonard en ik gebukt onder de zware plicht dat we voor Kerstmis cadeaus moesten kopen, zodat ma ondanks de drukte erin toestemde ons naar het winkelcentrum te rijden en naderhand op te halen. Ik wist uit ervaring dat ik prompt op tijd op een goed zichtbare plek bij Sears moest staan, omdat ze anders zonder ons wegreed en we zelf maar moesten zien hoe we thuiskwamen. Afspraak was afspraak.

Ik heb mezelf altijd een expert gevonden in het plannen en uitvoeren van mijn wekelijkse expedities naar het winkelcentrum. Ik doe mijn ronde, langs Sam Goody's, The Gap, Foot Locker, Banana Republic, Victoria's Secret en Dollar Bob's en heb dan nog tijd voor een pizzapunt en cola bij de goedkope Pizza Hut die gebouwd is naar het idee dat een of andere zot heeft van hoe een authentieke Italiaanse villa eruitziet. Ik zoefde van de ene tent naar de andere als een dolgedraaide bij die van bloem naar bloem flitst, klaar om te steken als me de voet werd dwars gezet. Maar Leonard had erop gestaan met me mee te gaan en al speelde ik het klaar hem kwijt te raken in de winkelende massa bij de draaideuren van Stern's, mijn schema was van slag en ik kwam tijd te kort.

Leonard was een type dat altijd al opviel in een mensenmassa, maar die dag had hij het nog bonter gemaakt, met een kersenrode baret, een roze en paars gestreepte spijkerbroek en een witte riem van lakleer. Ik was er bijna aan gewend geraakt hoe onaards hij er op klaarlichte dag uitzag. Maar toen ik de hoek bij de Bagelboetiek om kwam en hem zag op die belachelijk torenhoge gympen van hem, bleef ik stokstijf staan.

Zodra Thanksgiving voorbij was had Leonard besloten dat hij platformgympen moest hebben. Volgens hem werden ze de trend, het hoogtepunt van het komende modeseizoen, en hij ging op jacht alsof ze al bestonden, een nog onontdekt artikel dat rustig afwachtte tot de juiste persoon ze zou vinden, ze super vinden en ze populair zou maken. Toen hij binnen een straal van tachtig kilometer nergens van die dingen kon ontdekken, vond hij dat hij ze zelf maar moest maken. Hij kocht tien paar teenslippers bij Dollar Bob's, sneed de teenstukken eraf, lijmde de zolen van rubber op elkaar en plakte het geheel onder een paar hoge Conversegympen. Toen hij die had voorzien van lange veters in alle kleuren van de regenboog kwam hij zijn maaksel trots als een pauw in de woonkamer showen.

Gruwelijk.

Ik vond dat ik hem moest waarschuwen, maar ik had het net zo goed kunnen laten. Alleen met gevaar voor eigen leven, meldde ik, kon hij op die wolkenkrabbers van regenbooggympen naar school. Het was schreeuwen om problemen. Uiteindelijk moest ik hem recht voor zijn raap uitleggen dat hij zich, als hij van plan was op die monsters rond te lopen, binnen de kortste keren de benen uit het lijf zou moeten rennen om zijn leven te redden.

Volgens hem was er geen vuiltje aan de lucht en liepen ze als een droom, en om dat te bewijzen paradeerde hij ettelijke malen triomfantelijk de woonkamer rond.

'Help!' riep hij op de wanhopige toon van acteurs in een actiefilm. 'Ik word achterna gezeten.'

Onder normale omstandigheden zou ik me verscholen hebben tot mijn moeder in zicht kwam, maar Leonard zwaaide en riep naar me alsof hij echt in gevaar was. Hij riep steeds mijn naam en kwam toen snel op me af geklost.

'Wat is er nou weer?'

'Travis Lembeck en die idiote Calzoni met zijn zwijnenkop. Ze hebben me bij Payless klemgezet en mijn geld afgepakt. Nou, dat geld zal me een zorg zijn. Mogen ze houden. Maar ze hebben ook mijn vergulde geldclip van Yves Saint Laurent die ik van mijn moeder heb gekregen, en het is mijn enige aandenken aan haar.'

Travis en Curtis (de idiote Calzoni) kwamen Sears uit gebeend, gaven de deuren een harde duw en keken erg zelfvoldaan. Allebei sjouwden ze met volle tassen.

Travis en Curtis zaten een klas hoger dan ik, en je zag zo aan ze dat het hufters waren, van het soort dat een berucht verleden en geen toekomst had. Dat gaf ze macht over iedereen in de stad. Mensen durfden geen mond open te doen als ze in de buurt waren. Niemand maakte ze in hun gezicht uit voor 'arm blank tuig' of had het lef een grap te maken over hun ouders die het allemaal worst zou zijn. Niemand bood aan ze te helpen met wiskunde. Niemand sprak ze aan op hun cijfers, vroeg wat ze in de voorjaarsvakantie gingen doen of informeerde naar welke universiteit ze later wilden. Ook werd er met geen woord gerept over het feit dat Travis' ogen net iets te dicht bij elkaar en iets te kwaadaardig scheef stonden. Curtis' meer dan verschrikkelijke o-benen, waardoor hij opvallend waggelend liep, kwamen ook niet ter sprake. Er werden geen geintjes gemaakt over hun kleren, niemand zei: 'Waarom hebben ze dezelfde zwarte winterjacks aan? Het is godbetert mei.' En voor zover ik weet had niemand ze ooit onomwonden gevraagd of ze vuurwapens bij zich droegen.

Er moest worden ingegrepen. Leonard stond erbij alsof hij tot niets anders in staat was dan een fikse huilbui, en verder was er niemand in de buurt. Het was aan mij om op de barricade te klimmen.

'Hier met die geldclip,' zei ik tegen die twee. 'Anders zijn jullie zo goed als dood.'

Iedereen met maar een greintje gezond verstand kon je vertellen dat het geen slim idee was om Travis Lembeck te bedreigen. Niet in het openbaar. Nergens. Nooit. Maar ik kon niet werkeloos toekijken hoe hij en zijn beul Curtis wegliepen met Leonards stomme clip.

'Je hoort me best, Lembeck,' zei ik en ik deed een stap in hun richting. 'Ik heb het tegen jou.' En ik voegde eraan toe: 'Geef op.'

Ik stak mijn hand uit alsof ik verwachtte dat hij over de brug zou komen. Ik kon hem bijna horen denken: wat denkt die meid wel? Toen er niets gebeurde, besefte ik dat hij in shock was. Hij zou het nooit achter me hebben gezocht dat ik zoveel lef had. Toen vertrok de rechterhelft van zijn gezicht weer in die bekende spottende grijns en hij keek me met half dichtgeknepen ogen aan.

'O ja? En als ik daar nu eens helemaal geen zin in heb?'

'Ook goed. Dan geef ik hem aan bij de politie als gestolen voorwerp en noem er een paar namen bij.'

Even was het stil. Ik dacht dat Travis uit ging halen en me een dreun tegen mijn kop zou verkopen. Curtis keek aan één stuk door van mij naar Travis, van Travis naar mij. Daar werd ik bloednerveus van, omdat ik wist dat Travis íéts zou moeten doen om Curtis te bewijzen dat niemand hem eronder kreeg.

'Hoor 'es,' zei Travis ten slotte. 'Als ik jou die clip nu eens geef en jij degene bent die zo goed als dood is?'

'Je doet maar.'

Opeens voelde ik me als een superheldin met superheldinnenkracht in een strip. Ik had het gevoel dat ik dwars door de stof van Travis' dikke jack in zijn ellendige jaszak kon kijken – hier en daar pluis, tabaksgruis, los geld, een oud pepermuntje met fruitsmaak en een doosje lucifers zaten om Leonards geldclip gepropt. Ik wist zeker dat hij het ding had en ik wilde het terug.

Ik kon Travis niet dwingen. Ik zou niet weten waarmee. Lui als Travis en Curtis gingen echt niet plat voor Leonards aandoenlijke verhaal dat hij dat stomme ding van zijn moeder had gekregen. Ik piekerde me suf: wat nu? wat nu? En toen bedacht ik iets. Stel dat ik te hoog had ingezet, stel dat ik niet in één sprong over de sloot heen kwam, stel dat ik niet wist waaraan ik was begonnen? Ik weet niet of het van angst kwam, maar mijn knieën begonnen te knikken en mijn schoenen leken te krimpen toen ik daar gedurende wat een eeuwigheid leek stond te piekeren.

'Ben jij soms ook van de verkeerde kant?' vroeg Travis.

'Zei je wat?' Ik had hem best gehoord, maar ik moest tijd winnen om te bedenken hoe ik daarop moest reageren.

'Je hoort hem toch,' deed Curtis een duit in het zakje. 'Hij wil weten of je lesbo bent.' En toen barstte hij uit in een meisjesachtig gegiechel waarvan hij bijna dubbelsloeg en tranen in zijn ogen kreeg.

Toen deed ik het. Vraag me niet hoe en waarom, maar opeens zoog ik me vast aan Travis' mond. Leonards adem stokte van schrik, of misschien van afschuw. Curtis verloor de macht over zijn volle tas, die met een klap op de stoep viel. Het lachen was hem vergaan en hij keek met uitpuilende ogen hoe ik zijn maat kuste. Travis bevroor en probeerde zich terug te trekken. Maar zijn mond begon een eigen leven te leiden en ik kon voelen hoe hij me terugzoende. Zijn tong, klein en flitsend en helemaal in voor de mogelijkheden, stuwde hem voort, de toekomst in en dichter naar mij toe. Hij smaakte naar een aluminium maatbeker of naar die oude emaillen kroezen in kampeervakanties met mijn vader. Ook ving ik een vleug sigarettenrook op die aan zijn haar en huid kleefde, en zijn lichaamsgeur, een verrassende mengelmoes van chocolademelk en zuurstokken.

'Wauw,' hoorde ik Curtis op de achtergrond stamelen.

Toen ik een stap achteruit deed, was Travis een heel ander mens in mijn ogen. Al die scherpe randjes van hem waren zachter geworden. Hij leek iemand met wie ik best af en toe zou willen praten, iemand die wel tegen een geintje kon. Ik vroeg me af of hij mij nu ook anders zag. Waarschijnlijk kwam het gewoon doordat er een overdaad aan hormonen was vrijgekomen in mijn bloed dat ik alles nu in een heel ander licht zag.

De claxon van mijn moeders auto verbrak de betovering.

'Kom, we gaan,' zei ik en ik greep Leonards hand en trok hem mee naar de auto.

'Maar...'

Ik was niet van plan hem zijn zin te laten beëindigen.

'Instappen.'

Ik ging voorin zitten. Leonard zakte op de achterbank neer.

'Wie zijn die jongens?' vroeg mijn moeder toen ze haar haar inspecteerde in de achteruitkijkspiegel.

Ik proefde de achtergebleven smaak van Travis nog na in mijn mond en koesterde mijn succes.

'Dat is haar nieuwe vriendje,' piepte Leonard ongevraagd vanaf de achterbank. 'Die daar. De linkse.'

'Hou jij je kop. Dat is mijn vriendje helemaal niet. En dat weet jij beter dan wie ook.'

'Ik mag het hopen,' zei ma toen we wegreden bij de stoep. 'Die twee lijken me geen echte droomprinsen.'

Ik zat op de voorbank van ma's auto aan die stomme geldclip van Leonard in mijn jaszak te peuteren en voelde in mijn binnenste de luchtsprong die bij scoren hoort. Als iemand met enige ervaring op het gebied van winkeldiefstal weet ik dat het vrijkomen van een stoot endorfine een goede reden is om risico te nemen en uit jatten te gaan. Ik bedoel, voor mensen als ik gaat het er niet om dat we spullen nodig hebben. Het gaat om de kick, om dat luchtsprongetje.

Toen ik het moment rijp vond, stak ik mijn arm over de rugleuning en hield Leonard mijn gebalde vuist voor. Langzaam, heel langzaam, deed ik één voor één mijn vingers open tot de geldclip zichtbaar werd in mijn klamme handpalm.

'Hier,' zei ik.

Leonards mond viel letterlijk open. 'Maar hoe...'

Ook nadat hij de clip had weggegrist en ernaar zat te staren, voelde ik het ding nog spookachtig in mijn hand branden. Toen ik keek, zat er een diepe afdruk dwars door mijn levenslijn.

Leonard keek naar me alsof ik de blauwe fee uit Pinocchio in hoogsteigen persoon was, degene die de macht had de pop om te toveren tot een echte jongen. Er stonden levensechte tranen in zijn ogen en hij mimede de woorden: 'Dankjewel.'

Kolere, dacht ik, nu kom ik nooit meer van hem af.

En op dat moment barstte ik in tranen uit.

Vraag me niet waarom. Misschien was de bedrading van mijn gevoelsleven diep vanbinnen in de knoop geraakt en was ik het vermogen kwijt om verschil te zien tussen geluk en verdriet. Misschien was huilen een nieuwe vorm van lachen, en vice versa.

Toen we thuiskwamen, sleepte ik Leonard vastberaden mee achterom, dwong hem op de vuilnisbak te gaan zitten en vertelde hem het levensverhaal van Winona Ryder. Omdat Winona Ryder ooit mijn idool was geweest, aan wie ik nota bene brieven schreef die ik naar haar agent stuurde, kende ik haar *E! True Hollywood Story* uit mijn hoofd en vlocht ik de feiten moeiteloos door ons gesprek. Op een of andere manier was ik nog steeds door haar gefascineerd, al had ze al een hele carrière opgebouwd tegen de tijd dat ik oud genoeg was om haar te waarderen en speelde ze al minder toen ik een jaar of tien was. Haar verhaal was boeiend genoeg om mensen te inspireren.

'Winona was zo'n acht of negen jaar oud en woonde nog in Petaluma bij haar familie thuis. Ze zag eruit als een jongen, en de eerste week op haar nieuwe school kreeg ze een groep kinderen over zich heen die haar voor lamlul uitmaakten, en nog ergere dingen. Om hun woorden kracht bij te zetten sloegen ze haar in elkaar. En weet je waarom?'

Leonard was in de ban van het verhaal; hij staarde me aan en leek niet te beseffen dat die vraag echt aan hem was gericht. Ik herhaalde het nog maar eens.

'En weet je waarom ze haar in elkaar sloegen?'

'Eh... geen idee. Omdat haar achternaam toen nog Horowitz was?'

Eerlijk gezegd was ik stomverbaasd dat Leonard dat wist. Maar dat was niet de reden voor het pak slaag.

'Nee,' zei ik. 'Ze sloegen haar in elkaar omdat ze dachten dat ze homo was.'

Leonard keek me met knipperende ogen aan alsof hij me een boodschap in code wilde sturen door bliksemsnel zijn oogleden open en dicht te doen. Ik kende die code overigens niet, zodat het geen enkel effect op me had.

'Bedankt dat je me mijn geldclip hebt terugbezorgd,' zei hij.

Ik vond het van levensbelang hem de rest van het verhaal te vertellen; hij moest weten dat Winona's ouders haar na die knokpartij van school namen, haar thuis lesgaven en aanmeldden bij het prestigieuze American Conservatory Theatre in San Francisco, waar ze later ontdekt werd en auditie mocht doen voor de rol van Jon Voights dochter in *Desert Bloom*. En al kreeg ze de rol niet, het leidde er wel toe dat ze gecast werd als poëzieminnende tiener in *Lucas* (een film die ik zeven keer heb gezien).

Het bleek trouwens een vergissing vanjewelste om dat aan Leonard te vertellen, want hij lachte veel te blij en vroeg: 'Wacht eens. Bedoel je dat ik naar de toneelschool moet?'

'Nee,' zei ik, want daar had ik het helemaal niet over en blijkbaar snapte hij niets van mijn bedoeling. 'Ik bedoel dat je niet rond kunt lopen als een sissy van de bovenste plank, anders word je net als Winona in elkaar geslagen.'

'Maar het liep toch allemaal goed af voor Winona?'

'Hoor eens,' zei ik en ik begon zachter te praten en gooide het over een andere boeg. 'Het zal me een rotzorg zijn of je wel of niet homo bent. Ik zeg alleen dat je er niet zo openlijk mee te koop moet lopen.'

'Openlijk? Hoezo?'

'Je schoenen. Je baret. Je broek. Om maar iets te noemen, dus.'

'Maar ik vind ze mooi. Ik voel me er lekker bij.'

'Lekker?' vroeg ik. 'Hoe kan dat? Je loopt erbij als een gek en iedereen lacht je uit.'

Hij keek langs zijn lijf – naar zijn broek, zijn schoenen en wat hij nog meer van zichzelf kon zien. Misschien probeerde hij zich voor te stellen hoe anderen hem zagen. Hij schudde zijn hoofd.

'Ik ben gewoon mezelf. Openlijk mezelf, bedoel ik.'

Dat maakte wel zo'n beetje een einde aan ons gesprek. Ik liet hem daar achter en ging het huis in om iets te doen wat destijds belangrijk leek maar wat ik me nu niet eens meer kan herinneren. Ongeveer een uur later, toen ma naar boven riep dat het was gaan sneeuwen, keek ik uit mijn raam om het met eigen ogen te zien. En daar zag ik Leonard, die nog steeds op de vuilnisbak zat, ontspannen achterover leunend, terwijl hij zijn stomme platformgympen liet bengelen en met een hoge, meisjesachtige sopraanstem dat al even stomme lied over je lievelingsdingen uit *The Sound of Music* zong. Over meisjes in witte jurken met blauwe satijnen linten, sneeuwvlokjes in je haar en aan je wimpers en meer van die lievigheid.

Ik kon mijn ogen niet geloven – en mijn oren evenmin. En ik weet nog dat ik dacht: als hij niet begrijpt dat jezelf zijn in deze wereld de allerbeste manier is om jezelf in levensgevaar te brengen, dan moet hij het ook zelf maar weten als hij beren en andere monsters op zijn pad vindt. Dat joch is gek. Openlijk gek.

# 5

Mijn beste vriendin, Electra Wheeler, zat met haar handen om Leonards keel en drukte haar duimen in de holtes aan weerskanten van zijn adamsappel. Zijn adem werd afgesneden, wat kon verklaren dat hij erbij zat met een kop als een biet, blauwe lippen en ogen die uit zijn hoofd puilden. Hij moest kokhalzen.

'Kijk uit dat je hem niet vermoordt,' waarschuwde ik op mijn plek aan de zijlijn.

Het was mijn taak om naast Electra te staan en haar dreadlocks naar achteren te houden. Ze mochten niet in Leonards gezicht vallen en haar afleiden van wat haar te doen stond. Ik verdomde het om degene te zijn die hem half wurgde. Ik was bang dat ik te ver zou gaan en Leonard per ongeluk echt zou vermoorden.

Vanaf de eerste schooldag had hij mijn dagen veranderd in een voortdurende nachtmerrie. Iedereen wist dat Leonard een neef van me was, en met de regelmaat van de klok kwamen allerlei leerlingen me vragen wat er mis was met dat joch. Alsof ik dat wist. Tegen de voorjaarsvakantie was Leonard beroemd om zijn kleren, manier van lopen, manier van praten en door de musicalliedjes die hij in de schoolgangen zong. Hij wilde maar niet inzien hoe ongelooflijk ver hij buiten de perken van normaalheid ging, en hij gedroeg zich dan ook steeds excentrieker. Er had zelfs al een stukje over hem in *De drietand* gestaan, onze schoolkrant, toen de hoogste klassen hem voor de lol nomineerden voor 'koningin van het kerstbal'. De hele feestcommissie hoopte dat hij de nominatie zou aanvaarden, gekroond zou worden en geschiedenis zou schrijven op Neptune High. Wekenlang ging het gesprek in de kantine over niets anders dan de vraag wat Leonard zou aandoen naar het bal. Leonard deed natuurlijk alsof zijn neus bloedde, want dat was zijn stijl. Kerst ging zonder kleerscheuren voorbij en net toen ik dacht dat het geouwehoer was overgewaaid, ging het nieuwe gerucht rond dat Leonard als mogelijke koningin van het slotbal werd genoemd. Toen hij met dit nieuws werd geconfronteerd, zei hij dat hij wel belangrijker zaken aan zijn hoofd had.

Het verstikkingsspel was Leonards idee. Hij wilde het ook proberen nadat hij gehoord had dat meisjes in zijn klas er de laatste tijd een kei in waren geworden en het konden navertellen. Ik was er meteen tegen. Maar Leonard bood mij en Electra ook nog eens geld voor de eervolle klus, en dat sla je toch niet af? Voor veertig dollar konden we royaal samen naar de film, inclusief traktaties als een grote bak popcorn, milkshakes en misschien nog een portie nacho's. We besloten dat het geen kwaad kon Leonard zijn lol te gunnen.

Het leek wel of Electra een ketting aan het rijgen was of een rokje omzoomde, zo ging ze erin op. In haar voorhoofd zaten rimpels van inspanning, haar ogen waren gefocust, haar mond was samengeknepen, haar lippen naar binnen gezogen. Haar cacaokleurige huid vertoonde een blos van opwinding, en ik zag felrode vlekken op allebei haar wangen.

Mensen denken weleens dat zwarten niet kunnen blozen, maar dan hebben ze nooit een zwarte gekend of misschien niet goed genoeg gekeken. Anders zouden ze ontdekt hebben dat Afro-Amerikanen niet alleen blozen, maar ook nog eens behoorlijk kunnen verbranden in de zon.

Ma joeg mij nog weleens het schaamrood naar de kaken met een anekdote over de eerste keer in mijn leven dat ik een zwarte zag. Het was jaren geleden voor Neptune een geïntegreerde samenleving werd en de mensen buiten de grenzen van wat als hún wijk werd beschouwd verhuisden naar wat als ónze wijk werd beschouwd. Er waren nog kleine enclaves van Aziatische, Latijns-Amerikaanse, blanke of zwarte families, van elkaar gescheiden door onzichtbare barrières die alleen door de groepen zelf werden begrepen. Hier is het van ons en daar is het van hen. De mensen bleven in hun eigen wijken om redenen die alleen zijzelf logisch vonden. Het gekke is dat die wijken helemaal niet groot waren; ze gingen vaak niet verder dan een halve straat aan de ene kant, en als je overstak kon je al in een heel andere wijk zijn, bevolkt door een heel ander mensenras. En het was niet eens dat de mensen gedwongen werden in hun eigen wijk te blijven; ze hielden zich er domweg aan alsof het de gewoonste zaak van de wereld was.

Ergens halverwege de jaren negentig stortte die gewoonte in en iedereen verhuisde door elkaar. Geld werd de belangrijkste factor die bepaalde waar iemand wilde wonen. Als je de centen had voor een groot huis was het geen enkel probleem, je trok er gewoon in en niemand hield je tegen, niemand keek er raar van op – tenminste niet waar je bij was. Na een tijdje begonnen we Neptune zelfs een progressief stadje te vinden, omdat al die etnische groepen door elkaar woonden en iedereen met elkaar overweg kon. We vergaten dat alles tien jaar geleden heel anders was geweest. Mijn moeder vertelde die anekdote over mij vaak, niet om me voor gek te zetten maar om te bewijzen dat de situatie in Neptune sterk verbeterd was.

Volgens het verhaal was ik een jaar of drie, vier en zat ik met mijn poppen voor ons huis te spelen. Een zwarte man liep over straat. Ik weet er niets meer van, maar ma zegt dat ik begon te schreeuwen dat ze meteen moest komen, omdat er een man van chocola bij ons huis was. Ze zei dat ik door het dolle heen was van opwinding.

Toen ik dit verhaal voor het eerst aan Electra vertelde, zaten we op haar hemelbed in haar kamer de geheimen van onze kindertijd aan elkaar op te biechten. Het was mijn beurt, en ik dacht dat ik beter zelf het verhaal over de chocolademan kon vertellen om niet voor kleuterracist te worden uitgemaakt dan dat ze het later van mijn moeder zou horen. Toen ik het tafereel aan Electra beschreef, bouwde ik zorgvuldig verzachtende omstandigheden als: 'Ja, wist ik veel. Ik was nog geen vier.' En: 'Joh, ik had nog nooit een zwarte van dichtbij gezien, wat wil je?' Ze hoorde het hele verhaal aan en bleef me daarna een eeuwigheid zwijgend aankijken. Ik dacht dat ze me wilde slaan, maar uiteindelijk, volkomen onverwacht, barstte ze in lachen uit en viel achterover op haar bed. Het idee dat zijzelf van chocola kon zijn bracht haar blijkbaar in alle staten van verrukking. Toen ze weer bij haar positieven was, kwam ze overeind, hield me haar onderarm voor en zei: 'Likken, kreng.'

We kwamen niet meer bij en vielen slap van het lachen achterover. Voortaan, als iemand in mijn bijzijn iets liet blijken van vooroordeel of neerbuigendheid tegenover haar, hield ze de beledigende partij domweg haar onderarm voor en zei: 'Likken, kreng.' Uiteindelijk hoefde ze haar arm maar op te heffen of we wisten allebei hoe laat het was en schoten in de lach.

'Ogotogotogot,' zei Leonard, die naar adem snakte en zo extatisch keek alsof hij zojuist Jezus had gezien. 'Dat was... o god, dat was... o wauw. Ik ben gewoon... wacht even... Oké, het zit er nog... nee, het is over. Dat was fantastisch. Meiden... doe het ook eens, meiden.'

Electra en ik keken elkaar aan en begonnen keihard te lachen. Het leek ons geen kick dat de zuurstof uit onze hersens verdween en vervolgens als een stormloop teruggolfde. We beleefden onze lol aan films kijken en onze nagels lakken.

'Ja, vast. Alsof ik ooit zou toestaan dat jij je handen om mijn keel legt,' zei ik tegen Leonard. 'En trouwens, jij zou het ook niet meer willen als je je gezicht had kunnen zien. Je was net een monster.'

'Een monster uit de hel,' viel Electra me bij. 'Het moest verboden worden dat iemand er vrijwillig zo uitziet, tenzij je er de wereldvrede mee verdient of ermee bij *Oprah* komt.'

Leonard zat zijn hals te masseren, bekeek zichzelf in de spiegel en betastte voorzichtig de vuurrode vlekken die Electra's vingers op zijn hals hadden achtergelaten. Ik vroeg me af of ik thuis de schuld zou krijgen van die verraderlijke plekken en gedwongen zou worden te vertellen hoe ze waren ontstaan, maar toen ik zag dat Leonard een coltrui aandeed, nam ik aan dat niemand erachter hoefde te komen.

'En waar blijft ons geld?' vroeg Electra.

Leonard keek haar aan en hield toen zijn hoofd schuin. Ik wist hoe laat het was. Hij bestudeerde haar uiterlijk, bedacht wat hij mooier kon maken, hoe hij haar een make-over zou geven, en hij stond op het punt zijn diensten aan te bieden.

'Weet je, Electra...' stak hij van wal.

'Waag het niet,' onderbrak ik hem. 'We gaan naar de bios. Dokken.'

'Ik schuif heus wel. Het is niet in plaats van het geld. Ik wil alleen... ik weet niet... die dreadlocks bijvoorbeeld. Wil je die per se houden?'

Electra keek hem met een dodelijke blik aan. Geen haar op haar hoofd die erover piekerde haar uiterlijk met hem door te nemen. Ze had met eigen ogen gezien wat er met Deirdres haar was gebeurd; en al waren de popi's daardoor nog zo van gedachten veranderd en deden ze tegen Deirdre alsof ze weer bij hen hoorde, voor Electra was er geen denken aan zo drastisch te veranderen. Ze had hard aan haar eigen stijl gewerkt en die gaf ze echt niet op voor een gek als Leonard.

'Ha. Nee,' zei Electra op afdoende, gebiedende toon. 'Poten af van mijn dreads, ja? Het zijn mijn kindjes en die pakt niemand me af.'

'Jij je zin,' antwoordde hij.

Leonard bleef bij zijn standpunt dat de kapper domweg te ver was gegaan toen die Deirdres haar knipte, en we moesten gewoon relaxed afwachten tot het weer aangroeide. 'Met een weekje of twee is het een droom,' zei hij. 'Let op mijn woorden. Je zult het zien.'

En hij kreeg natuurlijk gelijk. Maar het was er nog niet af of Deirdres korte kop was op school het gesprek van de dag en in ma's salon ging het ook nergens anders over. Ma was niet eens zo kwaad geworden als we hadden verwacht. Iedereen wist dat ze tot in haar ziel getroffen was door die drastische verandering, maar als een klant commentaar had op Deirdres nieuwe look maakte ma simpelweg een tsss-geluidje, bekeek zichzelf in de dichtstbijzijnde spiegel, glimlachte en zei: 'Ach ja, lieverd, de dingen veranderen nu eenmaal.' Niemand slikte het, maar iedereen was blij dat ze geen scène trapte.

Deirdre had onmiddellijk meegedeeld dat knippen een idee van Leonard was geweest, en misschien was ma daardoor niet over de rooie gegaan. Ze had wantrouwend gestaan tegenover alle vernieuwingen die Leonard had bedacht als verbetering van de salon en haar eigen uiterlijk, en ze waren allemaal een succes geworden. Met een beetje tijd en geduld zou dit ook wel weer goed komen.

We namen de tijd en toonden geduld, en jawel hoor, we zagen Deirdres haar terugkomen. Van skinhead veranderde ze in millimeterkop. Haar prachtige gezichtsvorm, haar ogen, oren, jukbeenderen, die zo lang het onderspit hadden gedolven bij de overdonderende, opvallende schoonheid van haar haar, werden tot ieders bewondering opeens in volle glorie aan de wereld getoond.

Ma kreeg zelfs het verzoek van klanten om net zo'n coupe als Deirdre aangemeten te krijgen, ook wanneer het van geen kanten bij de vorm van hun gezicht paste. Ma deed haar best ze op andere gedachten te brengen, uit angst dat ze op de fles zou gaan als er alleen nog maar werd geschoren. Maar weer bemoeide Leonard zich ermee en legde mijn moeder uit dat ze, als ze in de eenentwintigste eeuw wilde overleven als haarstyliste, misschien eens wat nieuwe vaardigheden moest ontwikkelen. Ze struinden de winkels af naar een moderne kleine tondeuse en wonnen handige adviezen in bij de altijd treurig kijkende kapper, meneer Fallston, die een zaak aan de hoofdstraat had. Fallston had Deirdre haar nieuwe look gegeven en hij had het met plezier gedaan, maar hij zat niet te springen om uitbreiding van zijn zaak met vrouwelijke klanten. Hij zei dat zijn mannen erop rekenden bij hem onder elkaar te zijn, zodat ze er hun gemak van konden nemen. Ma zei dat voor haar vrouwelijke clientèle precies hetzelfde gold.

En zo breidde ma haar zaak uit door open te staan voor kale en korte koppies, ging Deirdre weer om met de populaire kliek en bleek Leonards schandalige daad uit te draaien op een triomf.

Maar nog voor dat happy end kon aanbreken, gebeurde er iets waardoor ik in de gaten kreeg hoe belangrijk het voor Leonard was om gelijk te hebben.

Ik was na school thuisgekomen en wilde niets anders dan rechtdoor naar mijn kamer gaan om me te begraven in *Mansfield Park*. Die dag was Deirdres nieuwe hoofd aan de hele school geopenbaard en iedereen was er vol van, maar mij boeide het meer of Fanny Price uiteindelijk met Edmund Bertram ging trouwen. Daar kwam bij dat ik het spuugzat was vragen te beantwoorden over Leonard en Deirdre. Ik wilde gewoon alleen zijn.

Het was een opluchting om het huis leeg aan te treffen. Maar zodra ik mijn rugzak in de hoek van de keuken had neergegooid, hoorde ik beneden rare geluiden. Mijn hart begon te bonken en mijn ademhaling stopte zelfs helemaal. Het klonk alsof iemand met doorgesneden keel aan een doodsrochel bezig was, maar het kon ook de wasmachine zijn die er de brui aan had gegeven, verstopt zat met zeepsop en op het punt stond te ontploffen. Wat het ook was en hoe angstaanjagend ik het ook vond, ik waagde me de keldertrap af.

'Hallo?' kraste ik schor.

Het geluid, zo bleek, kwam van Leonard; hij zat in elkaar gedoken in een hoekje van zijn 'kamer', met zijn kin op zijn knieën, zijn armen stijf om zichzelf heen geslagen. Hij snikte het uit. Hortend en stotend. Ik klopte op de zijkant van een van de dozen om mijn komst aan te kondigen, en hij keek op. Zijn ogen waren roodomrand en betraand; zijn gezicht zag er verhit en opgeblazen uit. De vorm van zijn mond imiteerde onnavolgbaar die van het griezelige tragische masker dat aan de buitenmuur van mevrouw Deitmuellers toneellokaal hing, behalve dat er in Leonards geval een straaltje kwijl uit het gapende gat sijpelde. Zodra hij me zag, sprong hij van de grond op en wierp zich languit op bed. Het was puur drama, maar ik kende het uit mijn eigen dramatische kindertijd; het was het soort gebaar dat een ander moest bewijzen dat alle hoop verloren was in deze wrede, harteloze wereld en er niets anders opzat dan je af te sluiten van alles en iedereen om je heen. Hij begroef zijn hoofd in zijn kussen en zijn snikken klonken gesmoord, maar het was wel duidelijk dat hij niet van plan was binnenkort op te houden.

'Leonard...?'

'Ga weg.'

'Wat is er?'

'Gá. Wég.'

Ik bleef staan, zodat mijn aanwezigheid uitdrukte wat mijn woorden niet konden. Ik wilde hem laten voelen dat hij niet alleen was, en dat de onbekende oorzaak van zijn vreselijke verdriet (het Deirdre-debacle, vermoedde ik) niet het einde van de wereld was, echt niet, en zelfs al was het wel het einde van de wereld, dan nog zou de storm wel gaan liggen en vergeten worden.

'Tja,' zei ik na een tijdje, 'je zult toch niet voor níéts janken.'

Hij schoot overeind, draaide zich om en staarde me met onverholen haat aan.

'Nou, laat eens kijken,' begon hij, op een toon die overliep van venijn en die sarcastisch precies was. 'Zou het soms zijn omdat mijn vader nooit iets anders voor me wilde zijn dan een klootzak? Of wacht, komt het soms omdat mijn moeder dood is en ik nu gedwongen ben in een stomme kelder tussen oude kartonnen dozen te wonen bij mensen die stiekem een bloedhekel aan me hebben?'

Hij viel weer op bed neer en begon opnieuw hartstochtelijk te snikken. Ik wilde iets zeggen, iets in de geest van: hé joh, niemand heeft hier een bloedhekel aan je, maar dat was zo overduidelijk een leugen dat ik geen woord over mijn lippen kreeg.

'Je weet niet hoe zwaar het is,' mompelde hij in het kussen. 'Je hebt er geen idee van.' En toen kreunde hij zo hard en klaaglijk dat ik van schrik letterlijk achteruit deinsde. Ik wenste vurig dat hij een kapotte wasmachine was geweest. Alles was beter dan dit.

'Als je huilt om Deirdres haar...' begon ik.

Nog meer gejammer, gevolgd door een luidruchtige manier van diep inademen. Intussen had hij zich tot een staat van hysterische omvang opgezweept. Ik herkende de signalen; ik had ze zelf vaak genoeg vertoond tijdens mijn kindertijd en puberteit. Als je eenmaal aan zo'n spektakel was begonnen, was er geen houden meer aan tot je van uitputting instortte. Ik besloot maar op de rand van het bed te gaan zitten en samen met hem te wachten tot het overging. Dat leek me het minste wat ik kon doen.

Eindelijk lukte het me om een paar woorden te verzinnen: 'Ik dacht dat je het hier leuk vond?'

'Jaaaaaaa!' jammerde hij. Hij hief zijn hoofd op om zijn neus af te vegen aan het kussen. Ranzig. 'Dit hier...' Hij snakte naar adem. 'Dit hier kan me...' Even dacht ik dat hij ging zeggen: dit hier kan me gestolen worden. 'Dit hier...' – hij maakte een wel heel erg overdreven theatraal armgebaar rondom – 'dit hier kan me niet schelen. Dat is het probleem ook niet. Het probleem zit hier!' En om het te onderstrepen beukte hij met beide vuisten tegen zijn hoofd. 'Dat zit in mijn kop, in mijn gedachten. Ik ben het probleem!'

De stakker. Ik moest wel medelijden met hem hebben. Hij had al zoveel meegemaakt en hij was nog niet eens vijftien. Maar toen begon hij zich letterlijk de haren uit zijn hoofd te trekken, en ik besefte dat ik meer moest doen dan medelijden hebben; ik moest ingrijpen. Ik greep zijn magere polsen beet en duwde ze uit alle macht weg, wat nog verbazend moeilijk was, want hij bleek onverwacht sterk voor een joch dat eruitzag alsof hij zo licht was als een veertje.

'Kappen. Kappen, ja?' zei ik. 'Je maakt me bang.'

Hij keek naar me op en hield zijn hoofd schuin, en zijn verzet verdween op slag. Hij zat me heel stil te bekijken, nam mijn gezicht, kleren en haar in zich op, vormde zich een oordeel en berekende hoeveel het zou kosten om me te veranderen. Ik wist absoluut zeker dat hij op het punt stond iets over mijn uiterlijk te verkondigen en met een voorstel te komen voor mijn haar of een andere kledingstijl. Het was hem aan te zien dat hij zijn hele aandacht opeens op mij richtte en hij huilde niet meer. Zo, dacht ik, als hij het op die manier weer kan redden, zal ik in godsnaam maar luisteren naar wat hij te zeggen heeft.

'Ga je gang,' zei ik.

'Wat?'

'Zeg het maar. Ik weet wat je denkt.'

'Ik denk helemaal niks. Echt niet. Ik kijk gewoon.'

Omdat ik niet langer bestand was tegen die onderzoekende blik, keek ik de kamer rond op zoek naar ik-weet-niet-wat. Zo viel mijn oog op een van de dozen, die openstond. Op de grond lag een stapeltje boeken. Ik liep erheen en pakte een van de boeken op.

Mijn oma, Judy Hertle, verzamelde boeken geschreven door mensen die overleden waren en vervolgens weer tot leven kwamen, mensen die in andere dimensies konden kijken, mensen die met geesten aan gene zijde spraken, mensen die opschreven wat hun werd doorgegeven. Ze hield zich daarmee bezig toen ze nog leefde en in Bradley Beach woonde. Ik had die boeken zelf niet gelezen, maar ik had vaak genoeg in haar dozen gerommeld om te weten waar ze over gingen en dat het niets voor mij was. Ook had ik ze vaak genoeg gezien om ze te herkennen, opgestapeld naast Leonards bed.

'Je hebt in de dozen gekeken,' zei ik, en ik zwaaide een boek voor zijn gezicht heen en weer: Edgar Cayces *Channeling Your Higher Self*. 'Je weet best dat dat niet mag. Het zijn jouw spullen niet.'

'Ik kon niet slapen.' Van de huilbui was geen spoor meer te

bekennen; al zijn aandacht was naar buiten gericht – op mij. 'Ik was niet aan het snuffelen. Echt niet. Ik zocht gewoon iets om te lezen.'

Als een bezetene begon ik de boeken weer in de open doos te doen.

'Dat moet een pittige dame zijn geweest. Jouw oma.'

Geen woord van mij. Ik negeerde hem straal.

'Ik weet niet meer waar, maar ik heb eens gelezen dat de hele wereld eigenlijk één trillend, stralend web van onzichtbaar glasvezel is dat de ene mens met de ander verbindt.'

Ik draaide me om en keek hem kwaad aan. 'Ze zijn niet van jou.'

Hij zat inmiddels geknield op zijn sprei en was opgeleefd, zelfs opgetogen, al was zijn gezicht nog opgeblazen van het huilen.

'Maar toch,' ging hij door. 'Er stond dat hoe sterker en hechter de band tussen twee mensen is, hoe stralender de draad tussen hen wordt. Hoe meer draden er lopen, hoe intenser de gloed is. Natuurlijk kan niet iedereen dat zien, want niet iedereen kijkt goed genoeg, maar sommige mensen – die vent die het boek schreef, bijvoorbeeld – zien het altijd en overal. Hij schreef dat hij er soms door verblind werd.'

'Ben je klaar?' zei ik, met een stem die zo scherp was dat ik er nog net geen bloedende wond mee veroorzaakte.

'Nou, nee. Er stond nog veel meer,' zei hij, zonder op mijn toon te letten. 'Soms werd die gloed zo dof dat hij bang was dat hij helemaal zou verdwijnen. En ik dacht bij mezelf, misschien jat jij daarom in winkels. Misschien steel je spullen om zo meer verbindingen te leggen. Ik bedoel, misschien wil je onbewust gepakt worden, zodat je...'

'Wat raaskal je nou? Ik jat niet. Zit je nu te beweren dat ik jat? En wat dan wel? Wat zou ik dan gejat hebben? Noem eens iets.'

Hij zat me op zijn knieën alleen maar aan te staren. Hij hoefde niets te noemen. Ik legde in mijn hoofd een complete lijst aan, probeerde me alles te herinneren wat ik ooit gestolen had, terwijl ik mijn gezicht in een plooi van volmaakte onschuld probeerde te trekken, zo onschuldig als ik onder de gegeven omstandigheden maar kon.

De telefoon ging. Het was ma die wilde weten wat al dat gebrul te betekenen had. Ze zei dat het goddorie nog boven het geluid van de droogkappen uit was gekomen. Toen ik haar vertelde wat er gebeurd was, verliet ze onmiddellijk haar post om Leonard bij te staan. De crisis was voorbij, maar ma wiegde Leonard in haar armen en praatte zacht tegen hem terwijl mevrouw Ferrante met een nat hoofd en een vrouwenmagazine in de salon zat te wachten. Ik werd nooit vertroeteld toen ik zo oud was als Leonard, en bij die gedachte verviel ik in een staat van wanhoop om mijn ellendige leven. Ik ging naar mijn kamer om te zien hoe het Fanny Price was vergaan. Zij en haar kersverse echtgenoot 'hadden Mansfield Park betrokken' en algauw gingen de mensen die bij Fanny eerst 'een pijnlijk besef van verlegenheid en angst' hadden opgeroepen in haar ogen 'volkomen volmaakt' lijken. Bofte zij even. Over mijn make-over werd geen woord meer gezegd.

Een maand later, toen ik op de rand van Electra's bed zat en doelloos aan de rits van mijn sweatshirt prutste, vroeg ik me onwillekeurig opnieuw af waarom Leonard er nooit aan toegekomen was minstens één verbetering aan mijn uiterlijk voor te stellen. Was ik soms een hopeloos geval? Vond hij me de moeite niet waard? Was mijn persoonlijke gloed voorgoed verdwenen? Hij had zo ongeveer de hele stad al op de korrel genomen. Hij had de mensen stuk voor stuk drastisch veranderd of minstens een plan voor ze ontworpen. Ook wanneer ze doodleuk weigerden een andere haarkleur of gezichtspeeling te nemen of hun buik te laten corrigeren of een van de duizend-en-een andere dingen die hij voor ze in petto had, leken ze toch op te bloeien, omdat iemand over ze nadacht en zich een beeld had gevormd waardoor ze mooier werden dan ze echt waren. Nu moest het mijn beurt maar eens zijn! Maar wanneer? Na al die maanden wachten op een plan van Leonard om mij te verfraaien begon ik in te zien dat ik het misschien helemaal mis had. Ik telde doodleuk niet mee. Hij had geen belangstelling voor me. Zodra ik hem zag aankomen, dook ik mijn kamer in en bad dat hij me niet zocht. Meestal liep hij rakelings langs. Als hij me toevallig mijn haar zag kammen of make-up op doen, keek hij me strak aan, maar kwam met geen enkele tip. En de hemel mag weten dat ik wel wat tips kon gebruiken. Je denkt misschien dat ik mezelf neerhaal als ik dit zeg, maar dat is niet zo; ik weet het domweg uit eigen ervaring. Een jongen als Travis Lembeck zal zo'n meisje als ik echt geen tweede keer zoenen.

Nu flapte ik de vraag eruit die al weken door mijn hoofd spookte. 'Wat is er eigenlijk mis met mij?' vroeg ik aan Leonard.

Electra en Leonard braken abrupt hun discussie af over de sterke en zwakke punten van allerlei populaire filmsterren, hun respectievelijke coupes en komende films. Ze vestigden hun aandacht op mij, allesbehalve een filmster.

'Ik bedoel, waarom kom ik niet in aanmerking voor een make-over?'

Ik keek strak naar Leonard, al wierp ik Electra even een snelle, scherpe blik toe. Dat was om te seinen dat ik Leonard echt niet in de maling zat te nemen. Ik wilde hem niet in de val laten lopen, zoals we soms voor de lol deden om te zien hoe hij zijn schouders liet hangen en zijn mondhoeken omlaag trok zodra hij merkte dat we hem voor de gek hielden. Nee, het was menens. Ik wilde het voor eens en altijd weten.

'Voor ieder ander stel je een heel programma op, terwijl ik hier maar een beetje op bed moet zitten en met mijn ritssluiting spelen.'

'Pheebs,' zei Electra, met echte twijfel in haar stem, 'serieus?'

'Bloedserieus. Maar niet omdat ik meteen zou doen wat hij wil of zo. En ik sjouw ook niet rond met de gedachte dat er iets mis met me is, of dat ik verandering nodig heb. Ik vind het wel best zo. Maar als niemand ooit aandacht aan je besteedt... tja, ik weet niet. Dat geeft je toch te denken.'

'Ik besteed wel aandacht aan je, Phoebe,' zei Leonard zo aandoenlijk als maar denkbaar was. Toen wilde hij mijn hand pakken, in een tragische poging me te troosten. Ik sloeg hem weg, met een onverhoeds harde mep tegen de binnenkant van zijn pols vol sproeten.

'Blijf van me af.'

Leonard stond er gekwetst bij. Hij omklemde zijn pijnlijke pols met zijn andere hand en keek me aan. Electra viel in een uitbundig beklede leunstoel neer en gooide haar benen over de armleuning. Ze schudde een paar keer snel haar hoofd ten teken dat ze geen idee had wat er aan de hand was. Tja, wie wel?

'Ik weet niet,' zei Leonard, die zijn ogen op het plafond

richtte en letterlijk zijn nek uitstak om met een mening te komen. 'Misschien ga je weer slaan omdat ik het zeg, maar wat mij betreft ben jij de enige hier die geen make-over nodig heeft. Ik meen het. In mijn ogen ben jij gewoon ideaal. Je bent zo goed als perfect.'

De schok stond als eerste op Electra's gezicht te lezen. Ze knipperde met haar ogen en knikte toen een keer heel snel met haar hoofd, alsof ze zichzelf probeerde wakker te schudden uit een droom. Haar mond ging open, maar ze zei niets. Ze schoot in de lach en wees naar mijn gezicht.

'Wat nou?' vroeg ik.

'Jij. Je gezicht. Man, je zou je gezicht eens moeten zien.'

Ik draaide me om naar Leonard, en het was hem duidelijk aan te zien dat hij me niet in de maling zat te nemen. Hij meende elk woord.

# 6

Ik zat in de felverlichte aula van Neptune High tussen honderd andere meisjes. In mijn hand hield ik een roze vel papier, een plechtige belofte die ik zojuist gewillig had ondertekend. Ik, Phoebe Margaret Hertle, beloofde af te zien van seksuele gemeenschap tot de dag waarop ik trouwde. Er stond ook nog dat ik de intentie had me te gedragen als een vrouw met een onbegrensd gevoel van eigenwaarde. Geen van de meisjes die evenals ik getekend hadden nam dat ding serieus, want het was gemaakt en ons voorgelegd door een jonge vrouw die een roze truitje met een laag uitgesneden ronde hals droeg, gestreken jeans en Puma-gympen. Ze zei dat ze had meegedaan aan de missverkiezing van New Jersey. Ik had meteen zwaar met haar te doen, niet eens vanwege die zielige bewering, maar vanwege haar haar. Dat leek nergens naar – geverfd, gepermanent, opgekamd en in de lak gezet voor een veel zachtere belichting dan die van een schoolaula. Ze erkende dat het document, op de computer in elkaar gedraaid, geen enkele rechtsgeldigheid had als puntje bij paaltje kwam, maar ze hoopte dat het ons zou helpen 'vóór we roekeloos omsprongen met onze maagdelijkheid' goed na te denken over de gevolgen die een eenvoudige daad in het vuur van de hartstocht kon hebben voor de rest van ons leven.

Ze vertelde ons dat haar, zelfs voor ze had meegedaan aan missverkiezingen en kandidaat voor de titel Miss Jersey was geweest (ze eindigde als derde), was geleerd om haar uiterlijk, vrouwelijke charmes en vermogen te behagen in te zetten als middel om hogerop te komen. Ze zei het niet met zoveel woorden, maar ik nam aan dat ze bedoelde dat ze met heel wat mannen het bed had gedeeld. En inderdaad had haar handelswijze haar een ongewenste zwangerschap opgeleverd, een gebroken hart, soa, abortus, schande, schaamte en het had haar ook de Miss Jerseykroon gekost. Toen ze de kroon noemde, schoten haar ogen vol tranen en het puntje van haar neus werd mooi rood. Ze drukte haar vingers onder haar ogen in een poging de tranen terug te dringen zodat haar mascara niet zou uitlopen.

'O jeetje,' zei ze toen er toch een enkel traantje vloeide.

Ze heette Bethany, had het grondig opgepoetste uiterlijk van een model voor het merk J.Crew, maar zodra ze haar mond opendeed, maakte ze de indruk verre van camerabestendig te zijn.

'Ik ben hier dus niet om zieltjes voor Jezus te winnen of zo. En ik ben ook geen spelbreker, hoor. Geloof me, ik hou ook best van een lolletje. Vraag maar aan mijn vrienden. Maar ik zou 's nachts geen oog meer dichtdoen als ik hier nu niet als een gek zat te proberen jullie ervan af te houden je te vergooien aan de eerste de beste knul die komt opdagen met het plan zo snel mogelijk in je slipje te zitten.'

Ze droeg een bandje om haar enkel dat met de glans van echt goud onder de zoom van haar broekspijp uit piepte, net boven haar sportsok. Ik zat op de eerste rij, dus zodra ze nerveus met haar voet wiebelde of haar gewicht van het ene been op het andere zette kon ik het bandje zien flitsen in het licht. Ik stelde me voor dat haar nieuwe vriendje het haar had gegeven. Ik stelde me voor dat hij Brad heette, en toen hij het haar gaf, dacht ik zo, hadden ze elkaar beloofd niet aan seks te doen tot hun huwelijksnacht. Ik stelde me voor dat het bandje dienstdeed als een soort kuisheidsgordel of als teken dat ze aan elkaar zaten geketend.

Bethany deelde een stapeltje felgekleurde pamfletten uit met striptekeningen van tieners van alle rassen in hippe kleren en hun handen in hun zij. Ballonnen met blokletters gaven hun gedachten weer: KRIJG IK GEEN AIDS ALS IK NEE ZEG? WAT HEB IK AAN GEEN SEKS? SOA, ORALE SEKS EN WIJ. DE CONDOOMQUIZ.

Een van de pamfletten, 'Nee is geen woord maar een zin', beschreef mogelijke scenario's tussen een jongen en een meisje waarbij seks de gewenste uitkomst was voor de een maar niet voor de ander. Een ander pamflet: 'Hoe weet ik dat ik er klaar voor ben?' had een lijst met vijftig signalen waaraan ik kon merken dat ik niet echt seks wilde al had ik gezegd van wel.

Bethany gaf ons de opdracht om beurten een van de vijftig redenen hardop voor te lezen. Bij nummer 24 was ik aan de beurt; maar toen ik mijn mond opendeed om iets te zeggen, verslikte ik me in mijn eigen spuug die in mijn luchtpijp klem raakte. Ik kreeg een verschrikkelijke hoestbui. Courtney Chaykin bonkte me op mijn rug, maar het hielp niet. Ten slotte kwam Bethany naar me toe, voorafgegaan door een wolk van parfum, en bood me een slok bronwater aan. Daar werd ik stil van. Ik schudde van nee en hield abrupt op met hoesten.

Zodra iedereen ervan overtuigd was dat ik geen dokter nodig had, ging de litanie verder.

'We mogen dan dieren zijn,' zei Bethany tegen ons nadat de hele lijst was afgewerkt, 'maar in tegenstelling tot de dieren hebben wij een keus. We hoeven niet toe te geven aan elk gevoel, elk instinct. We hoeven onze dierlijke aard niet zomaar zijn gang te laten gaan en ons in alle windrichtingen mee te laten sleuren. Het hoort bij ons mens-zijn dat we de gevolgen van onze daden begrijpen. Kan iemand een voorbeeld geven van een keus die ze in haar eigen leven heeft gemaakt en welke gevolgen ze daarvan zag? Ik bedoel iets wat je gedaan hebt en waarvan je achteraf begreep dat het toch niet zo'n goed idee was.'

Niemand verroerde zich. Het leek er zelfs eerder op dat iedereen de keus had gemaakt op te houden met ademhalen.

'Het doet er niet toe of het gevolg goed of slecht was. Oké, denk aan een situatie waarin je een keus hebt gemaakt die tot gevolg had dat er iets gebeurde.'

Je kon een speld horen vallen.

'Kom op, meiden. Denk eens na.'

Het had geen zin. Je kreeg geen studiepunten als je iets zei. Je werd er niet de beste van de klas mee en je mocht de gymles niet overslaan. We wisten allemaal hoe het zat – en we trapten er niet in. Er gingen geen handen omhoog en niemand van de onpopulaire achterste rijen zwaaide met haar handen van 'ik, ik!' Daar waren we allemaal te oud voor. Als we iets geleerd hadden van ons schoolleven, was het wel dat Bethany niet lang tegen de stilte bestand zou zijn. Binnen een mum van tijd zou ze vooroverbuigen, proberen een naamkaartje te lezen en diegene tegen haar wil uitkiezen om mee te werken. En niemand met een greintje gezond verstand wilde diegene zijn.

'Phoebe?'

Jawel hoor. Ik wist dat ze mij zou kiezen. Ik voel zoiets aankomen, want nog geen tel ervoor zit ik te bidden dat het me bespaard blijft. Een nanoseconde later stijgt het bloed naar mijn hoofd, een muur van witte ruis trekt voor mijn ogen op, mijn hersens stromen vol adrenaline en ik trek allerlei briljante conclusies over hoe het leven in elkaar steekt. Maar ik kan geen woord uitbrengen. Ik kan me niet eens verroeren. Om de tijd te doden en te vermijden dat ik eruitzie als een debiel, speel ik stommetje.

'Watte?' zei ik.

'Wil jij beginnen? Geef een voorbeeld van een keus die je hebt gemaakt, die gevolgen heeft gehad.'

Iedereen keek naar me. Ik voelde hun ogen in mijn achterhoofd prikken. Ze waren allemaal verschrikkelijk opgelucht dat Bethany niet hen had gekozen om haar stompzinnige stelling over oorzaak-en-gevolg te bewijzen. Ze voelden zich allemaal superieur. Gek genoeg voelde ik me opeens slim worden. Ik besloot het handig aan te pakken en zogenaamd leuk mee te doen. Ik wist precies wat ik moest zeggen.

'Nou goed,' zei ik en ik ging rechtop zitten alsof ik blij was met de kans die Bethany me had geboden. 'Hm. Nou, een tijdje terug is mijn neef bij ons komen wonen, en vanaf het begin werd ik stapelgek van hem. Eerlijk gezegd heb ik gloeiend de pest aan hem. Vraag me niet waarom. Het is gewoon zo. Dus dacht ik bij mezelf: het kan toch nooit moeilijk zijn om hem in zijn slaap te vermoorden? Nee toch? Maar ik heb het niet gedaan. Nog niet, tenminste. En nu zit ik met de gevolgen opgezadeld, en dat is een ramp.'

Iedereen barstte in lachen uit. Maar het succes van mijn uitvoering hing af van mijn talent om het publiek niet in de kaart te spelen. Ik moest doen alsof ik dit voorbeeld had gekozen zonder me ervan bewust te zijn hoe grappig het was, of hoe gemeen. Ik moest er met grote, onschuldige ogen bij zitten om het te laten slagen. Bethany bleef me aankijken tot het gelach wegebde en toen greep ze, heel snel, alsof ze naar de kroon van Miss Jersey graaide voor die voorgoed van haar werd afgenomen, haar flesje bronwater en nam een slok alsof het iets veel sterkers was.

'Mooi,' zei ze tegen me.

Ze had besloten mee te spelen. Ze had waarschijnlijk bedacht dat ze toch geen andere vrijwilligers kreeg en ze net zo goed mijn stomme voorbeeld kon aangrijpen, verdraaien en gebruiken om haar gelijk te bewijzen.

'Dus in jouw geval, Phoebe, kwam het juist doordat je iets níét deed dat je de gevolgen zag. Als je bijvoorbeeld je neef wel had vermoord, tja, dan zou je leven er nu heel anders hebben uitgezien. Of niet soms?'

'Dat weet je niet,' antwoordde ik. 'Misschien zou ik niet gepakt zijn.'

Opnieuw gegiechel van het dankbare publiek. Bethany hield zich goed. Ik zag een heel klein trekje van een besmuikt lachje bij haar mondhoek. Ze stond op het punt haar slag te slaan. Ik zag het aan haar.

'Maar zelfs als je niet in de gevangenis zou belanden voor de moord op... hoe heet hij eigenlijk?'

'Leonard.'

'Zelfs als je niet in de gevangenis zou belanden voor de moord op Leonard, zelfs als je er nooit van verdacht zou worden, denk je dan niet dat het toch gevolgen zou hebben? Voor jezelf? Heb je geen geweten, Phoebe? Als je niet op iets slechts wordt betrapt, betekent het toch nog niet dat je de gevolgen er niet van ondervindt?'

Ze had haar punt gemaakt. 1-0 voor Bethany. We konden gaan.

Toen we de aula uit dromden, zag ik achterin Leonard tegen de muur staan. Hij was in het nauw gedreven door twee fanatieke toneelspelers. Ik had geen idee hoe lang ze daar al waren, maar het zou best kunnen dat Leonard het gesprek tussen Bethany en mij had gehoord. Bij wijze van proef op de som zwaaide ik even naar hem, om zijn reactie te peilen, maar hij gaf geen krimp, stond erbij als een blok beton en staarde recht voor zich uit naar het lege podium van de aula. Ik kon duidelijk aan zijn ogen zien dat hij gekwetst was; of liever, ik kon zien dat hij zijn best deed te verbergen dat hij gekwetst was, omdat hij deed alsof ik lucht voor hem was.

Pas toen ik de school al uit was, kwam de vraag bij me op wat Leonard eigenlijk moest bij die toneelspelers, die hadden staan wachten tot ze op het podium terecht konden. Dat hij ze zelfs maar oppervlakkig kende was al nieuw voor me, en ik vroeg me af of hij me misschien toch niet gehoord had. Misschien had hij gehoopt dat ik hem niet zou opmerken, zodat ik thuis niet ging rondbazuinen dat hij tot overmaat van ramp ook nog eens lid van de toneelclub was geworden.

Elke zomer verzamelde mevrouw Deitmueller een groep buitenbeentjes en andere idioten die de ambitie hadden Gwyneth Paltrow of Tom Cruise te worden. Ze noemde haar toneelcursus Dramakamp, en voor geboren theatergekken was het niets meer of minder dan heilig. Uitgekozen worden voor die zes weken lange kwelling van een cursus die verfijning van talent, een grondige kennis van acteertechniek en een grote rol in een echte (al was het dan een ingekorte) klassieker van Shakespeare beloofde, was een eer zonder weerga. Lui die opgetrommeld waren voor het zomerkampprogramma hadden het over veel bokkensprongen op het toneel, veel gekrijs en gejammer, een heleboel oefeningen van hoe je je moest inbeelden een boom of insect of onderdeel van een machine te zijn, maar het draaide altijd uit op het uit je hoofd leren van teksten waarvan je geen jota snapte tenzij je over elk woord afzonderlijk nadacht. De jongens moesten maillots dragen en kregen een zwaard. De meisjes droegen wijde jurken van gordijnstof met strakke bovenlijfjes en pruiken, en meestal werden ze vermoord, zij het niet op het podium.

Het feit dat Leonard in de aula was bewees dat hij voor Dramakamp gekozen hoopte te worden. Wat had hij anders bij de audities te zoeken? Als ik er eerder bij had stilgestaan, zou ik de tekenen vanaf het begin hebben herkend – hij was gek op make-up, stelde zich graag aan, zong als Julie Andrews. Diep vanbinnen koesterde hij allang de wens acteur te worden, en nu probeerde hij zijn droom waar te maken. Mevrouw Deitmueller begon altijd na de kerstvakantie met de audities en liet dat stadium maandenlang duren. Aan het einde werden degenen die het lef, de uitstraling, het uithoudingsvermogen en de bombarie hadden om in een van haar producties op te treden voor het kamp geselecteerd. Volgens mevrouw D. zelf had zij niet de juiste kwalificaties om een van haar zomerklassiekers te regisseren. Dat liet ze dan ook over aan haar oude vriend en voormalige toneelcollega, Buddy Howard.

Meneer Buddy stond bekend als een eersteklas homo die in

New York City woonde en in een echte musical op Broadway had gespeeld. Volgens de geruchten waren mevrouw D. en meneer Buddy ooit geliefden geweest; maar toen ze in hun studententijd als hoofdrolspelers optraden in een universiteitsuitvoering van *A Funny Thing Happened on the Way to the Forum* en er in de recensies stond dat ze als paar 'negatieve chemie' vertoonden, besefte meneer Buddy dat dit ook buiten het toneel gold. Hij stortte huilend in en biechtte bij mevrouw D. dat hij verliefd was op een in toga gehulde jongen van het koor. Mevrouw D., die zich toen nog Sally Dietz noemde, huilde mee en bekende op haar beurt dat ze iets had gekregen met de biseksuele kostuumontwerpster. Toch zette hun vriendschap zich voort na hun afstuderen. Buddy werd uiteindelijk een succesvolle regisseur van soapseries en Sally kreeg een baan als lerares Engels op onze school en ze werd bovendien leidster van de toneelclub. Af en toe spraken die twee af in New York om samen te eten en naar een voorstelling te gaan. En tijdens een van die etentjes kwam het plan bij hen op om het wonder van hun jeugdjaren te doen herleven door samen een zomertheater in Neptune op te richten.

Niemand wist of de verhalen over mevrouw D. en meneer Buddy waar waren of verzonnen door leden van de toneelclub die ze op school hadden verspreid. We wisten wel dat mevrouw D. nooit getrouwd was. Ze had een klein hoofd, met kleine ogen en een neusje die allemaal in haar gezichtje zaten geperst alsof ze elkaar verdrongen om de hoofdrol te mogen spelen. Haar zwartgeverfde haar was in een jongenskop geknipt met een achterlijk recht afgehakte pony en ze had altijd bloedrode lippenstift op en een gesteven, kraakwit mannenoverhemd aan. Als ze toevallig een rok droeg (een zeldzaamheid) zag die er bij haar nog uit als een broek. Haar schoenen waren plompe kisten die onder het lopen bonkten als de schoenen van Frankenstein. Haar *Spoon River Anthology*, de jaarlijkse uitvoering van de onderbouw, was legendarisch. Toen wij nog in de onderbouw zaten en het onze beurt was om de woorden van de Emily's en Benjamins in onze voorstelling te zeggen, huilden we tranen met tuiten toen het gordijn zakte en we voor het laatst bogen, en we geloofden tot in onze tenen dat mevrouw D. een soort godin was.

Van meneer Buddy wisten we veel minder. Voor het grootste deel van het jaar was hij niet in de buurt. Als je ziek genoeg was om thuis te blijven maar je goed genoeg voelde om te zappen, ving je vaak een glimp op van de naam Bud Howard onderaan in de aftiteling van een bepaalde soap. Al was je zelf (goddank) meneer Buddy niet en al was hij (god bewaar me) geen vriend van je, het zien van zijn naam op tv gaf je het gevoel dat je banden had met de G.B.W. – de Grote BuitenWereld.

Meneer Buddy was een grote, kale man met een babyface. Hij had iets wat een moeder engelachtig zou vinden, maar volgens Electra, die de dingen bij de naam noemde, had hij niet zo zuinig iets van een pedo. Zijn kleine kraaloogjes volgden altijd de jongens, zijn bolle wangen werden zo rood als appels als hij de borstpartij van een zwemmer zag, en op zijn bezwete voorhoofd maakten de wenkbrauwen en rimpels overuren wanneer hij een gesprek moest voeren met een van de echt mooie jongens uit de bovenbouw.

Maar goed, ik hing dus bij school rond en wachtte tot Leonard kwam opdagen. Ik wilde weten of hij wel of niet had gehoord wat ik beweerd had over hem willen vermoorden, of dat hij zich alleen opgelaten voelde omdat hij bij de audities was gesignaleerd. Ik hoefde hem alleen maar goed aan te kijken om het antwoord te weten. Maar na een uur was hij er nog steeds niet, zodat ik besloot naar binnen te gaan en hem te zoeken.

In de gang stonden vijf, zes leerlingen; ze hadden allemaal een boek in handen en stonden in zichzelf te mompelen. Ze zagen eruit als bewoners van een gekkenhuis die even mochten luchten maar niet weg mochten gaan. Leonard was er ook bij; hij keek naar de muur en praatte tegen de wandtegels. Ik benaderde hem van achteren en toen ik zijn naam zei, viel hij letterlijk om van schrik.

'O,' zei hij. 'Wat doe jij hier?'

'Dat kan ik jou ook vragen.'

'Ja ja,' zei hij en hij trok zijn schouders op en probeerde zichzelf onzichtbaar te maken door zijn handen voor zijn gezicht te slaan. 'Ik schaam me hartstikke dood. Je vertelt het toch niet verder, hè?'

Geen woord over mijn fantasieleven als moordenares. Het was een pak van mijn hart en meteen daarna besloot ik uit te zoeken waar hij mee bezig was.

'Audities voor Dramakamp?'

'Ja.'

'Leonard, doe me een lol. Ze nemen je meteen. En dan staat je naam op een lijst en weet iedereen het. De hele wereld komt er vroeg of laat achter.'

'Ja ja,' zei hij en hij loerde tussen zijn vingers door naar me. 'Maar nu weet niemand het nog. En ik bedoel, stel dat ik niet word gekozen? Dat is toch een helse vernedering? Wat moet ik dan tegen je moeder zeggen? Of tegen de dames? Ze zouden diep teleurgesteld zijn.'

Ik weet niet wat ik zieliger vond: Leonard die zich er druk

om maakte wat de dames in de salon wel of niet wisten, of ik die erin toestemde zijn geheim te bewaren. Maar goed, ik was zo uitgelaten dat ik niets over mijn moordlustige neigingen hoefde te zeggen dat ik zo ongeveer met alles zou hebben ingestemd.

Op dat moment stak een toneelgek zijn bolle kop door de kier van de schuifdeuren van de aula.

'Pelkey. Jij bent.'

Weer schrok Leonard, maar dit keer werd hij niet overrompeld; hij was er klaar voor. Hij draaide zich met een pirouette naar me toe, wipte op zijn tenen op en neer en zei: 'O god o god o god. Ik ben zo zenuwachtig. Snel. Wens me succes.'

'Succes,' zei ik op een toon alsof ik het meende.

Hij boog zich voorover en gaf me onverwacht een kus op mijn wang. Voor ik zelfs maar kon reageren was hij als een speer de aula in geschoten.

'Mag ik naar binnen?' vroeg ik aan een bleek meisje met rood haar dat vlakbij stond. Ik wees naar de aula en ik denk dat ze de indruk had dat ik auditie wilde doen, want ze nam me keurend van top tot teen op.

'Er is maar één meisjesrol in het stuk,' zei ze, terwijl ze nerveus op haar haarlokken kauwde, 'dus je kunt eigenlijk alleen op een figurantenrol hopen. Ik bedoel, zolang je niet de illusie hebt dat je er met de hoofdrol vandoor gaat. En sorry dat ik het zeg, maar Miranda heeft de reputatie adembenemend mooi te zijn.'

'En trouwens,' zei een jongen met puisten, die ook nog eens valse oogjes had en opvallend sliste, 'je moet je naam op een wachtlijst zetten. Er zijn er bij die al hun hele leven op die lijst staan.'

Ik rolde met mijn ogen, greep de deurknop en liet mezelf de aula binnen. Het was er aardedonker, afgezien van een gouden lichtbundel die op het podium viel en een volmaakte cirkel vormde op de lichte houten vloer. Midden in die cirkel stond Leonard, met zijn boek tegen zijn borst geklemd en zijn ogen op het publiek gericht. Met al dat licht in zijn ogen wist ik zeker dat hij me niet kon zien, zodat ik veilig kon gaan zitten om te kijken. Laten we hopen dat het goed wordt, dacht ik. En toen hoorde ik ergens vanuit het donker mevrouw Deitmueller roepen.

'En wat lees jij vandaag voor ons, Leonard?'

'Ariël. Uit *De storm*. Eerste bedrijf, tweede akte. De scène waarin Ariël aan Prospero vertelt hoe hij gedaan heeft wat hem was opgedragen, door iedereen aan boord van het schip stapelgek te maken en voor een enorm onweer te zorgen...'

'Ja, goed, begin maar en draag het voor. Meneer Buddy leest vanaf hier de rol van Prospero. Oké?'

'Oké.'

Leonard had de woorden op de pagina niet nodig; hij kende zijn tekst uit zijn hoofd. En dus legde hij het boek ondersteboven op de grond buiten de lichtkring en deed toen een stap achteruit om zijn plek midden op het toneel in te nemen. Hij zette zijn voeten stevig neer, zocht zijn evenwicht en leek zich tegelijkertijd naar binnen te keren alsof hij daar iets zocht. Langzaam leek het alsof zijn lichaam half zo klein werd; hij kromde zijn armen en benen op een manier die hem bijna iets onmenselijks gaf; en ten slotte plooide hij zijn gezicht in een hobbitachtige grijns, die hem volslagen onherkenbaar maakte. Toen hij zijn mond opendeed en begon te praten, hield ik mijn adem in van pure verbazing. Hij wist niet alleen de stem te creëren van een vreemd wezen uit een parallelle dimensie, zijn stem paste ook nog eens precies bij de staat waarin hij zijn lijf had gemanoeuvreerd, en opeens was de Leonard die ik kende verdwenen. Zijn plaats midden in de lichtbundel op het toneel was ingenomen door een verschrompelde geestverschijning. Toen, terwijl hij begon te spreken, stuiterde hij rond, sprong als een gek geworden sprinkhaan onder de dope van de ene plek naar de andere. Hij rolde over de grond, sprong boven op een zwarte kist die achter op het podium in de schaduw stond, maakte een luchtsprong en kwam neer als een tweeslachtig, verdwaasd schepsel. En al die tijd kakelde hij met die stem de uit zijn hoofd geleerde tekst:

'Heil en voorspoed, grote meester! Heer,
Gegroet! Ik kom
al uw wensen vervullen; ik zal
vliegen,
zwemmen, duiken in het vuur,
en rijden
op de kolkende wolken. Naar uw machtig bevel
toont Ariël wat hij waard is.'

Vanuit het donker kwam dreunend de stem van meneer Buddy. Ik denk dat zelfs hij zou hebben toegegeven dat zijn aandeel minder overtuigend en hartstochtelijk was dan dat van Leonard, maar hij kweet zich goed genoeg van zijn taak om vaart in de scène te houden en ons tegelijkertijd te laten zien hoe fantastisch Leonard op een andere acteur kon inspelen. '"Hebt gij, geest, op alle punten de storm uitgevoerd die ik wenste?"' las hij. Ik denk dat het zoveel betekende als 'heeft

Ariël voor storm gezorgd, zoals Prospero heeft bevolen?' Leonard gaf antwoord alsof Buddy Howards stem echt die van Prospero was en hij volkomen begreep wat er gaande was:

'Op alle punten.
Aan boord van 's konings schip ging ik; en
ik bracht vlammende verbijstering
aan de boeg
in de buik, aan dek,
en in elke hut. Soms
splitste ik op
in vlammen die overal oplaaiden;
aan de ra,
de masten en de boegspriet,
vlamde ik wild,
en vloeide dan weer samen.'

Toen hij klaar was bleef het doodstil in de aula. Wat moest je ook zeggen? Ik had amper drie woorden van het geheel begrepen, maar ik moest erkennen dat ik diep onder de indruk was. En dat gold blijkbaar voor alle aanwezigen. Iedereen zat roerloos. Ondanks het openlijk theatrale van zijn gebaren en de bijna belachelijke intonatie van zijn geestgedaante had Leonard het klaargespeeld de poëzie en het drama van de situatie over te brengen. Kortom, dat joch kon acteren. Maar toen er geen enkele reactie kwam, nam hij ten onrechte aan dat de stilte verre van positief was en ik zag aan hem dat hij de moed verloor. Toen hij bukte om zijn boek op te rapen, schudde hij zijn tweede huid af en alle sporen van Ariël werden weggevaagd. Hij rekende er voor die dag mee af.

Meneer Buddy hobbelde opgewonden door het gangpad naar het podium. Hij bleef bij het voortoneel staan en wenkte Leonard. Nu Leonard niet meer in het licht stond, kon ik alleen maar raden wat er gezegd werd; ze praatten zacht met elkaar en ik zag nog net de schaduwen van hun hoofden knikken en schudden als die van paarden in de duisternis. Ik vermoedde dat meneer Buddy op gedempte toon de talenten van het joch prees en hem ervan verzekerde dat hij, wat er ook mocht gebeuren tussen nu en de zomer, een hoofdrol zou krijgen in mevrouw D.'s productie van *De storm*. En ik stelde me zo voor dat Leonard voor het eerst van zijn leven niet veel had terug te zeggen, omdat hij die dag zelf al even versteld stond als wij allemaal van de ontdekking dat hij nog veel meer in zijn mars had dan de gave te overleven.

# 7

In Neptune brak de lente aan, en zoals elk jaar dreef de prikkelende lucht van de zilte oceaan landinwaarts om zich te vermengen met de zoete geur van de bloesem van de lindebomen. Het was een bedwelmend aroma, een parfum dat de natuur had ontworpen om iedereen te doen verlangen naar wat ze niet hadden. Het was een verwarrend mengsel dat je neus binnendrong, naar je hoofd steeg en je vervolgens gek maakte. Maar voor Leonard, die zelfs nooit de oceaan had gezien voor hij in Neptune kwam wonen, was de lente in ons stadje de schok van zijn leven, die hem tot een onrust dreef waarvan hij nooit had geweten dat hij die in zich had. Ongeveer eens in de week blies hij zijn dienst in de salon af door ma te zeggen dat hij van alles te doen had en vervolgens te verdwijnen.

'Van alles?' vroeg ze. 'Wat mag dat dan wel zijn?'

'Ach niks. Gewoon,' zei hij dan, en hij nam snel de benen.

Mijn moeder, die er nooit goed in was geweest om mensen onder haar hoede zomaar hun gang te laten gaan, wilde uiteindelijk natuurlijk weten wat er aan de hand was. Op een middag dreef ze Leonard vlak bij zijn 'dozenhok' in het nauw.

# Kortingsbon

Heb je genoten van *Het geheim van Leonard Pelkey* en wil je nog een boek uit de Black Pimento-serie lezen? Koop dan nu *Bezeten* van Suzanne Bugler met € 2,00 korting!

ISBN 978 90 499 2321 1

van € 16,95
voor € 14,95

Deze actie is geldig van 1 oktober 2008 tot 1 januari 2009

Actienummer: 901-55376
Voor België: 2860-08-03

In te wisselen bij elke boekhandel

Black Pimento-boeken:
spannend tot en met de laatste bladzijde!

Ik was de was aan het vouwen en omdat de droger zacht draaide met fijn wasgoed kon ik van het gesprek meegenieten.

'Je moet me vertellen waar je heen gaat en wat je uitvoert, Leonard. En ik neem geen genoegen met "gewoon". Ik wil duidelijkheid.'

'Goed dan,' zei hij en hij dempte zijn stem alsof hij staatsgeheimen ging verraden. 'Het komt door de weltschmerz.'

'Door de wat?'

'Weltschmerz. Dat is Duits en het betekent zoveel als "wereldsmart". Soms krijgt het me te pakken. Dan helpt het als ik op het strand naar de golven ga zitten kijken. Ik weet niet. Dat troost me.'

Misschien kwam het omdat Leonard wees was dat mijn moeder er niet tegen inging. Voortaan liet ze hem in zijn eentje weggaan zonder dat hij zei waarheen en ze eiste geen tekst en uitleg over elke minuut van de dag zoals bij Deirdre en mij. Ik wist wel zeker dat 'weltschmerz' bij mij lang zo goed niet had gewerkt als smoes. Bovendien, als ik het had gewaagd, zou ma me ervan beschuldigd hebben dat ik thuis de slimste wilde zijn en me daarna de wind van voren geven omdat ik had afgeluisterd.

Ik weet niet of Leonard dat voorjaar en die zomer ook echt bij zee heeft gezeten en naar de onafgebroken saaiheid van aanrollende golven heeft gestaard. Ik ben nooit achter hem aan gegaan om het met eigen ogen te zien. Maar niet lang na zijn auditie werd de acteurslijst voor mevrouw Deitmuellers productie van *De storm* op de muur buiten het toneellokaal opgehangen en Leonards naam stond erbij, zodat ik natuurlijk aannam dat die weltschmerz niets meer of minder was dan een dekmantel voor het naschoolse gedoe van Dramakamp.

Op een dinsdagavond had ma net de salon op slot gedaan. Ik was mijn vegetarische versie van warme sloppy joe-broodjes aan het maken. Deirdre had zich zoals gewoonlijk teruggetrokken op haar kamer en liet zich niet zien. Ma's bril zakte van haar neus terwijl ze over de keukentafel zat gebogen, met de bedoeling een stapel nota's van de vorige maand te ordenen. Opeens kwam Leonard de keuken in gestormd, zonder rugzak en in zware ademnood. Hij gooide de deur achter zich dicht en leunde ertegenaan alsof hij hem met zijn lijf barricadeerde. Ma en ik staarden hem aan.

'Hoi,' hijgde hij. 'Sorry dat ik laat ben. Eh... ik ga naar mijn kamer. Doei.'

Hij speelde het slecht.

'Leonard?' zei ma.

Hij was al op weg, maar bleef abrupt staan en draaide zich om. Aan de grote ogen die hij opzette, die onschuldige blik van 'heb je het tegen mij?' zagen we het meteen. Er was iets goed mis.

'Wat is er met je? Waar is je tas?'

'O, eh... die eh... Die heb ik eh... Wacht even. Ik moet hartstikke nodig.' Hij smeerde hem, sprong de keuken uit, rende de trap op en verdween in de badkamer voor iemand hem kon tegenhouden. Ma en ik keken elkaar aan.

Toen hij eindelijk weer beneden kwam, had ma haar papieren al opzij geduwd en zaten we aan tafel onze broodjes te eten. Zoals gewoonlijk had ik voor vier personen gedekt. Deirdre at bijna nooit meer met ons mee, maar ma vond het belangrijk dat we deden alsof we haar altijd verwachtten. Meestal kwam Deirdre later beneden om iets te eten, maakte een bord voor zichzelf klaar en nam het mee naar haar kamer.

Ze at het liefst terwijl ze intussen zat te chatten met mensen die interessante profielen en rare bijnamen hadden. Gek genoeg deed ma nooit moeilijk over Deirdres eetgewoontes. Eigenlijk zei ze er alleen iets over als Deirdre avonden achter elkaar serviesgoed en bestek op haar kamer hield en we op jacht moesten naar lepels en bekers.

Maar goed, Leonard glipte de keuken in, ging zitten en deed alsof ma en ik aan geheugenverlies leden.

'Oooo,' jubelde hij als een achtergrondzanger in een r&b-band. 'Sloppy joe's. Mijn lievelingsbroodjes.'

Het zou te pijnlijk zijn om hier het hele kruisverhoor dat volgde te herhalen. Ik zag hoe mijn moeder Leonard stapje voor stapje naar een volledige bekentenis toestuurde. Hij maakte geen schijn van kans. Hij was niet tegen ma opgewassen. Op het laatst legde hij zijn servet neer en snikte het uit. Ma had zijn weerstand gebroken.

Leonard vertelde dat hij na de zoveelste repetitie van Dramakamp gewoon op weg naar huis was gegaan, zonder op of om te kijken.

'Phoebe,' zei ma tegen mij, 'wist jij daarvan? Wist je dat hij op Dramakamp zit?'

Mijn stilte was veelzeggend genoeg om me voorgoed te veroordelen in haar ogen.

'Ga door,' zei ze tegen Leonard. Hij vertelde dat hij onze straat was ingeslagen toen hij merkte dat hij werd gevolgd. Hij draaide zich om en zag een jongen die hij niet kende. Leonard ging harder lopen. De jongen ook. Leonard draaide zich nog eens om en zag dat de jongen zeker een jaar ouder was dan hij, misschien wel twee. Zijn haar was smerig en de pony hing in zijn ogen. De jongen gaf een ruk met zijn kin bij wijze van groet. 'Wacht even,' zei hij. Leonard bevroor. Hij wist dat hij die jongen niet te snel af kon zijn. Waarom niet? Omdat hij aan elke enkel een gewicht van een kilo had zitten.

'Ho even. Moment,' zei ma, terwijl ze haar ogen dichtdeed en haar vingertoppen tegen haar slapen duwde. 'Gewichten aan je enkels? Waarom?'

Hij legde uit dat hij niet zomaar een rol had gekregen in de productie van *De storm* van Dramakamp, maar een rol als geest, een soort tweeslachtig spook. Ik moet hoorbaar hebben gekreund, want ma wierp me een blik toe die ik herkende als: hou je erbuiten. Meneer Buddy had vanaf het eerste moment aandacht aan Leonard besteed, omdat hij veel talent had en een van de sterren van de voorstelling moest worden. Leonard had persoonlijke begeleiding nodig, in beweging, spraak en misschien moest hij ook op jazzballet. Meneer Buddy's eerste advies had overigens niets met bijles te maken. Hij gaf Leonard de gewichten met de mededeling dat het dragen van enkelgewichten tot aan de première een beproefde methode was om je voor te bereiden op de rol van sprookjesachtige figuur. Voortaan moest hij alles wat hij deed met die extra gewichten doen, om ze pas op de avond van de première af te binden en tot zijn eigen verbazing te constateren dat hij zich over de hele linie zo licht en luchtig bewoog als een elfje, of een geest.

Ik kon mijn oren niet geloven. Ma keek al even beduusd. Misschien had Leonard het gevoel dat wij dachten dat hij onzin uitkraamde, want op dit punt stak hij zijn linkerbeen uit, boog zich voorover en stroopte zijn sportsok af. Een dun, blauw linnen pakje dat een kilo woog zat aan zijn enkel vastgebonden.

'Ga door,' zei ma voor de tweede keer. 'Wat gebeurde er tussen jou en die jongen?'

Omdat Leonard de jongen ervan verdacht hem in elkaar te willen slaan en voor dood achter te laten, had hij het idee dat vluchten niet alleen zinloos was, maar ook als een rode lap op een stier zou werken. Dus besloot hij als een blok te blijven staan, niet omdat hij dapper was, maar omdat hij besefte dat hij al zijn kracht en adem nodig had om zich te verdedigen. Hij wachtte tot de jongen bij hem was. Er volgde een praatje op de stoep.

'Alles oké?'

'Ja, hoor.'

'Waar ga je heen?'

'Naar huis.'

'Kom je even mee achter dat huis daar?'

'Wat?'

'Ik doe je niks. Ik zweer het. Gewoon voor de lol.'

'Nee. Ik bedoel, ik moet naar huis. Ik ben al laat.'

'Twee minuten maar.'

'Ik kan niet.'

'Kom op. Ga je mee?'

'Nou... goed dan.'

Leonard wachtte tot de jongen voor hem uit naar het huis liep om achterom te gaan, waar het aardedonker was. Hij zag niemand, maar hij wist zeker dat hij werd opgewacht door een bende die boven op hem zou springen om hem dood te slaan. Hij luisterde naar het geluid van zijn eigen voeten die het pas gemaaide gras vertrapten. Hij rook de muffe zoete geur van narcissen. Waar zat iedereen? vroeg hij zich af. Waarom waren al die huizen donker? Wie moest hem redden?

Op dat moment liet hij zijn rugzak vallen en zette het op een rennen. Hij holde zich de benen uit het lijf en keek geen enkele keer om. Hij was maar een halve straat van ons huis af, maar het leek een eeuwigheid te duren voor hij bij de voordeur was. De deur zat op slot en hij sprintte achterom. Zijn beenspieren brandden, zijn longen klapten uit zijn lijf en zijn hart pompte harder dan goed voor hem was. Maar toen hij de achterdeur zag, wist hij dat hij veilig was.

En toen kreeg hij met ma te maken.

'En je had die jongen nooit eerder gezien?' vroeg ma voor de zekerheid. Ze had haar broodje al een hele tijd niet meer aangeraakt; het lag koud te worden op haar bord terwijl ze zich eerst blauw zat te ergeren en vervolgens ongerust werd. Ze was niet meer kwaad op Leonard; al haar boosheid richtte zich nu op de onbekende jongen.

'Nee. Hij woont hier echt niet in de buurt en zit ook niet bij ons op school. Dan had ik hem wel herkend.'

'Heeft hij... heeft hij je aangeraakt, of zo? Iets gedaan? Iets...'

'Nee. Ik zei toch al, hij wilde me in elkaar slaan. Ik ben ervandoor gegaan.'

Toen Leonard zijn eten op had, moest hij met ma mee in de auto en ze reden rond om de jongen te zoeken. Hij was nergens te bekennen. Wel vonden ze Leonards rugzak terug, die nog op precies dezelfde plek naast het donkere huis met de narcissen lag waar hij hem had laten vallen. Ma wilde naar de politie om een klacht in te dienen, maar Leonard smeekte haar er geen halszaak van te maken. Uiteindelijk vond ze dat hij al genoeg had moeten meemaken en zag ze er vanaf.

Terwijl zij op patrouille waren was het mijn taak de afwas te doen en de keuken op te ruimen. Ik had net de knoeiboel van de broodjesvulling van de kookplaat geschuurd toen Deirdre in de deuropening verscheen.

'Waar is ma?' vroeg ze. Ze zette haar vuile bord in de aanrechtbak en liet er water overheen stromen.

'Weg met Leonard,' zei ik. 'Een jongen heeft hem aangevallen en ze zijn hem gaan zoeken.'

'Aangevallen?'

'Zoiets. Hij zat te huilen. Ma neemt hem helemaal in bescherming. Ze wil dat hij voortaan met de auto thuiskomt als hij doorzet met Dramakamp.'

Deirdre ging op haar plek aan tafel zitten. Het was net als vroeger, ik bezig met de afwas en zij rommelend met spullen op tafel, samen aan de klets. Alleen leek ze met dat korte haar meer op een vreemde die zich voor de oude Deirdre uitgaf, en hadden we elkaar niet zoveel meer te zeggen. In de afgelopen maanden had ze zich weinig van Leonard aangetrokken. Ze liet vooral merken dat zijn komen en gaan haar een rotzorg was, dat hij zelf maar moest weten wat hij droeg, wat hij dacht en welke invloed hij had op ma en de vrouwen in de salon. Zij had wel iets anders aan haar hoofd, al had ik er geen idee van wat dat was.

Ze trok vellen keukenrol uit de houder van kunststof die ik duizend jaar geleden in een zomervakantie voor ma had gemaakt. Ze streek een vel glad en vouwde het toen snel en deskundig in origamistijl tot een piepkleine kraanvogel. Daarna maakte ze een eend, een olifant, een kameel en een varken. Binnen een mum van tijd stond de tafel vol met een kleine papieren dierentuin. Ik was vergeten dat ze dat kon. Jaren geleden had ze een boek uit de bibliotheek gehaald; het was in het Japans geschreven, maar door zorgvuldig de diagrammen te volgen, had ze zichzelf geleerd van alles en nog wat te maken.

'Nou, dan hoop ik maar dat ze het uit haar hoofd laat om Buddy Howard te vragen hem een lift te geven. Dat is vragen om moeilijkheden. Als het eropaan komt.'

Ze hield een papieren vogel omhoog en door voorzichtig met zijn staartje te prutsen liet ze de vleugeltjes fladderen. We moesten er allebei om lachen en toen gaf ze de vogel aan mij, als een vredesoffer. Mijn hand was nat, waardoor het koppetje van het ding meteen opzwol en ging hangen. Ik had het verpest. Deirdre lachte, griste hem weg en frommelde hem in elkaar. Ze schoot de bal de kamer door en als bij een sterspeler kwam de prop precies in de prullenbak terecht.

'Als het waar op aan komt?' vroeg ik.

'Snap je dat dan niet? Meneer Buddy en Leonard! Zonder anderen? Denk eens na, Pheebs. Nee. Doe ook maar niet. Te ranzig.'

Ze zat haar laatste origamidiertje te vouwen (een konijn) en merkte dat ik geen idee had wat ze bedoelde.

'Seks, Phoebe. Leonard is een gedoodverfde prooi voor een pedo als Buddy Howard. En doe nou niet zo geschokt.'

Ik moet toegeven dat het nooit bij me was opgekomen dat meneer Buddy plannen had met jongens die op Dramakamp zaten. Het idee dat hij op seks uit was, met een minderjarige nog wel, tja, dat was wat je noemt meer dan ranzig.

'Maar je denkt toch niet...' begon ik zwakjes.

'Zeg, Pheebs, hou op. Ben je wel van deze wereld?'

Ze propte haar verzameling papieren beestjes in elkaar en wierp ze één voor één naar de prullenbak. Elke keer gooide ze raak. Toen stond ze op en bekeek ze haar reflectie in de zijkant van onze ouderwetse chromen broodrooster. Ze kamde met haar vingers het weinige haar dat ze had voorover, maar toen dat niets uithaalde hield ze haar gezicht dicht bij het chroom om haar ogen te bekijken.

'Ik voel wel iets voor gothic,' kondigde ze aan met haar gezicht dicht bij het rooster. Ze nam aan dat ik nog steeds naar haar keek en aan haar lippen hing. En gelijk had ze. 'Niet de kleren. Die slaan echt nergens op. Maar wel de oogmake-up. Je weet wel, van die zwarte oogleden en veel eyeliner. Heb jij zoiets? Oogschaduw en zo?'

We gingen naar boven en ik gaf haar mijn spullen. Ze begon te experimenteren. Ik keek toe en wachtte tot ze mijn mening zou vragen. Ik zei wat ze horen wilde, en ze keek me aan en rolde met haar ogen. Het kon me niet schelen dat ze doorhad hoe graag ik weer vriendjes wilde zijn. Van mij mocht ze best denken dat ik zat te slijmen. Ik vond alles best, zolang we net als vroeger samen voor de spiegel stonden te praten. Van mij mocht het altijd zo blijven.

Maar toen hoorde ik ma en Leonard thuiskomen.

'Phoebe... Deirdre!' riep ma van beneden.

Deirdre en ik wisselden een blik. Ze glimlachte wat treurig en raakte zacht mijn wang aan met het kwastje van de blusher.

'Luister niet naar mij, Pheebs.' Ze fluisterde hard genoeg dat ik haar kon verstaan, maar zacht genoeg dat ma het niet hoorde. 'Ik weet niets van Buddy Howard. Ik weet alleen dat er slechte mensen bestaan. En dat er slechte dingen met mensen gebeuren. Ik bedoel eigenlijk alleen dat je je ogen goed open moet houden.'

'Phoebe!' schreeuwde ma. Deze keer verwachtte ze antwoord.

'We zijn boven,' riep Deirdre terug. 'We komen.'

Ze veegde haar ogen schoon met een watje en verwijderde alle sporen van haar nieuwe look. Ik denk dat ze er nog niet aan toe was zich zo te laten zien. Ze trok een mutsje over haar hoofd en samen bonkten we de trap af naar de woonkamer. Ma en Leonard hingen uitgeput op de bank. Deirdre kondigde aan dat zij en ik in een ommezien voor ijs met fruit zouden zorgen. We gingen naar de keuken, draaiden sorbets in elkaar, dienden ze op in bierglazen en zaten met ons allen in de woonkamer. In plaats van het nieuws aan te zetten en naar alle rottigheid te kijken die die dag door rotmensen was uitgehaald, trakteerden Deirdre en ik de anderen op smeuïge roddels over ma's klanten. Soms kwamen we zelfs overeind om dramatische details na te spelen. We waren uitgelaten.

'Hou op!' gilde ma, die half in haar ijs stikte. 'Jullie maken me gek.'

'Nee, nee, tante Ellen, toe nou,' smeekte Leonard. 'Laat ze nou.'

Op dat moment was het onmogelijk om Leonard niet een béétje aardig te vinden; hij deed er tenslotte genoeg zijn best voor. Hij zat op het puntje van zijn stoel om voor onze fratsen te klappen en ons aan te vuren, waarbij het er duimendik bovenop lag dat hij niets anders wilde dan erbij horen. Hij was alsof hij zei: meer heb ik in mijn leven niet nodig om gelukkig te zijn. En in tegenstelling tot ieder ander kon het hem niet schelen dat hij met zijn gevoelens te koop liep; hij schaamde zich niet voor die belachelijke behoefte aardig gevonden te worden.

Dat was een fijne avond. Voor ons allemaal. En gelukkig heb ik die herinnering om aan terug te denken, want een week daarna werd alles anders.

# 8

Rechercheur DeSantis had een rood gezicht en een dikke nek waar zijn boord omheen knelde. Hij had een enorme borstpartij. Toen hij de informatie over Leonard in een notitieblok krabbelde, keek ik hoe de knopen van zijn hemd zich spanden en ik verwachtte elk moment dat er minstens één los zou springen. Hij vertelde ons dat hij uit ervaring wist dat een vermiste jongen als Leonard meestal een paar dagen later weer komt opdagen met een lang verhaal dat hij ruimte voor zichzelf nodig had en dus een paar nachten bij een vriend had gelogeerd.

'Leonard heeft geen vrienden,' wierp mijn moeder tegen. 'Hij kent alleen de andere leden van de toneelclub. Maar verder niemand.'

Rechercheur DeSantis keek naar haar op en zei: 'Dat zeg ik. Elk kind kent wel iemand.'

Toen ik opmerkte dat Leonard ook dikke maatjes was geworden met veel klanten van ma, keek ma me even fel aan en zuchtte toen alsof ze niet wist waarover ik het had.

'Hij is heel goed met sommige dames,' legde ik uit. Het leek mij dat de politie van alle feiten moest kunnen uitgaan bij een onderzoek. 'Leonard heeft mevrouw Cafiero zelfs weten over te halen om haar haar niet meer te verven. Dat soort dingen. O, en dan is meneer Buddy er nog. Buddy Howard.'

'Wie is dat?' vroeg rechercheur DeSantis, die de naam noteerde.

'De man die zo'n beetje de leiding heeft van Dramakamp. We hebben hem gisteravond gebeld toen Leonard niet thuiskwam. Meneer Buddy brengt Leonard meestal met de auto thuis, dus we dachten... Maar meneer Buddy zei dat Leonard gisteravond na de repetitie lopend naar huis wilde. Leonard zei dat hij met een vriend had afgesproken.'

'Een vriend,' zei de politieman, als om zijn gelijk te bevestigen. 'Kijk aan.'

Wij waren er nog niet zo zeker van. Deirdre, die al die tijd geduldig achter me stond, slaakte een diepe zucht en vroeg: 'Kunt u hem nou niet gewoon, zeg maar, gaan zoeken?'

Rechercheur DeSantis schreef alles op en verzekerde ons dat hij elk spoor zou nagaan. Toen stelde hij voor een poster te maken. Hij zei dat het vaak resultaat boekte bij katten en honden en zelfs eens voor de ongelukkige eigenaar van een ontsnapte parkiet. Als mensen zien wie of wat er wordt vermist, schiet hun vaak iets te binnen. Ze bellen de politie. Daar zouden we verbaasd van staan, zei hij; en vervolgens kwam hij met het idee dat we ook een bericht op internet konden zetten. Ik vond dat een knap wanhopig plan. Maar het sprak mijn moeder blijkbaar aan, want binnen een uur zat ze al aan de keukentafel een foto van Leonard op een vel papier te plakken.

Het was een polaroidfoto die ik een maand geleden zelf had gemaakt bij de picknick die mijn moeder voor haar vaste klanten hield. Elk jaar organiseert ze een picknick op Memorial

Day, de laatste maandag in mei waarop gesneuvelde militairen worden herdacht, en elk jaar roept ze dat het de laatste keer is geweest. Als het allemaal achter de rug is, valt ze op bed neer en steekt een monoloog af over het feit dat het veel te veel werk is, al dat eieren vullen, korstjes van de sandwiches snijden, met koelboxen sjouwen, papieren tafelkleden kopen, plastic vorken en messen, feestspullen, dat hele circus regelen om te laten merken dat ze haar vaste klanten waardeert. 'Volgend jaar,' zegt ze achteraf, 'krijgen ze een gratis regenkapje. Klaar.' Maar als het weer mei wordt, is ze dat voornemen allang vergeten en zitten we weer vast aan het gesjouw van alles wat los en vast zit naar dezelfde picknickplek van altijd.

Afgelopen jaar liep het anders dan anders omdat Leonard op het idee kwam een kraam op te zetten en ma's klanten voor-en-napolaroidfoto's aan te bieden. Hij zei dat hij sommige vrouwen de voorfoto en andere de nafoto wilde geven. Zijn verkooptruc was dat hij iedere vrouw zelf liet uitmaken waar ze stond in de tijd. Wie vond dat haar beste tijd nog moest komen, kreeg een sticker met 'voor' op haar foto; wie het idee had dat dit de mooiste tijd van haar leven was, kreeg 'na' op haar foto geplakt. Vijf dollar per kiek.

Het leek ons een absurd plan. Maar zelfs Deirdre, die zei dat ze nog niet dood aangetroffen wilde worden op zo'n picknick van ma, gaf toe dat de kraam een geniale ingeving was geweest. Na afloop bleek Leonard liefst 225 dollar bijeen te hebben gesprokkeld – en wie maakt er nou bezwaar tegen een handvol geld?

Toen het hele feest voorbij was en iedereen het terrein had verlaten, zakte Leonard op het melkkrat voor zijn ruw geverfde decor (een tropisch palmenstrand) en eiste dat ik een foto van hem zou maken. Ik zei dat ik het alleen zou doen als ik ervoor betaald kreeg. Hij gaf me een gloednieuw biljet van twintig dollar en we gingen aan de slag.

Klik. Trrr. Klik. Trrr. Klik. Trrr.

'Wacht even,' zei ik toen we keken hoe de drie volmaakte vierkantjes zich in mijn hand ontwikkelden. 'Is het jouw "voor" of "na" foto?'

'Allebei,' zei hij. 'Ik zit er precies tussenin.'

Op de foto staat hij met een gestreept T-shirt, zijn haar piekt alle kanten uit en het ene oog lijkt groter dan het andere. Bijna al zijn tanden zijn te zien, in een demonstratie van zijn eeuwige gretigheid leuk over te komen bij wie hem toevallig maar ziet. Afgezien van het randje van zijn macraméhalsband, net zichtbaar boven de boord van zijn T-shirt, leek hij een van de talloze jongens aan wie je domweg voorbijloopt bij willekeurig welke bushalte ook ergens in het Midden-Westen. Uit niets op die foto blijkt hoe anders en ongewoon hij in het dagelijkse leven was. Niets afwijkends, zoals die waanzinnige platformgympen, die hij met gevaar voor eigen leven per se wilde dragen. Dat zei ik ook tegen mijn moeder toen ze me de poster liet zien, maar ze maakte alleen een gebaar met haar handen alsof ze muggen wegsloeg.

'Wat moeten we anders?' zei ze. 'We kunnen hier toch niet werkeloos blijven zitten wachten!'

Op de voltooide poster stond te lezen:

VERMIST

14-jarige jongen

LEONARD

Lichtbruin haar
Lichtbruine ogen
1,49 m. lang
Voor het laatst gezien in
WIT T-SHIRT, SPIJKERBROEK, BLAUW NYLON JACK

Mijn eerste reactie was dat Leonard zou hebben gebaald van die kleurloze beschrijving. Zijn haar, had hij ons herhaaldelijk bezworen, was niet lichtbruin maar donkerblond. Zelf vond hij dat zijn ogen groen moesten worden genoemd ('Wat is nou lichtbruin?' zei hij dan. 'Dat is toch geen kleur. Ik heb donkerblond haar en groene ogen.') Wat zijn kleren betrof, er werd met geen woord gerept over de geborduurde explosie van zonnestralen die hij met pijn en moeite eigenhandig pal op de plek van het hart op zijn witte T-shirt had gepeuterd, waarbij hij alle kleuren uit mijn moeders naaimand had gebruikt. Hij was zo trots op zijn borduursels en het feit dat hij zichzelf had geleerd hoe je met naald en draad moest omgaan, dat hij natuurlijk razend zou zijn als hij ontdekte dat we het niet eens hadden genoemd. En een blauw nylon jack? Ja, sorry hoor, maar dat was ook niks. Leonard zelf zou dat ding minstens als 'marineblauw windjack' of liever nog als 'turkooiskleurig zeiljack' hebben omschreven.

Geen woord over zijn krankzinnige platformgympen.

Nadat er vijfhonderd afdrukken op felgeel papier in de kopieerwinkel waren gemaakt, werden Deirdre en ik ingezet. We kregen een dikke stapel en moesten op pad om een door mijn moeder zorgvuldig uitgestippeld netwerk van straten, tot en met doodlopende hofjes, van posters te voorzien. Mevrouw Landis, mevrouw Manotti en mevrouw Kavanaugh boden hulp aan en kregen ook pamfletten en wijken toegewezen. We plakten in onze wijk posters op alle lantaarnpalen en winkelruiten, en als we op straat iemand tegenkwamen duwden we ze een flyer in handen en legden we uit waarom. Binnen een paar uur was Leonard een beroemdheid in de stad.

Toen begonnen de telefoontjes. Niet alleen onze klanten belden op alle uren van de dag en nacht om hun ongerustheid te uiten, toekomstvoorspellingen te doen en bijna hysterisch te gaan huilen, maar we kregen ook gekken aan de lijn die deden alsof ze wisten waar Leonard was en belachelijke sommen losgeld eisten (vanaf vijf dollar tot een slordige miljoen). Zulke telefoontjes eindigden meestal in een puberale lachbui en dan een klik. We namen niet eens de moeite na te gaan wie het geweest waren. Daar waren we te moe voor.

Sommige klanten voelden zich verplicht langs te komen, hun mening te geven en eindeloze verhalen op te hangen die altijd betrekking hadden op vermiste kinderen, dode baby's en leerling-verpleegsters die door een maniak gemarteld waren en daarna in een ondiep graf gedumpt. Ze praatten over die gevallen alsof ze de Lindbergh-baby en de kleine Jon Benet persoonlijk hadden gekend. Ze wisten alles van de onopgeloste mysteries in onze wereld en dankzij de tv hadden ze stuk voor stuk een encyclopedische kennis van moordmotieven en misdaden. Eerlijk gezegd was ik niet in de stemming voor gruwelverhalen; ze maakten dat ik me ging afvragen hoe goed of slecht mensen van nature eigenlijk waren en of God er nog ergens aan te pas kwam bij al dat laffe gedrag.

Als ik echt gelovig was geweest, zou ik zo'n moment hebben gekozen om het met Hem of Haar op een akkoordje te gooien. Een deal die was gebaseerd op mijn plechtige belofte voortaan als een oudere, lieve zus voor Leonard te zijn zolang hij maar bij ons terugkwam. Met andere woorden, ik zou beloofd hebben altijd lief en goed te zijn, Leonard voor te stellen aan mijn vriendengroep (zodra ik er een had) en voor hem op te komen als iemand op straat hem voor mietje uitschold. In ruil daarvoor diende God Leonard heelhuids bij ons terug te bezorgen.

Maar ik ben er allang achter dat Hij/Zij doof is voor zulke beloftes, dreigementen, deals en andere bezweringen, om een van de volgende redenen:

1 God staat erboven;
2 Bestaat niet;
3 Is van plan iedereen te laten lijden.

Als het de eerste of tweede reden is, heeft het geen zin beloftes te doen of dure eden te zweren. Dat is bidden tegen een blinde muur.

Maar als het om de derde reden gaat, moet ik wel aannemen dat het een verborgen zin heeft om pijn te lijden en verdriet te hebben, en mijn taak als mens is het dan om erachter te komen wat het allemaal betekent voor het te laat is.

De volgende dag gingen we weer naar het politiebureau en ma begon te huilen zodra ze haar handtekening onder het officiële vermissingsformulier had gezet. Deirdre was niet mee. Ik zat in mijn eentje met ma in de wachtruimte van het politiebureau terwijl ze haar tranen droogde en haar make-up bijwerkte. Toen ze haar lipgloss aan haar mond wilde zetten en zich opeens realiseerde dat dit het laatste was wat Leonard voor had gekocht, barstte ze opnieuw in snikken uit.

'Leonard zei dat die roze Avon van me hopeloos achterhaald was. Toen ging hij eropuit en kocht dit voor me – Glossimer hoogglans van Chanel.'

Weer een tranenvloed, toen: 'Wat moet ik zonder hem beginnen?'

Even dacht ik dat ze bedoelde dat ze niet wist wat ze moest zonder Leonard die haar adviseerde met haar make-up. Maar toen ze er zuchtend aan toevoegde: 'O Phoebe, waarom loopt alles toch altijd fout bij ons?' besefte ik dat dit veel dieper ging dan poeder en lippenstift. Later, als we weer thuis waren, kon ze het formulier in haar bruine harmonicamap van damestasformaat stoppen, tussen de echtscheidingspapieren, vergelende overlijdensberichten van favoriete klanten en al die slechte rapporten van ons. In de toekomst, als haar sombere gedachten op een depressie afkoersten zodra ze ervan overtuigd raakte dat het toch nooit goed uitpakte voor de familie Hertle, hoefde ze alleen maar die harmonicamap van de plank in haar kast te pakken, het bewijsmateriaal door te kijken en tot dezelfde treurige conclusie te komen: bij ons liep het altijd fout.

Maar op dat moment waren we nog op het politiebureau. En voor ik er erg in had, sloeg ik mijn armen om mijn moeder heen. Haar White Diamondsparfum van Elizabeth Taylor mengde zich met de vertrouwde geuren van de salon en mijn hele jeugd. Ik drukte me zo stevig tegen haar aan dat ik het kloppen van haar hart zelfs duidelijk onder haar blouse van kunstzijde kon horen.

'Je smoort me bijna,' zei ze, halverwege een snik en ze greep mijn schouders. 'Een beetje minder is ook goed.'

We lieten elkaar los, maar alleen omdat de inhoud van haar tasje op de pas geboende linoleumvloer viel en alles alle kanten op gleed. Ik grabbelde onder de stoel naar haar mascara en hoorde mezelf dingen zeggen als: 'Kalm maar.' Ik tastte naar haar kleine spiegeltje en zei steeds weer: 'Het komt allemaal wel goed.' Ik zei nog: 'Het pakt echt wel goed uit, hoor', alsof ik het echt meende. Opeens zat ik een stroom geruststellingen te debiteren die mijn moeder vroeger over mij uitstortte wanneer het niet goed kwam, niet goed uitpakte, en alles even ellendig bleef.

'Ja,' zei ma, en ze snoot haar tranen weg en dwong zich tot haar beroemde glimlach. 'Ja, ja natuurlijk.'

We waren net twee amateurs in een slecht toneelstuk, die teksten moesten zeggen en emoties overbrengen die ver boven onze macht lagen. Met andere woorden, we konden geen mens overtuigen.

Op een plastic stoel tegenover ons zat een dronkenlap. Ons publiek. Nog geen tien uur 's ochtends en hij was al straalbezopen. Hij droeg een T-shirt met het logo van Duke University en een paarssatijnen joggingshort, een uitdossing die qua stijl vloekte met zijn zwartnylon sokken en instapschoenen met leren zolen. Zijn gezicht had de kleur van een vuile gymsok en was ook verder niet erg aantrekkelijk. Toen hij tot leven kwam, richtte hij zijn stoppelige kin en in tequila gedrenkte ogen naar het plafond en zei zo hard dat je wel moest luisteren: 'Koud- of warmbloedig! Snap je wel? Koud! Of! Warm! Bloedig!'

Ik keek de andere kant uit. Ook al een beroerde acteur, dacht ik bij mezelf.

'Laten we gaan,' zei ik tegen mijn moeder.

Toen we thuiskwamen, trok het laatste zonlicht zich terug van de keukengordijnen en ma zei dat ze oom Mike in Mexico ging bellen. Ma had een gek gevoel (of misschien was het niets anders dan een gekke hoop) dat oom Mike misschien wist waar Leonard uithing. Toen ze hem aan de lijn kreeg, zei oom Mike: nee, hij had niets van Leonard gehoord, helemaal niets meer na een ansichtkaart van een blondine in bikini die een strandbal boven haar hoofd hield en op een plek stond die moest doorgaan voor een van Neptunes vele, altijd leuke recreatieoorden. Die kaart had al in de standaard bij het warenhuis gezeten vanaf het moment dat ik oud genoeg was om de lelijke roze letters op de voorkant te kunnen lezen: HIER IS HET ALTIJD BAL! Alsof het in Neptune ooit leuk kon zijn. Volgens oom Mike had Leonard achterop gezet dat hij dolgelukkig was met zijn nieuwe woonplaats, de salon, de mensen, tante Ellen, Deirdre en vooral met mij.

'Wat!'

Ik krijste het zo ongeveer de hoorn in.

We zaten alle drie bij een ander toestel in huis. Ik had de oude wandtelefoon in de kelder, ma was in haar kamer en Deirdre luisterde mee aan de keukentelefoon.

'Ja,' bevestigde oom Mike in de verte. 'Hij schreef dat jij en hij twee handen op één buik waren en dat het een unieke vriendschap was.'

Er viel een stilte terwijl we die leugen lieten bezinken. Niemand ging ertegen in. Ik had de pest aan mezelf.

Oom Mike wilde nog kwijt dat we ons geen zorgen hoefden te maken, want Leonard was een taaie. En hij voegde eraan toe: 'Die knul ruikt van mijlenver in de wind of er stront aan de knikker komt.' Het leek me een uitdrukking die hij had opgepikt in zijn nieuwe leven in Mexico, bij zijn nieuwe maten daar, die waarschijnlijk veel ervaring hadden met zowel stront als wind.

Tot slot had oom Mike nog iets over zijn veestapel te melden: hij had nog twee seizoenen te gaan voor hij naar het slachthuis kon. Ik kokhalsde. Als vegetariër ben ik tegen het slachten van vee. Ter plekke haalde ik een streep door de toch al kleine kans dat Leonard oom Mikes ranch als toevluchtsoord had gekozen. Een boerderij waar koeien regelmatig geslacht worden en waar de stank van stront altijd op de wind komt aanwaaien leek me niets voor hem. Leonard was meer het type dat op weg ging naar een land als Oz, om zijn heil te zoeken bij de tovenaar. Kortom, wat mij betreft was oom Mike een doodlopend spoor.

Daarna kondigde ma aan dat het tijd werd om Leonards spullen te doorzoeken. We hadden een aanwijzing nodig, zei ze. Deirdre voelde er eerst niets voor, maar ze kwam toch beneden en samen trokken en schoven we allerlei spullen tevoorschijn uit verschillende bergplaatsen in en rond Leonards geïmproviseerde kamer. Ik voelde me de Gestapo die huiszoeking deed in een woonwijk. We maakten opgerolde sokken open, schudden munten uit broekzakken, vonden een stapel mannentijdschriften met bodybuilders, keken onze ogen uit op de overdreven vrolijke, stoere mannen in piepkleine zwembroekjes die hun spierballen lieten opzwellen, probeerden het gekrabbel in de marge van schoolboeken te ontcijferen. We vonden een lijst met alle namen van ma's klanten met daarnaast potloodschetsen van nieuwe kapsels. We kwamen geen verrassingen tegen; alles was wel zo ongeveer als we hadden verwacht. Maar toen we pakjes condooms vonden, weggepropt in een kier tussen de dozen van oma Hertle, greep ma naar haar hoofd en slaakte ze een kreet van ontzetting.

'Jesses bah!' riep Deirdre, en ze smeet de pakjes door de kamer.

'Doe even normaal,' zei ik, en ik opperde dat Leonards condooms misschien niets anders voorstelden dan een wensdroom. 'Ik bedoel, ze zijn niet eens uitgepakt.'

'Maar toch,' zei Deirdre, met een aanstellerige huivering om te laten merken dat ze er niet aan moest denken dat Leonard iets met seks vandoen had. 'Het blijft ranzig.'

Voor mij kwam de verrassing pas later, toen ik een plattegrond van het Natuurhistorisch Museum onder Leonards matras vandaan haalde. Wie had ooit gedacht dat Leonard belangstelling had voor de natuurlijke historie – of voor welke natuurlijke dingen dan ook? Hij was het type dat in alles van kunstmatig hield – zoetstoffen, haarverf, luchtjes. Door het idee dat hij zich interesseerde voor dinosaurussen, maansteen, halfedelstenen en mineralen, werd ik gedwongen stil te staan bij de vraag wie de persoon die ik als Leonard Pelkey kende in feite echt was. Had hij nog meer kanten die me nooit waren opgevallen? Was hij al eens in het museum voor natuurhistorie in New York geweest? En zo ja, met wie dan?

Vanaf het moment dat Leonard bij ons kwam wonen, had ik moedwillig geprobeerd geen aandacht te besteden aan hem, zijn interesses, zijn activiteiten, zijn leven. Wat mij betreft was hij een onwelkome vreemdeling in ons midden, witte ruis, gebakken lucht. Anderen waren als een blok voor hem gevallen, hadden medelijden met hem, waren geïnteresseerd in zijn plannen, gedachten en welzijn. Maar ik paste ervoor om mee te werken aan de Leonard Pelkey Show, en hij kon hoog of laag springen, maar geen omkoopsom of dure belofte kon me van gedachte doen veranderen.

Leonard had bij aanwezigheid anderhalve kubieke meter in beslag genomen, maar na zijn verdwijning groeide het volume tot onmetelijke omvang. Toen we eindelijk alle posters hadden opgehangen (in oostelijke richting helemaal tot de stad Long Branch en naar het westen tot de tolweg), overbrugde hij enorme afstanden. Overal waar ik die eerste week ging, zag ik hem naar me lachen. Hij hing aan telefoonpalen en lachte me toe uit etalages. Je kon domweg niet om hem heen en om zijn maffe lach die erom smeekte dat je hem aardig vond. Al had ik het gewild, dan nog was het onmogelijk hem een straat lang in welke richting ook te vergeten. Nadat hij was verdwenen, was hij overal aanwezig.

Toen ik goed gek dreigde te worden van altijd en overal die posters, werd de lucht boven Neptune opeens pikzwart en ging het zo hevig regenen dat alle kelders onderliepen. De meeste mensen wisten niet wat hun overkwam. Op tv hielden de weermensen, met hun vrolijk gekleurde kleren en hun professionele blik van nepverbazing, hardnekkig vol dat die watersnoodramp onmogelijk te voorzien was geweest en ze beloofden een koele luchtstroom die de hele ellende ver weg naar zee zou blazen. Toen die toekomstvoorspelling niet uitkwam, groeven ze andere feiten op voor de uitzending. We hoorden dat er aan de kust van New Jersey sinds juni 1903 niet meer zoveel regen was gevallen. Niemand was onder de indruk. Het zou ons een rotzorg zijn; we wilden alleen dat de regen ophield. Toen eindelijk de zon weer tevoorschijn kwam, hingen de posters er doorweekt en aan flarden bij als een aandenken aan onze verloren hoop; de meeste waren zelfs finaal weggespoeld.

Er kwamen andere posters voor in de plaats. Niet Leonards

gezicht staarde ons nu overal en nergens aan, maar dat van Larry Wheeler. Larry was de broer van Electra. Een halfjaar geleden was hij bij het leger gegaan om met vereende krachten Irak te bevrijden, en nu kwam hij als held naar huis. Hij en zijn hele bataljon waren onder vuur genomen. Dat was bizar, want in de tijd van het vuurgevecht zat iedereen in Neptune tevreden te denken dat het gedoe in Irak achter de rug was en we de oorlog tegen het terrorisme hadden gewonnen. Nu bleek het ingewikkelder te liggen, en volgens Electra was de oorlog nog lang niet voorbij, want in bepaalde plaatsen ten zuiden van Bagdad hadden rebellen het gore lef gehad Larry en zijn medewoestijnratten te bestoken met wat zij omschreef als 'martelgranaten'.

'Dat heten volgens mij mortiergranaten,' verduidelijkte ik, toen we om haar heen dromden in de videowinkel waar ze werkte.

'Ook best. Hij is gewond,' zei ze. 'Hij is een stuk van zijn been kwijt.'

Dankzij Larry's snelle reflexen en grote bek ontsnapten de andere mannen aan een wisse dood. Het was hem gelukt iedereen te waarschuwen en daar weg te krijgen voor de tweede explosie kwam. Larry werd door de kracht van de explosie tien meter ver weggeblazen, verloor niet alleen zijn Ray-Banzonnebril maar ook zijn linkeronderbeen, en kreeg namens de president de Purple Heartonderscheiding voor heldenmoed. De plaatselijke krant bracht op de voorpagina een uitvoerige reportage van het wapenfeit, geïllustreerd met een foto van Larry van voor de explosie, nog compleet met helm, grijns, zonnebril en beide benen. Ik kon er niets aan doen dat ik het zaakje niet helemaal vertrouwde.

Een week eerder was er ook zo'n zogenaamd heldenverhaal verschenen over iemand die in de oorlog een aanval met 'martelgranaten' had overleefd en vervolgens door een speciale eenheid op wonderbaarlijke wijze uit vijandelijke klauwen was gered. De betreffende militair was een jonge vrouw, die eruitzag als een cheerleader die per ongeluk een verkeerd pakje had aangetrokken. Het was te mooi om waar te zijn, en later ontdekten we dan ook dat het niet waar was. Het verhaal van haar redding bleek grotendeels uit de duim van de overheid te komen om de Amerikaanse burgers het gevoel bij te brengen dat we trots moesten zijn op onze troepen in Irak. Was het dan zo gek dat ik nu twijfelde?

'Het is mijn broer!' verdedigde Electra hem.

'Ja, maar toch, de regering kan hem toch hebben omgekocht of zo. Ik zeg maar wat.'

Enfin, toen ik Larry zag kon ik niet ontkennen dat hij inderdaad een been kwijt was. Met zoiets kun je niet doen alsof, en ik betwijfelde of er geld genoeg op aarde was om iemand zo gek te krijgen een been op te offeren voor een propagandastunt. Maar al was Larry dan echt gewond en een echte held, ik had toch zwaar de ziekte in dat zijn situatie die van Leonard totaal had verdrongen. Op de nieuwe posters werd ter ere van Larry een optocht aangekondigd, gevolgd door een picknick met mooie prijzen en gratis hapjes en drankjes. Het idee was dat Larry's veilige thuiskomst op die manier kon worden gevierd en de inwoners van Neptune tegelijkertijd de kans kregen hem te bedanken omdat hij zijn nek had uitgestoken in de strijd tegen het terrorisme en zijn been was kwijtgeraakt. Wij hadden niets van dat alles op onze posters aangeboden, geen gratis cola, geen picknick, geen optocht, spelletjes of mooie prijzen. Leonard maakte geen schijn van kans.

Electra had niet opgetogener kunnen zijn dat haar broer het nieuwe middelpunt van de plaatselijke belangstelling was. Ze kreeg een air alsof ze opeens dikke maatjes was geworden met de president van de Verenigde Staten.

Ik was allang blij dat de zomervakantie was begonnen, want anders had ik op school moeten aanzien hoe ze in de gangen glorieerde, aan de lopende band complimenten in ontvangst nam, triomfantelijk met haar piekige dreadlocks schudde en in het algemeen de dienst uitmaakte.

Ondanks Larry's plotselinge roem en Neptunes obsessie met het verhaal van zijn weggeschoten been, waren er nog een paar mensen die zich druk maakten om Leonard. Het waren vooral de oudjes, die uit ervaring wisten wat het was om door bijna iedereen vergeten te worden en volslagen onzichtbaar te eindigen. Ze wisten de mensen heel subtiel aan Leonard te herinneren – door een sjaal te dragen die ze van hem hadden gekregen, door zijn poster in hun handtas te bewaren, door terloops in een gesprek zijn naam te laten vallen. En al waren het dezelfde mensen die niet wisten of het maandag of woensdag was en mij niet van Deirdre konden onderscheiden, je moest ze wel lief vinden om hoe ze volhielden.

'Weet je wat je zou moeten doen, Deirdre?' zei mevrouw F. tegen me toen we samen in de rij stonden bij de apotheek. 'Je moet zorgen dat Leonards foto op de melkpakken komt.' Ze duwde met haar puntige, felgelakte nagels in haar slordige toren van zwartgeverfd haar. Ik voelde dat ze niet wilde dat ik zou vragen waarom ze de laatste tijd niet meer in de salon was geweest en hoe dat met al die loshangende haarspelden zat.

Mevrouw F. leefde van een mager inkomen en hoe minder je daarover zei, hoe liever ze het had. Dus zei ik alleen: 'Mijn moeder heeft een recept voor Zoloft gekregen. Zelf ben ik tegen antidepressiva. Volgens mij heeft de farmaceutische industrie de volledige controle over de hersens van zowat iedereen in dit land. Binnenkort kunnen we niets meer zelfstandig beslissen. Dan worden we robots. En trouwens, Leonard is een beetje te oud om nog op een melkpak te staan.'

Mevrouw F. knikte maar wat terwijl ik me omdraaide om bij het rek met pepermuntjes de toegevoegde smaak- en kleurstoffen te bestuderen en te doen alsof die mijn volle aandacht hadden.

Mevrouw D. van Dramakamp zat ook boven op de zaak. Ze belde ons dagelijks om te zeggen dat 'iedereen' er absoluut van overtuigd was dat Leonard heelhuids bij ons terug zou komen. Wij namen natuurlijk aan dat 'iedereen' uit haarzelf en meneer Buddy bestond. Maar toen we hoorden dat Nathan Kutholtz de rol van Ariël in *De storm* had gekregen, en dat Nathan in de auto van meneer Buddy was gezien, vroegen we ons wel af hoe oprecht en absoluut zeker 'iedereen' in werkelijkheid was.

Rechercheur DeSantis (ofwel 'Chuck' zoals we hem waren gaan noemen) hoorde ook bij het kleine groepje gelovigen, degenen die Leonards geval nog steeds boven dat van soldaat eerste klas Larry Wheeler stelden. En al hoorde hij niet bij de klantenkring van mijn moeder, hij kwam vaak genoeg langs. Hij kwam de details van Leonards zaak bespreken, inlichtingen verzamelen, mijn moeders koffie drinken, vragen stellen en de wc gebruiken. Als hij niet in uniform was, zag hij er op een bepaalde, ruige manier best knap uit. Door zijn haar, dat bijna identiek was aan dat van Deirdre, had hij wel iets van een voetbalcoach van een kampioensteam. Hij had een groot hoofd met een kleine neus en mond en kleine oren die iets te wijd uitstonden, misschien om er beter aanwijzingen mee te kunnen horen.

Chuck besteedde bijna een hele week aan het ondervragen van ma's klanten om erachter te komen of Leonard ooit de wens had geuit weg te lopen of iets had gezegd over mensen, plaatsen en zaken waar wij niets van wisten. De ondervragingen draaiden uit op een lange lijst exotische oorden waar de dames graag op vakantie zouden gaan en een lijst met namen waarvan we nog nooit hadden gehoord, namen die bleken te horen bij vrienden en familieleden van de ondervraagden elders in het land. Een minder precieze speurder zou dit alles waarschijnlijk genegeerd hebben als het zinloze gebabbel van oude dames die niet goed bij hun verstand waren, maar Chuck was heel precies. Hij noteerde alles en bewaarde de informatie in een zwarte map die op de voorbank van zijn metaalblauwe Subaru lag. Hij noemde dit stadium van het onderzoek 'een breed vangnet uitwerpen', ook wel 'vissen naar sporen' ofwel 'Fase 1'. Als een plaats of persoon voor de tweede keer werd genoemd in de loop van het onderzoek, verplaatste hij die informatie naar zijn blauwe map, die ook op de voorbank lag. Ik wachtte met angst en beven het moment af waarop Chuck die blauwe map zou pakken en we er zeker van konden zijn dat we in 'Fase 2' waren beland.

# 9

'Wacht niet met bellen. Bel als je een aanwijzing vindt. Bel als je iets te binnen schiet wat we over het hoofd hebben gezien. En bel in ieder geval als je iets van Leonard hoort.'

Jammer genoeg volgde ma haar eigen advies niet op en draafde ze door. Ze belde zo vaak dat ik na een tijdje niet eens meer de moeite nam 'hallo' te zeggen als ik opnam; ik zei alleen: 'De limiet, ma.' Zo herinnerde ik haar eraan dat we moesten bijbetalen als we meer dan zoveel minuten in de maand belden. Meestal had ze niets te melden. Ik ook niet. Daarom bleven de gesprekjes heel kort. Maar ze kwamen om de haverklap.

Voor Leonard in ons leven kwam, was ma er fel op tegen dat Deirdre en ik mobieltjes zouden hebben omdat je er een hersentumor van kon krijgen. Ook maakte ze bezwaar tegen de kosten en ze hing graag een tien minuten durend betoog op dat het schandalig was van de telefoonbedrijven om je het toestelletje voor niks te geven en daarna het lef te hebben je te laten betalen voor golven die je met het blote oog niet eens kon zien. Maar omdat ze wilde dat we voortdurend contact konden houden tijdens de zoektocht naar Leonard, ging ze om en kocht Nokia's voor ieder van ons. Die van mij had de kleur magenta, passend bij mijn haarkleur in die periode.

Onafhankelijkheidsdag brak aan en ik stond die vierde juli bij het VFW-gebouw. Ik hield mijn mobieltje een stukje van mijn oor af, want mijn moeder had nog niet geleerd als een normaal mens in een gsm te praten; ze dacht blijkbaar dat het blikjes met touwtjes waren waarin je moest schreeuwen om verstaan te worden. Ze schreeuwde langdurig over mapjes lucifers.

'Ma, hou eens op, wil je? Hou op. Ik snap je niet eens. Ik luister niet meer.'

Ze vroeg het opnieuw. Had ik weleens gemerkt dat Leonard mapjes lucifers van dure restaurants spaarde, want ze had gehoord dat jongens die dingen soms spaarden en als Leonard er ook zo eentje was konden we zijn verzameling zoeken, naar die restaurants gaan en de bediening vragen of ze hem hadden gezien. Ik vond het een gestoord idee, maar ik kan niet beweren dat ik erbij stilstond. Niet echt. In plaats daarvan keek ik naar het VFW-gebouw en vroeg me af hoe zo'n verwaarloosd en vervallen gebouw aan de bulldozers was ontsnapt en nog overeind stond in de eenentwintigste eeuw. De aanblik was minstens zo hopeloos als het nieuwste plan van mijn moeder om Leonard te vinden.

'Dag ma,' zei ik en ik zette mijn telefoon uit.

VFW is de afkorting van Veterans of Foreign Wars, de vereniging van veteranen die in buitenlandse oorlogen hebben gevochten. Ik kan je wel vertellen dat het VFW-gebouw in Neptune zelf ook onaangename associaties oproept rond woorden als 'veteranen', 'buitenland' en 'oorlog'.

1 Het is een stokoud gebouw.
2 Het is ver van huis (helemaal aan de andere kant van de stad).
3 Iedereen hier voert oorlog. Niet met wapens, want het blijft bij bekvechten onder elkaar, maar toch.

Na mijn gesprek met ma zag ik een oude vechtjas met een kek blauw militair petje en een oude sjerp met gouden franje dwars over zijn borst. Hij ging tekeer tegen de barbecue, oreerde met veel te harde stem dat het ding helemaal verkeerd stond en meteen verplaatst moest worden. Zijn woede leek zich op de barbecue zelf te richten. Maar toen kwam een jongere kerel met een bonte halsdoek en een dikke buik het gebouw uit hobbelen om de man met het petje en de sjerp te vertellen dat hij zijn kop moest houden; hij herhaalde steeds dat de ouwe uit zijn nek kletste. Ik slenterde naar binnen en ging op zoek naar een bekend gezicht.

Mevrouw Lewis, een lange zwarte vrouw die in de bibliotheek werkte, was er in ieder geval, gekleed in een bloemetjesbloes en een lichtblauwe broek. Haar haar was voor de gelegenheid gladgeföhnd en onderaan naar binnen gekruld, zo te zien met een strijkijzer.

Ik hield me op de achtergrond en sloeg haar gade terwijl ze verhit ruziemaakte met een kleine, blonde vrouw die loenste en smalle geëpileerde wenkbrauwen had.

'Ik vind nu eenmaal dat de slingers er feestelijker uitzien als we ze van het plafond naar beneden laten hangen en alleen aan de uiteinden vastzetten,' zei mevrouw Lewis met haar strenge bibliothecaressenstem, die ze meestal opzette tegen brugklassers die niet wisten hoe het in de bibliotheek toeging. 'Ze moeten gezellig wapperen. Als wimpels.'

'We hebben al wimpels genoeg. En niemand vindt dat gewapper gezellig.'

Ik koos partij voor mevrouw Lewis; het leek me niet meer dan eerlijk dat zij het mocht zeggen, omdat ze een zoon in het leger had. Bovendien stond die blonde me helemaal niet aan, en haar gedrag ook niet. Ik wilde net een stap naar voren doen en mijn mening geven toen ik achter me een stem hoorde.

'Hé.'

Ik draaide me om en zag iemand die op Travis Lembeck leek. Sterker nog, het was Travis Lembeck, al zag hij er dan uit alsof hij zojuist een extreme make-over had ondergaan. Alles wat je maar aan hem zou willen verbeteren, was verbeterd. Hij had zijn haar gewassen. Hij droeg een wit T-shirt dat echt wit was, een spijkerbroek die hem prima paste, en zwarte New Balancesportschoenen die de indruk wekten dat iemand het de moeite waard had gevonden een nieuw paar voor hem te kopen. Maar het gekst van alles was dat hij de zwarte parka had afgedankt. Zonder dat ding was de vorm van zijn lijf zichtbaar, en ik zag meteen dat er niets mis was met die vorm. Ik zag de strakke zwelling van zijn spierballen voor ze onder de korte mouwen verdwenen. De inham van zijn borstbeen tekende zich duidelijk af onder het shirt en van de aanblik van zijn sleutelbeen even boven de boord viel ik bijna flauw.

'O, hé,' zei ik, alsof dat lijf van hem doodgewoon was en echt niets om wakker van te liggen.

'Wat ben jij vroeg. Help je hier of...'

'Nee. God, nee. Ik bedoel... nee. Ik moet... Ik moest hierheen van mijn moeder. Ze wil dat ik deze posters ophang. Vanwege Leonard.'

Hij zei niets. Hij keek alleen naar de stapel gele papieren die in de kromming van mijn arm zat.

'Dat zul je wel gehoord hebben,' zei ik.

'Ja. Klote.' Hij keek van me weg en tuurde naar de andere kant van de zaal alsof hij Leonard in de verte zou zien opdoemen als hij zich inspande. 'Zeg,' zei hij zonder me aan te kijken. 'Zullen we... hier weg, zeg maar? Een stukje rijden? Ik ben met de auto.'

Ik raakte in paniek, want ik dacht: o god, die jongen wil dat ik bij hem in de auto stap en ergens met hem naartoe ga. En om je de waarheid te zeggen, als er op dat moment niet een ander gevoel bij me was opgekomen (een schuldgevoel, denk ik), dan had ik ter plekke de posters laten vallen om er als een speer met hem vandoor te gaan.

'Straks misschien,' zei ik. 'Eerst moet ik dit doen. Maar straks is prima.'

Ik kon mezelf wel slaan toen hij weg was. Dat heb ik weer, dacht ik. Ik hang mijn hele leven rond bij oude taarten met armetierig haar in plaats van dat ik in een geparkeerde auto zit te zoenen met een echte jongen. Om het nog een graadje erger te maken verbood mevrouw Rivera, die de leiding had over de festiviteiten, me de posters op te hangen. Ze vond ze een domper op de feestvreugde. Maar ze verzekerde me dat het verder een vrij land was met vrijheid van meningsuiting zodat ik er natuurlijk zoveel als ik wilde met Jan en alleman over mocht praten. Niemand zou me tegenhouden.

Toen het feest eenmaal op gang kwam werd het een dolle boel. Omdat Larry's heldhaftigheid in Irak gevierd ging worden in combinatie met Onafhankelijkheidsdag was iedereen in een uitbundige stemming. Er werd bier achterovergeslagen, frisdrank spoot alle kanten op en iedereen knoeide eten over zijn kleren. Ouders droegen hun kinderen op de schouders, brulden naar elkaar om zich boven de muziek uit de luidsprekers verstaanbaar te maken, zwaaiden met vlaggetjes en droegen pakken met sterren en strepen in het motief van de Amerikaanse vlag.

Larry arriveerde in een rolstoel. Hij was in burgerkleding – een korte broek, sandalen, had een zonnebril op en een baseballpet van de Mets. Op de plaats van zijn linkerbeen zat een glanzende prothese met kniescharnier. Iedereen begon hard te juichen en met vlaggetjes te zwaaien toen hij de schuine plank naar de veranda op rolde. Zodra hij in positie stond onder een ereboog van rode, witte en blauwe ballonnen werd hij belaagd door een groep gekken met filmcamera's. De hele gebeurtenis begon verdacht veel op MTV's *Real World* te lijken.

Electra stond prominent in het midden van dit alles, stralend in haar T-shirt met de kreet ONZE HELD boven een afdruk van dezelfde foto die we al de hele week overal van Larry hadden moeten zien. Haar broer salueerde en zwaaide toen naar de menigte; hij lachte en zei het een en ander in de microfoon dat geen mens kon verstaan in de herrie.

Omdat ik niets beters te doen had, stond ik in de rij te wachten om Larry gedag te zeggen. Het duurde eeuwen en ik zat klem achter de oude mevrouw Kurtz. Ze rook naar zweet en was zo blind als een mol. Een bandje van haar beha was te zien en ze had een lap in haar hand.

'Hij komt wel terug,' zei ze tegen me, toen ze mijn arm aanraakte met de hand waarmee ze de lap vasthield. 'Let maar op. God waakt over de mensen in Neptune.'

'Leonard is anders al tien dagen zoek,' hielp ik haar herinneren, terwijl ik mijn gewicht overbracht naar mijn andere heup en een millimeter vooruitschuifelde in de rij.

'En kijk Larry dan,' zei ze, wat ik nogal komisch vond omdat ze naar links wees, een heel stuk uit de richting van Larry. 'Hij is er toch ook weer. Zag het daar soms naar uit? En hij is nog wel als held teruggekomen.'

'Tja,' zei ik. 'En zonder been.'

We waren bijna bij Larry, al zag ik dat de man die nu zijn aandacht vroeg zich over Larry heen boog alsof hij van een langdurig praatje wilde genieten. Hij zanikte oeverloos door dat niemand voor hem een feest had georganiseerd toen hij uit Vietnam terugkwam, nee meneertje, het zou iedereen een zorg zijn of hij wel of niet was weggerot, en hij hield een lange verhandeling over oorlog als de hel op aarde, erger nog dan de hel. Voor alle zekerheid spelde hij het woord nog even: h-e-l. Hij verzandde in details terwijl de oude mevrouw Kurtz nog maar eens met haar geliefde lap het zweet van haar gezicht veegde en tegen me zei: 'O trouwens, ik heb thuis een schrift van Leonard en een boek van hem liggen, *Grote verwachtingen* van Dickens. Misschien kun je ze eens ophalen. Hij wil ze natuurlijk hebben als hij weer terug is.' En alsof het zomaar een opwelling was, voegde ze eraan toe: 'En misschien kun je me voorlezen als je komt. Leonard had zo'n mooie stem. Ik kon wel de hele dag naar hem blijven luisteren.'

'Heeft,' zei ik nadrukkelijk tegen mevrouw K. 'Hij heeft een mooie stem. En ik ben niet zo goed in praten in het openbaar. Ik ga kotsen als ik moet voorlezen.'

'O,' zei ze en ze draaide zich om en praatte met Larry.

Ik zal wel nooit begrijpen hoe Leonard het klaarspeelde om elke vrijdagmiddag voor te lezen in dat bedompte oude huis van mevrouw Kurtz, terwijl zij haar zweet afveegde en zuchtte omdat Pip of wie dan ook in dickensiaanse stijl in de knoei zat. Misschien was eigenlijk Leonard Pelkey ONZE HELD, zonder dat iemand het in de gaten had.

Afgezien van een grap van Larry over mijn vroegere obsessie met Winona Ryder was mijn gesprekje met hem nogal nietszeggend. Ik loog maar wat toen ik zei dat Winona en ik een boeiende briefwisseling waren begonnen, die ik op een dag hoopte te publiceren in boekvorm. Hij schudde zijn hoofd en moest lachen. Toen zei ik nog iets stoms wat ik niet echt meende, dat we allemaal zo trots op hem waren. Ik probeerde stiekem naar zijn kunstbeen te kijken, maar hij merkte het en zei dat ik het ding best mocht aanraken als ik wilde.

'Ik heb de oorlog nu onder de knie,' zei hij.

'Wat?'

'Onder de knie. Zo noemen ze oorlogsveteranen die hun onderbeen kwijt zijn. Snap je? Ik heb de oorlog onder de knie.'

Ik kon er niet om lachen. Ik stond er perplex bij terwijl hij hard genoeg lachte voor ons allebei.

'Doet het pijn?' vroeg ik.

'Als de hel. Maar ik heb er pillen voor, hoor. Ik heb overal pillen voor. Pijnstillers. Pillen om me niet suf te maken van de pijnstillers. Pillen voor mijn nieren. Slaappillen. Slapen is het ergste, joh. Slapen is een nachtmerrie.'

Opeens moest ik denken aan een hele tijd geleden, toen pa er net vandoor was gegaan met Chrissie Bettinger. Ik sliep bij Electra thuis, at daar mee, keek films op die loeigrote tv van ze, en soms bakten Electra en ik brownies en dronken we melk uit martiniglazen. We verfden onze nagels in dezelfde kleur, schreven brieven aan Winona Ryder, brachten bij elkaar gezichtsmaskers van pindakaas op. En na verloop van tijd vergat ik gewoon dat ik nog een eigen huis had. In die tijd hield ik zielsveel van dat oude huis en Electra's hele maffe gezin. Ze schreeuwden altijd vanuit verschillende kamers naar elkaar. Zo voerden ze hele gesprekken, schreeuwend van de ene verdieping naar de andere, alsof het de gewoonste zaak van de wereld was. Soms lachten ze me uit omdat mijn stem niet zo ver droeg als die van hen en ze steeds 'wat?' moesten roepen op een manier die iedereen aan het lachen maakte. Vooral Larry. Wat kon die jongen lachen. Als Electra en ik gekkigheid met hem uithaalden, noemde hij ons 'bezopen komieken'.

'Wat zijn jullie toch ook een stelletje bezopen komieken,' zei hij dan.

Dat was het sein voor ons om als dronken clowns door de kamer te waggelen. Elke keer stierf Larry bijna van het lachen. Kon niet missen. We konden hem altijd aan het lachen krijgen. Op een keer slopen we midden in de nacht zijn kamer in en keken we hoe hij sliep. We knakten met onze vingers, harder, steeds harder, om te kijken of hij wakker werd. Hij sliep gewoon door. Als we in zijn kamer brand hadden gesticht, was hij er nog doorheen geslapen. Wat kon die jongen slapen.

'Ik moet weg.'

Ik slenterde naar de tafel met hapjes, waar ik te veel augurken verorberde. Toen zag ik opeens Carol Silva-Hernandez, de verslaggeefster van NEWS 5. Je kon haar niet over het hoofd zien, met haar glanzende, donkerbruine bobkapsel. Ze hield een microfoon met het logo van NEWS 5 vast en werd op haar hielen gevolgd door een grote potige kerel met camera. Samen probeerden ze willekeurige omstanders te interviewen over Larry, maar zo te zien schoten ze steeds mis. Niemand die ze aanspraken kende Larry goed. Van voordat hij een held werd, bedoel ik. Met een mond vol chips keken ze het tv-duo glazig aan en schudden van nee als Carol iets vroeg.

Op het laatst kwam ze bij Electra, die meteen opmonterde bij het vooruitzicht op tv te komen. Carol kon haar geluk niet op. Terwijl ze haar haar gladstreek en de synthetische stof van haar sportieve shirtje rechttrok, krijste ze zo ongeveer naar haar cameraman: 'Draaien! Draaien!' en hij draaide.

Carol zag er niet zo bijzonder uit – een doodgewone kleine, tengere vrouw van onbestemde leeftijd met een kleine neus, grote ogen en een bovengemiddelde dictie; maar zodra de camera liep, kwam ze helemaal tot leven. Alles aan haar was opeens van camerakwaliteit – ogen, neus, tanden – en zelfs haar katoenen rood-wit-blauwe broekpak leek nu goedgekozen.

'Ik sta in Neptune, New Jersey, te praten met het trotse zusje van oorlogsheld Larry Wheeler, Electro... verdorie. Kan het even over, Gary? Ik sta in Neptune, New Jersey, te praten met Electra Wheeler, het zusje van de onlangs teruggekeerde oorlogsheldin... Jezus. Opnieuw.'

Uiteindelijk deed ze het goed. Het was een heel gedecideerde dame, op en top professioneel. Electra was intussen zo verstandig geweest haar dreadlocks te fatsoeneren en ik kon aan haar zien dat ze voor de camera haar gezicht bewust in een toepasselijk nederige plooi trok. Toen kreeg ik opeens een ingeving.

Ik wandelde naar hen toe, heel rustig, heel zelfverzekerd, en zei beleefd: 'Sorry dat ik stoor. Mag ik even?'

Electra schrok op uit haar quasi-nederigheid en keek me aan – kwaad.

'Ik heb nu geen tijd,' zei Electra.

'Ik bedoel jou niet,' zei ik een tikje te ijzig. 'Ik wil met je vriendin de verslaggeefster praten.'

De stilte werd even doorbroken door een voetzoeker die op de parkeerplaats afging, waardoor allerlei omwonende honden uitzinnig aan het blaffen sloegen. De tijd leek stil te staan toen Electra me domweg de rug toekeerde en me geen blik meer waardig keurde.

'Ik vroeg me namelijk af of u een uitzending wilt maken over mijn neef, Leonard Pelkey,' zei ik tegen de verslaggeefster van NEWS 5. 'U hebt misschien wel van hem gehoord. Hij is hier heel beroemd. Of liever, dat was hij. Hij wordt al een tijd...'

'Phoebe!' beet Electra me toe. 'Dat komt nu niet goed uit, hoor.'

Dat is nou net wat me het meest ergert aan Electra. Zij denkt te weten wat er wanneer moet gebeuren en waarom. Het is alsof ze een handleiding per post heeft gekregen waarin wordt uitgelegd wat wel en niet hoort. Dan doet ze alsof ze stomverbaasd is dat ik die handleiding niet heb gekregen, of wel heb gekregen maar geen moeite heb gedaan hem te lezen. Regel 1 van de handleiding is natuurlijk: het komt nu niet goed uit. Handleiding of niet, ik besloot ter plekke dat het nu juist heel goed uitkwam, want, redeneerde ik, wanneer zou ik ooit nog bij een tv-journalist in de buurt komen? En trouwens, zoals mevrouw Rivera al had opgemerkt, het is een vrij land.

'U moet een uitzending over mijn neef maken. Echt, dat is hard nodig.'

Carol glimlachte naar me alsof ik een zelfmoordterrorist was met een sterke overlevingsdrang. Misschien zijn reporters van NEWS 5 verplicht les in conflictbeheersing te nemen, want onze topjournaliste haalde diep adem en zei: 'Phoebe. Mag ik Phoebe zeggen?'

Ik knikte neutraal.

'Ik stel voor dat je ons dit eerst laat afmaken en dat jij en ik daarna over je neef praten. Goed idee?'

Ze was gehaaid en, zoals ik al zei, heel professioneel, maar ik liet me niet met een kluitje in het riet sturen. Dit was niets meer of minder dan een professionele manier om te zeggen dat het nu niet uitkwam.

Ik schrok zelf van wat er vervolgens gebeurde. Ik greep mijn kans en begon iets te schreeuwen in de geest van: 'Nu moeten jullie allemaal eens goed luisteren! Jullie zijn zo trots op onze Larry omdat hij in Irak tegen het kwaad heeft gevochten. Maar weten jullie eigenlijk wel wat het kwaad is? Hier bij ons slaat het kwaad ook toe – ja, in Neptune, New Jersey!'

Iedereen binnen gehoorafstand stond me inmiddels aan te gapen. Ik weet wel zeker dat ze dachten dat ik mijn verstand kwijt was. Misschien dachten ze dat ik ongesteld moest worden.

'Ik weet niet wat jou mankeert, Phoebe,' onderbrak Electra me schreeuwend. 'Leonard wordt gewoon vermist, meer niet. Doe toch niet zo dramatisch.'

Ik moest er opeens aan denken hoe Deirdre slablaadjes naar mijn vader had gegooid bij de Fin & Claw, en hoe tante Bet tegen de klanten had gezegd dat onze gezinsproblemen niets voorstelden. En het idee kwam bij me op dat mensen als Electra en tante Bet alleen maar graag willen dat problemen niets voorstellen, zodat ze dat net zo lang blijven beweren tot het inderdaad niets bijzonders meer lijkt, terwijl het juist van levensbelang is.

Ik graaide de stapel Leonardposters uit mijn schoudertas en gooide ze in het rond. De lucht was een explosie van geel. Het was een prachtgezicht. Eerlijk gezegd was al dat geel een enorme verademing na een hele dag rood, wit en blauw om me heen. Maar toen de blaadjes eenmaal op de grond lagen en Leonards gezicht ons overal op de stoep lag aan te kijken, viel er niets meer te zeggen. Ik had duidelijk gemaakt waar het mij om ging. Dus rende ik naar de parkeerplaats om zo ver mogelijk bij iedereen uit de buurt te zijn.

Ik probeerde Deirdre te bellen op mijn mobiel, maar het oplichtende schermpje meldde dat ik geen bereik had. Met een schreeuw van woede smeet ik mijn gloednieuwe toestelletje in de struiken. Ik kreeg meteen de pest aan mezelf, want toen moest ik die struiken vol enge insecten in en over de aarde kruipen om het stomme ding terug te vinden.

'Is het al straks?'

Ik hoorde die stem voor ik begreep waar hij vandaan kwam. Zijn auto stond slordig geparkeerd en de hitte trilde boven de motorkap. Daar lag hij – Travis – over de voorkant van zijn zwaar gehavende, bordeauxrode Nissan Sentra, als een volmaakte fata morgana in de woestijn.

'Wat?' zei ik, uit de bosjes opduikend. 'Sorry, wat zei je?'

'Ons ritje. Je zei: straks misschien. Is het al straks?'

'Nee,' antwoordde ik. 'Het is nu.'

'Stap in,' zei hij.

# 10

Bij het ontbijt deelde ma mee dat onze vriend Chuck om halfdrie langs zou komen en ik moest van haar 'aanwezig' zijn. Zo zei ze het echt: 'aanwezig'.

'Aanwezig?' herhaalde ik.

Ik trok mijn wenkbrauwen zo ver als ik kon naar mijn haarinplant, maar ze zag het niet omdat ze druk bezig was het restje van haar ontbijtkoffie door de gootsteen te spoelen.

'Ja,' antwoordde ze. 'Ik wil dat je erbij bent. Om halfdrie.'

Het mocht dan maandag zijn, haar vrije dag, maar ze deed alsof ze een strak schema had.

'Deirdre ook?' vroeg ik.

'Nee. Alleen jij. En ik.'

'Waarom Deirdre niet?'

'Daarom niet.'

'Dat is geen reden.'

'Omdat ze er niet bij hoeft te zijn.'

Ma begon haar tasje te doorzoeken, liep plichtmatig de inhoud na – sleutels, lipgloss, mascara, poeder, boodschappenlijstje, geld, paracetamol. Dat deed ze altijd als ze zenuwachtig was.

'Wie heeft dat besloten?' vroeg ik.

'Wie heeft wat besloten?'

'Ik wel en Deirdre niet.'

'Wat bedoel je?'

Ik wachtte tot ze haar tasje dicht zou doen en naar me zou opkijken, zodat ik haar niet-begrijpende gezicht kon zien; ze speelde het prima.

'Heb jij dat besloten, of Chuck? Word ik verhoord? Ben ik een verdachte?'

'Doe niet zo idioot. Hij wil met ons praten.'

Vroeger stond 'ons' voor een gezin dat uit Deirdre, ma, pa en mezelf bestond. Toen maakte pa zich van ons los en we bleven achter als ma, Deirdre en ik. Een tijdlang probeerde Leonard deel van ons uit te maken, maar zoiets lukt alleen als alle partijen het erover eens zijn, en dus lukte het niet, want ik was er niet voor en Deirdre kon het niet schelen wat er met ons gebeurde, had zich zelfs teruggetrokken uit het verbond dat alleen uit haar en mij had bestaan. Er was niet veel meer van ons over, behalve ma en mij.

Terwijl ma voor de spiegel haar haar in model duwde, vroeg ik me af of ik haar kon vertellen wat er de vorige avond tussen Travis en mij in zijn auto bij de kustweg was gebeurd. Even dacht ik dat zo'n bekentenis weer echte maatjes van ons kon maken; maar steeds als ik me haar reactie probeerde voor te stellen, zag ik in gedachten haar gezicht wit van woede worden. Zou ze niet compleet over de rooie gaan als ze hoorde dat die jongen uit het winkelcentrum stevig met me had gezoend? Misschien ging ze zelfs gillen als ik beschreef hoe hij zijn lippen in mijn hals had gedrukt, zijn tong in mijn mond had laten glijden en zijn hand in mijn blouse had laten kruipen. Er was natuurlijk ook een kleine kans dat ze me liet uitpraten en alleen reageerde met een zacht, rochelend geluidje achter in haar keel en een glimlach.

Ik kwam tot de conclusie dat ik beter mijn mond kon houden, omdat ze me anders nog wekenlang op de nek zou zitten, mijn gezicht bestuderen, mijn kleren, mijn houding, om er achter te komen of ik nog maagd was. Wat kon het haar schelen hoe zachtjes Travis mijn naam in mijn oor had gezegd, hoe hij een manier had gevonden om op die voorstoel op mijn dijen te klimmen, hoe teder hij zijn linkerhand tussen mijn spijkerbroek en onderbuik had laten glijden en hoe lang het hem gelukt was zijn vingers daar te laten liggen zonder een knokkel te bewegen. Haar kon het alleen schelen of ik 'nee' tegen hem had gezegd, en op welk moment.

'Deirdre! Kom! Nu!' schreeuwde ma naar boven. Toen draaide ze zich naar me om en zei, zonder me echt te zien: 'Ik breng Deirdre naar Mina, waar ze blijft slapen. Help jij intussen een handje door hier wat op te ruimen.'

Arme Deirdre. Zij had niemand die haar zoende op de voorbank van een Nissan Sentra. Ze had nog steeds geen auto, en er was nergens een vriendje te bekennen. Ze had pa's aanbod van een nieuwe auto afgeslagen toen ze haar einddiploma kreeg en ze had het voor elkaar gekregen nee te zeggen tegen allerlei onweerstaanbare binken uit de eindexamenklas die met haar uit wilden. In beide gevallen vond iedereen dat ze mesjogge was of minstens zwaar depressief. Intussen was ze op geen enkele universiteit aangenomen om de doodeenvoudige reden dat ze zich nergens had aangemeld. Ze was het wel steeds van plan geweest en haar eindcijfers waren goed genoeg, maar niemand zat haar achter de vodden, niemand drong erop aan, en toen was het opeens te laat geweest en begon iedereen enthousiast de loftrompet te steken over het regionale opleidingscentrum, alsof dat een hoogwaardig educatief instituut voor hoger onderwijs was in plaats van de laatste kans voor studenten met slechte cijfers, kapsels uit het jaar nul en een slechte mentaliteit.

Maar goed, ik neem aan dat ma daarom niet wilde dat Deirdre erbij was als Chuck 's middags kwam – haar mentaliteit. Die was bar en boos. Ook bleef Deirdre maar tegen iedereen aanzeuren dat meneer Buddy een mogelijke verdachte was in de zaak van Leonards verdwijning, en dat onderwerp was nu wel uitgekauwd. Bovendien had Chuck zowel meneer Buddy als mevrouw D. ondervraagd en naderhand had hij gezegd dat ze wat hem betreft allebei vrijuit gingen. Maar Deirdre was niet overtuigd.

'Wacht maar af,' zei ze steeds.

Chuck was er prompt om halfdrie, en om tien over halfdrie zaten we met ons drieën in de woonkamer ijslimonade te drinken. Ma en ik zaten naast elkaar op de bank. Chuck was neergevallen op de groene stoel tegenover ons. Omdat Chuck zijn blauwe map op de salontafel tussen ons in had gelegd, had ik zo'n gevoel dat we Fase 2 van het onderzoek in gingen en ik was benieuwd waarom het juist die middag zover was gekomen.

Hij stak van wal met de mededeling dat het nog steeds een raadsel was waar Leonard kon zijn. En dat, zei hij, kon zowel goed als slecht nieuws blijken te zijn, want het was maar hoe je het bekeek. Het was bijvoorbeeld goed nieuws te noemen, omdat het gebrek aan een spoor vaak inhield dat het slachtoffer (in dit geval Leonard) nog in leven was en zich ergens op een onbekende plek bevond. Maar het was ook slecht nieuws te noemen, want hoe langer het duurde om een slachtoffer te vinden, hoe groter de kans was dat hij misschien nooit meer gevonden werd.

Chuck trok een paar bladen uit een zwarte map; hij hield ze in zijn grote, ruwe handen terwijl hij een korte lezing afstak over Megan Nicole Kanga.

Megan Kanga groeide op in Hamilton Township, New Jersey. Ze was nog maar zeven jaar toen een man die al twee keer voor zedendelicten was veroordeeld haar uitnodigde om bij hem thuis naar een puppy te komen kijken. Er wachtte geen puppy op Megan. Er wachtte haar een verkrachting. En de dood. Negenentachtig dagen nadat Megan was verdwenen, voerde de overheid van New Jersey een nieuwe wet door die haar naam droeg. Megan's Law is nog steeds van kracht. Die eist dat maatschappelijk werkers, docenten, ouders en buren ingelicht moeten worden wanneer een zedendelinquent ergens in New Jersey gaat wonen. In het hele land geldt inmiddels zo'n wet, maar nergens wordt er zo streng de hand aan gehouden als in de staat waar ik woon. Overal elders moet de zedendelinquent wel geregistreerd staan, maar anderen worden niet over zijn strafblad ingelicht.

In onze staat stonden in die tijd drieënzestig zedendelinquenten geregistreerd op de website van het justitiële archief van New Jersey. Het waren allemaal mannen. Vierentwintig van hen hadden een tatoeage. Vijfenveertig van hen waren meermalen veroordeeld voor misdrijven tegen vrouwen of meisjes; achttien waren betrapt met jongens onder de zestien.

Zweet parelde op Chucks bovenlip en ook zijn voorhoofd

was drijfnat toen hij klaar was met zijn uitleg. Hij nam een slok limonade en keek toen mij aan. Hij vroeg of ik het begrepen had.

Ik had iets van: 'Kom op zeg, dit is wel de eenentwintigste eeuw hoor, en ik kijk tv.'

Chuck nam genoegen met die reactie en ging verder.

'Ik laat jullie foto's zien van mannen in de provincie Monmouth die veroordeeld zijn voor zedendelicten met jonge jongens. Jullie moeten ze goed bekijken en zeggen of je een van hen weleens hebt gezien. Oké?'

Ma en ik knikten.

Chuck legde de foto's één voor één op tafel. Het waren portretten van bouwvakkers, monteurs, bezorgers, mannen die je dagelijks overal kon tegenkomen zonder ze echt op te merken. Het waren individuen, met eigen gezichten en een eigen kapsel. Omdat het politiefoto's waren, lachte niemand en ieder van hen leek dezelfde treurige, volkomen verloren blik in zijn ogen te hebben. Je zou bijna medelijden met hen krijgen, zoals je medelijden had met een lievelingsoom of een neef die zijn schoenen kwijt was. Ze keken alsof ze medelijden met zichzelf hadden. Bij iedere man hoorde een eigen computeruitdraai waarop zijn kenmerken stonden vermeld – leeftijd, gewicht, lengte, ras, haarkleur en kleur van de ogen. Ook werden het merk en kentekennummer van zijn auto vermeld, gevolgd door uiterlijke bijzonderheden en de feiten waarvoor hij was veroordeeld.

Het delict werd in merkwaardig algemene termen beschreven, zonder details, alsof iemand een sluier voor de gebeurtenis zelf had gehangen.

Nadat ik de hele boel had bekeken was mijn eerste gedachte: gelukkig heeft geen van die kerels ooit echt een kind vermoord. Leonard kon nog ergens in leven zijn. Misbruikt, maar in leven. Het mag gek klinken, maar ik vond dat toch een bemoedigend idee.

Toen viel me iets anders in. Die kerels waren bij de politie bekend, ze waren betrapt. Er moesten nog honderden mannen in de streek rondrijden in Sunbirds, Corolla's, Blazers, Cherokees, Spectrums, Prizms en Lumina's op zoek naar een slachtoffer. Honderden mannen die nooit betrapt waren, van wie geen politiefoto en registratie bestond, waren nog op vrije voeten en konden hun gang gaan. Hoe zagen zij eruit? Hoeveel dikker zou Chucks dossier nog worden als zij gepakt werden, veroordeeld, gevangengezet?

Een paar jaar geleden liepen Deirdre en ik langs een blauwe Chevy Malibu die langs de kant van Oakland Street stond geparkeerd. Een vent met een gezicht als een oorwurm zat onderuitgezakt achter het stuur. Zijn raampje stond open en het leek alsof hij moeite had een flesje of zoiets op zijn schoot open te maken. Hij riep of we even konden helpen. Deirdre was als eerste bij de auto en op datzelfde moment besefte ze dat het waarschijnlijk helemaal geen flesje was waarmee hij zat te rommelen. Het was iets veel intiemers. Ze greep mijn arm en trok me snel bij de auto weg. Ze liet me beloven dat ik er met geen woord met ma over zou praten, onder geen voorwaarde. Ik baalde er nog stevig van ook, want ik wilde juist graag eens de kans krijgen een echte penis te zien. Ik was gewoon nieuwsgierig. Deirdre zei dat ik een levenslang trauma zou hebben als dit de eerste keer was geweest dat ik een penis zag.

'Je hebt toch ook met meneer Buddy gepraat?' vroeg ik. 'Ik

# Kortingsbon

Heb je genoten van *Het geheim van Leonard Pelkey* en wil je nog een boek uit de Black Pimento-serie lezen? Koop dan nu *Bezeten* van Suzanne Bugler met € 2,00 korting!

ISBN 978 90 499 2321 1

van € 16,95
voor € 14,95

Deze actie is geldig van 1 oktober 2008 tot 1 januari 2009

Actienummer: 901-55376
Voor België: 2860-08-03

In te wisselen bij elke boekhandel

Black Pimento-boeken:
spannend tot en met de laatste bladzijde!

bedoel Buddy Howard. Hij is zo'n beetje het hoofd van Dramakamp.'

'Weet ik. Ik heb hem gesproken.' Chuck ging er niet op door; zijn gezicht verried niets. 'Jullie noemen zijn naam vaker. Is er iets wat we volgens jou over hem moeten weten?'

'Nee. Hij ging alleen veel met Leonard om, en hij... tja... hij was een beetje...'

'Phoebe,' zei mijn moeder terwijl ze van de bank opstond en haar rok gladstreek. 'Ga buiten spelen. Ik wil met rechercheur DeSantis praten. Onder vier ogen.'

Tegen me zeggen dat ik 'buiten moest gaan spelen' was al even idioot als me vertellen dat ik 'aanwezig' moest zijn. Ik speelde niet meer buiten sinds ik een jaar of negen was. Maar ik ging, want ik weet maar al te goed dat er iets op til is wanneer ma dat soort neptaal gaat uitslaan.

Ik zei rechercheur Chuck gedag. Ik had het gevoel dat hij nog niet echt klaar was met me, maar hij wuifde me uit met een opgewekt: 'Hou je goed.' Wat dat ook mocht betekenen. Toen ging ik de voortuin in. Het was alsof onze buurt zat opgesloten in een luchtdichte fles; er stond geen zuchtje wind. Er was maar één manier om erachter te komen wat ma tegen Chuck wilde zeggen: diep ademhalen, achter de azaleastruiken bij de muur kruipen, op mijn hurken op de stoffige grond onder het open raam van de woonkamer gaan zitten om ze af te luisteren. En dat is dan ook precies wat ik deed.

We hadden geen van die kerels op de foto's herkend. Ma had het hele gedoe lijdzaam uitgezeten en drukte haar hand tegen haar mond alsof ze van zichzelf niets mocht zeggen, al wilde ze nog zo graag. Nu zei ze: 'Kan ik je nog wat limonade inschenken, Chuck?'

Hij zei: 'Nee, dank je, het is prima zo.'

Zij zei: 'Ik neem aan dat je in je dossier een lijst hebt van mannen die, eh, meisjes hebben misbruikt, hè?'

Hij zei: 'Ja. Hoezo?'

Zij zei: 'Zijn er ook mannen bij voor wie het om zowel meisjes als jongens gaat?'

Hij zei: 'Dat komt niet vaak voor. Een van de kerels die ik je liet zien is twee keer opgepakt, een keer voor een meisje, een keer voor een jongen. Maar zoals ik al zei, het komt niet vaak voor.'

Zij zei: 'Ik was gewoon benieuwd.'

(Het bleef even stil. Ik hoorde ijs tinkelen in een glas en nam aan dat Chuck bijna zijn limonade op had.)

Hij zei: 'Nou, ik moest maar eens...'

Zij zei: 'Eén ding nog. Normaal zou ik er niet over zijn begonnen, en ik hoop dat het tussen ons kan blijven. Maar... tja... nou ja... misschien heeft het iets met Leonards zaak te maken.'

(Opnieuw stilte. Geen ijsgetinkel.)

Zij zei: 'Het gaat om mijn man.'

Hij zei: 'Hm. Wat is er dan met hem?'

Ze zei: 'Nou, we hebben nooit aangifte gedaan. We... ik wilde niet... een van mijn dochters was erbij betrokken. Mijn oudste.'

Hij zei: 'Deirdre.'

Ze zei: 'Deirdre. Ja. Dat klopt. Eh. Dit is zo moeilijk. Ik...'

Hij zei: 'Het geeft niet.'

Ze zei: 'Nee. Het geeft wel. Ik heb er nooit iets aan gedaan, heb het nooit aangegeven, bedoel ik. Ik ben er niet mee naar de politie gegaan of zo. Ik kon het niet. Vanwege Deirdre kon ik het niet. Het is maar één keer gebeurd, maar... tja, dat was het. Wij... ik... hij woont niet meer bij ons. Daarna kon hij niet blijven. Ik heb het nooit aan iemand verteld.'

Ze snoot haar neus, en aan de klank van haar stem hoorde ik dat ze huilde.

'Waarom vertel je het nu dan wel?' vroeg hij.

'Ik weet dat Leonard contact had met Jim,' zei ze. 'Hij heeft hem een paar keer gesproken. Jim is mijn... mijn...'

'Je man,' zei hij.

'Ja. Dat was hij. Hij was mijn man. Leonard had een verrassingsontmoeting tussen ons geregeld. Hij probeerde ons weer bij elkaar te brengen. Als gezin.'

'Hij wist niet van...'

'Natuurlijk niet. Ik zei toch, ik heb het nooit tegen iemand gezegd. Maar toen ik die foto's zag zat ik te denken... Nou ja, soms tel je één plus één bij elkaar op, hè. Ik dacht zo...'

'Ik begrijp het,' zei hij. 'Ik zal het nagaan.'

'Je hoeft er toch niets officieels mee te doen, hè? Ik wil het liever niet oprakelen. Het is inmiddels drie jaar geleden, en Deirdre krijgt net haar leven weer een beetje op orde. Het is achter de rug.'

'Goed hoor, geen probleem,' zei hij. 'Het blijft onder ons. Ik zal het uitzoeken.'

'Ik bedoel, ik denk niet dat Jim ooit...' zei ze. 'Maar je woont met iemand samen en komt erachter dat hij in staat is tot dingen... en dan ga je je afvragen wat je nog meer niet van hem weet.'

Hij zei: 'Ik waardeer je... je openheid. Maar ik moet nu echt gaan.'

Zij zei: 'Ja. Goed. Nou, in ieder geval bedankt. Heel erg bedankt.'

En dat was dat.

Toen Chuck de voordeur uit kwam en over de stoep naar zijn auto liep, moest ik languit op de stoffige aarde bij het huis gaan liggen om niet gezien te worden. Toen zijn auto wegreed hoorde ik ma de voordeur van binnenuit afsluiten. Ik was alleen, en om me heen was overal lawaai uit de huizen omdat de geluidsinstallaties op topvolume stonden, behalve bij ons, want de onze was kapot. Af en toe suisde er een auto langs. De passagiers zaten achter gesloten ramen in de veiligheidsriemen van hun auto's met vierwielaandrijving; van daaruit moest alles er wel doodgewoon uitzien. Een gewone, saaie rij huizen in een straat in een buitenwijk. Ons huis was niet anders dan de rest, afgezien van het feit dat de garage ernaast was verbouwd en uitgebouwd tot aan de grens van ons grondgebied om er de salon in te kunnen vestigen. Het mocht wat. Misschien vroegen voorbijgangers zich wel af welke gek in zo'n tent zijn haar liet doen. Misschien vonden ze de artistieke kwaliteit van ma's neon HAIR TODAY-uithangbord wel beneden peil. Misschien viel ze zelfs nog op dat er in het voorraam een bordje met MAANDAG GESLOTEN stond, en dan zouden ze eraan denken dat het nu inderdaad maandag was. Maar met de beste wil van de wereld zou zomaar een voorbijganger nooit kunnen vermoeden dat er zich in ons huis iets ongewoons had afgespeeld.

Mijn hoofd bonkte en ik had een smaak in mijn mond die zuur en tegelijk mierzoet was. Ik dacht dat ik daar ter plekke tussen de verlepte azalea's ging overgeven, maar dan zou ik overeind moeten komen om bij de smeerboel weg te gaan, en ik wist niet waar ik heen moest. Daarom greep ik met beide handen een kluit aarde vast en kneep er steeds harder in. Mijn handen deden er zo zeer van dat die pijn algauw het misselijke gevoel in mijn maag overheerste.

Hoe kon ze? Hoe kon ze zo'n verhaal verzinnen om het pa lastig te maken? Zelfs als pa met veel moeite Chuck ervan wist te overtuigen dat ex-vrouwen soms heel wreed kunnen zijn, zou zijn naam in Chucks blauwe map blijven staan. Jim Hertle zou deel uitmaken van Fase 2 of we dat nu leuk vonden of niet. *Wat een voorstelling,* dacht ik. Die tranen waren een mooi detail geweest. Ik wist dat ma de pest had aan pa, maar ik had nooit gedacht dat ze tot zoiets in staat was. Geen wonder dat ze niet gewild had dat Deirdre 'aanwezig' zou zijn. Dan had Deirdre domweg alles ontkend en zou ze ma te kijk hebben gezet als de wraakzuchtige, hatelijke vrouw die ze bleek te zijn. Maar zoals ze zelf al had gezegd: je woont met iemand samen, je komt erachter dat ze tot iets in staat zijn en dan begin je je af te vragen wat er nog meer is dat je niet van ze weet.

# 11

'Ben jij het?' kwam Chrissie Bettingers stem door het armetierige koperen roostertje van de intercom in pa's flatgebouw.

'Ik ben het,' zei ik. 'Phoebe.'

'Je vader is er niet.'

'Geeft niet. Kan ik misschien boven komen om op hem te wachten?'

Ik denk dat ze druk bezig was de voor- en nadelen van mijn aanwezigheid in haar flat af te wegen, of misschien inspecteerde ze haar omgeving om te kijken of het wel netjes genoeg was voor onverwacht bezoek. Het duurde in ieder geval een hele tijd voor de zoemer ging en ze me binnenliet.

Pa en Chrissie woonden in een eenkamerflatje op de tweede verdieping. Het was een woninkje waar je niets anders kon doen dan uit het raam kijken en wensen dat je ergens anders was. Het uitzicht op de parkeerplaats was allesbehalve indrukwekkend. Toen ik eenmaal binnen was, zei Chrissie dat ik moest gaan zitten en bood ze me een cola light aan. Wat moest ik zeggen?

'Oké,' antwoordde ik en ik verschoof een stapel oude tijdschriften die vol stonden met min of meer bekende sterren met slecht zittend haar en ongelukkige liefdes. Ik ging aan de tafel met het turkooiskleurige blad en de chromen poten zitten. Die had bij ons in de keuken gestaan. Jaren geleden toen ik nog klein was, voor ma het huis opnieuw had ingericht en het ding naar de kelder had verwezen, had ik altijd aan dat glanzende blad gegeten. Ik had er met drinken gemorst, ik had er met vuistjes op geslagen, ik had er tranen vergoten.

Chrissie hield me voortdurend in de gaten terwijl ze naar de koelkast liep en intussen praatte ze aan één stuk door. Ze had waarschijnlijk allang gehoord dat ik na mijn vaders vertrek de gewoonte had ontwikkeld van alles te jatten, en ze was vast bang dat ik een van haar dierbare snuisterijen achterover zou drukken als ze me de rug toekeerde. Maar ik jatte nooit zulke prullaria, waarmee ik wil zeggen dat ik nooit persoonlijke spullen van mensen meenam.

Het winkelcentrum was mijn jachtterrein, waar ik mijn slag sloeg met make-up en ondergoed en soms iets lekkers. Altijd onnozel spul dat ik driedubbel en dik kon betalen. Ik had wel geld. Het was niet dat ik arm was. Ik weet eigenlijk niet eens waarom ik het deed. Misschien vanwege de spanning, het gevoel dat ik niet betrapt werd op iets waarvan ik wist dat het niet in de haak was. Leonard zou best eens gelijk kunnen hebben; misschien hoopte ik stiekem wél dat ik gepakt zou worden. Maar goed, toen ik uiteindelijk gepakt werd voor het jatten van een paar oorbelletjes in de Dress Barn, werd ma erbij gehaald. Ze was razend dat ze me moest komen halen, in een benauwd kantoor zitten en over haar kinderen praten met mensen die ze nog nooit van haar leven had gezien. Ik deed alsof het de eerste keer was en maakte iedereen wijs dat ik de oorbelletjes had gepikt uit verdriet om het vertrek van mijn vader. Ma trapte er niet in, maar toen ze merkte dat mijn smoes erin ging als koek bij de vrouw met het polyester rokje die daar de leiding had, schudde ze zorgelijk haar hoofd en zei: 'Dit is een heel verdrietig jaar voor ons.' Zwijgend reden we naar huis, maar eenmaal thuis stak ma een donderpreek af met de strekking dat ik mijn toekomst en de goede naam van onze familie te grabbel gooide. Dat weerhield me er niet van om weer in winkels te stelen, maar toch, in geen miljoen jaar zou ik een prul van Chrissie hebben gepakt.

Chrissie had iets met porseleinen poppen, stenen paardjes, beeldjes van Indiase goden, engelen van gips, presse-papiers en parfumflesjes in de vorm van antieke auto's – geen echt kostbare dingen. Maar de manier waarop ze haar spullen op een aantal planken had uitgestald, deed je bijna geloven dat de zooi de moeite van het bewonderen waard was.

Dat kon niet gezegd worden van Chrissie zelf; blijkbaar besteedde ze al haar aandacht aan haar snuisterijen. Ik wist toevallig dat Chrissie een even hoge pet ophad van zichzelf als van Julia Roberts. Maar zelfs al had Julia een contract getekend om een ordinaire del in New Jersey te spelen die de man van een ander had ingepikt, dan zou ze nog niet van die goedkope sigaretten roken of in haar koelkast kaasdip uit de aanbieding hebben staan, en ze zou al helemaal niet de deur opendoen in een eigenhandig geverfd vlekkerig haltertopje, een afgeknipte spijkerbroek en op blote voeten.

Chrissie was een van ma's 'assistentes' geweest in de salon. Ze was als parttimer begonnen bij de wasbakken, had zich opgewerkt tot hulpkapster en vestigde haar reputatie met haar kunsten met de föhn. Er was zelfs nog een tijd sprake van geweest dat ze een vergunning zou aanvragen en de leegstaande stoel in de salon zou overnemen. Maar toen begon pa met Chrissie te rommelen, waardoor alles voor ons allemaal anders werd.

Een tijdlang was ma de enige in heel Neptune aan wie die verandering voorbijging; ze bleef volhouden dat er een misverstand moest zijn over de Chrissie die in het geding was.

'Dat kan mijn Chrissie niet zijn,' zei ze dan. 'Dat bestaat gewoon niet. Nee. Je weet toch dat ik Chrissie aan haar eerste serieuze baan heb geholpen.'

En daarmee ook, zoals bleek, aan haar eerste serieuze relatie.

Vooral in het beginstadium handhaafde ma een niveau van ontkenning dat ronduit indrukwekkend was. Als iemand zei dat ze die twee op vrijdagavond samen uit de bioscoop had zien komen, was het volgens ma toeval. Als iemand had gezien dat pa met Chrissies Honda Civic stond te tanken bij het Mobilepompstation aan Division Street, hield ma bij hoog en laag vol dat haar man nu eenmaal hulpvaardig was. Ze vertoonde het soort gedrag dat het bestaansrecht vormt voor talloze talkshows die je overdag op tv ziet.

Deirdre en ik wisten wel beter. Chrissie had ons eens bekend dat ze onze vader 'een lekker ding' vond. Daarna bleef ik haar in de gaten houden. En pa ook. Zodra hij de salon in kwam, kon ik niet om het feit heen dat Chrissie opleefde, haar roodgeverfde haar liet dansen, haar borsten vooruitstak en haar tanden bloot lachte om aandacht te trekken. Het was alsof je naar zo'n natuurprogramma keek waar de bizarre paargewoontes van een vrouwtjesdier in het oerwoud heel aantrekkelijk zijn voor haar mannelijke soortgenoot, maar bij ons als ronduit ranzig overkomen.

Pa deed al even gestoord. Hij schreef zich in bij een fitnessclub en ging er nog heen ook. Daar onderwierp hij zich aan onbekende kwellingen, maar als hij thuiskwam, doodmoe en tegelijkertijd vol energie, ratelde hij maar door over het nut van goeie fitnesstraining en dat dat nou precies was wat hij tot nu toe in zijn leven had gemist.

Ma kon niet zien wat er gaande was; ze wilde het niet zien. Ik was nog maar elf en zelfs toen wist ik al dat het geen goed idee was haar te dwingen de waarheid onder ogen te komen. Het was juni, en ze zat tot over haar oren in andermans opgestoken haar, bloemenkransjes en de paniek van moeders van aanstaande bruidjes. Juni is traditiegetrouw de belangrijkste maand voor bruiloften en een trouwpartij is de belangrijkste noodzaak om naar de kapper te gaan. Het was in die tijd dan ook een komen en gaan in de haarsalon, zodat het geen wonder was dat ma geen vijf minuten over had om te gaan zitten en verstandig met ons te praten. Afgezien daarvan wisten we dat ze nog maanden verwijderd was van het moment waarop ze haar mening over pa zou herzien. Hij moest en zou in haar ogen blijven wie hij altijd was geweest, zodat zij haar idee over wie zijzelf was intact kon houden, zoals het ook noodzakelijk voor haar was dat wij onze mond hielden over wat er gebeurde, zodat zij zich kon concentreren op haar werk. Ze sloot haar ogen voor alles wat haar publieke standpunt over ons gezinsleven en haar zaak kon ondermijnen; en haar standpunt was dat er niets mis was.

In die tijd begingen Deirdre en ik de fatale vergissing om de dingen op hun beloop te laten. Maar als er één ding is dat ik heb geleerd in mijn jaren op deze planeet, is dit het wel: als je de dingen op hun beloop laat, gaan ze uiteindelijk altijd bergafwaarts.

En jawel hoor, dat gebeurde. Op een bloedhete avond in augustus brak er slaande ruzie uit waaraan tranen, dichtknallende deuren en een aan gruzelementen gesmeten schemerlamp te pas kwamen. Pa ging het huis uit. Ma pakte zijn eigendommen in dozen en zette de hele boel de volgende dag op het gras voor het huis zodat hij ze binnen de kortste keren kon komen ophalen. Het was menens. Ik probeerde te begrijpen wat er aan de hand was, maar de volwassenen leken zich in die periode te laten leiden door een hartstocht en logica die niet bepaald verklaard konden worden door mijn lievelingsschrijvers van destijds. Alleen de melodramatische gebeurtenissen in *Woeste hoogten* van Emily Brontë kwamen in de buurt; maar zonder de negentiende-eeuwse omlijsting van tuberculose en wilde honden die op de woeste hoogvlakten naar de maan huilden, leken ma en pa amateurs die niet in de schaduw van Cathy en Heathcliff konden staan. Ze waren gewoon Jim en Ellen, het zoveelste ongelukkige echtpaar in New Jersey dat afkoerste op een scheiding.

Deirdre stak geen hand uit om me te helpen greep te krijgen op de situatie. Ze verdween van het toneel, zat te mokken op haar kamer en zei dat ik me er buiten moest houden. Ma huilde, was woedend en werd halverwege september zwaar depressief. Voor het eerst van mijn leven kon ik urenlang ongestoord in de woonkamer zitten lezen. In plaats van daar blij om te zijn, werd ik er verdrietig van en vroeg me steeds af wat er toch in godsnaam met ons gezin was gebeurd. Ik wilde ons oude leventje terug. Ik wilde pa terug.

Een maand later kwam ma uit bed en besloot haar leven weer op te pakken. Als iemand het waagde in haar aanwezigheid pa's naam te noemen, glimlachte ze alleen. Als dat niet voldoende was, verhoogde ze het wattage en verblindde ze de belangstellenden met haar positieve houding tegenover haar nieuwe leven. Dit had het gewenste gevolg dat het anderen ontmoedigde over hem te beginnen en hun de indruk gaf dat het misschien maar goed was ook dat ze van die man af was.

Vervolgens leverde het Chrissie een zekere reputatie op. Ze kreeg in bepaalde kringen het etiket opgeplakt van fatale vrouw die een gezin kapot had gemaakt, waarmee er een einde kwam aan haar carrière als haarstyliste, maar ze sleepte wel een goedbetaalde baan binnen als serveerster in een cocktailbar die iets als Lieve Hemel heette en vlak aan de Parkway lag.

Omdat pa degene was die alle ellende over iedereen had afgeroepen, was er bij hem geen troost te halen; en omdat hij weg was, had hij ook niets te bieden bij wijze van hulp om de boel weer op orde te krijgen. Hij bleef weg en reageerde amper op mijn telefoontjes. Toen ik hem een keer per ongeluk tegen het lijf liep in de supermarkt, krabbelde hij zijn nieuwe adres op een papieren servetje en stopte het me in handen voor het geval ik het ooit nodig zou hebben. Maar steeds als het idee bij me opkwam naar zijn nieuwe flatgebouw verderop in de stad te gaan, voelde ik me een valse verrader en liet ik het plan varen. Wat had ik trouwens tegen hem moeten zeggen? Had ik hem moeten smeken thuis te komen? Bij Chrissie weg te gaan? Dat was allemaal even stom, zodat ik mezelf in de loop van de tijd aanwende niet meer aan hem te denken en gewoon mijn eigen gang te gaan. Maar die dag leidde mijn gang me regelrecht naar hem. Ik dacht dat ik zijn gezicht maar hoefde te zien om te weten waar ik aan toe was en of ma de waarheid had gezegd.

'Hoe is het op school?' vroeg Chrissie, die me een blikje cola light gaf.

'Het is vakantie,' zei ik.

'O. Ja tuurlijk,' antwoordde ze. 'Ik wil ook wel vragen hoe het thuis is, maar dat is misschien niet zo verstandig, want daarom zul je wel hier zijn. Ja?'

Ik staarde naar haar gelakte teennagels, een diepe tint paars die ze overduidelijk zelf had aangebracht.

'Hoe laat komt mijn vader thuis?' vroeg ik.

'Hij kan er elk moment zijn.'

Op de tv was nieuws over een veertienjarige jongen uit Oaklyn die kort daarvoor was betrapt met een heel arsenaal aan wapens onder zijn bed en van plan was om veel mensen te vermoorden. Een vrouw met een blonde paardenstaart en opgekamde pony vertelde ons met gefronste wenkbrauwen dat de jongen een halfjaar lang zijn plannen had voorbereid en 'op het nippertje' was ontdekt. Onder in het beeld stond de titel MASSAMOORD VERIJDELD. Blijf vooral kijken, want zo meteen komt de vader van de jongen.

Na de reclame kwam er een close-up van de vader die ons vertelde dat zijn zoon een aardige, gewone jongen was die meestal rustig op zijn kamer achter de computer zat. Daarna lieten ze het arsenaal aan wapens zien dat de jongen onder zijn bed had verstopt – pistolen, karabijnen, messen, een jachtgeweer en tweeduizend kogels.

'Had hij niet al thuis moeten zijn?' vroeg ik aan Chrissie.

'Hij komt zo.'

Ze sprong op en ging naar het tweede vertrek (de badkamer), maar ik kon haar nog even goed verstaan.

'Heb je zin om je nagels te lakken? Wat is je lievelingskleur?

Ik ben dol op dit paars. Dodelijke nachtschade, heet het.'

Ik merkte wel dat ze gezellig wilde babbelen als meiden onder elkaar, alsof alles koek en ei was tussen ons en we helemaal geen vijanden waren. Dat kon ik niet over mijn kant laten gaan. Nooit van mijn leven.

Toen ze haar tragische plastic tasje met nagelspullen tussen ons in op tafel zette, zei ik: 'Wat is er met je haar?'

Ze bekeek zichzelf in de lange passpiegel die tegen de muur stond.

'Hoezo? Wat is er dan?'

Ik vertelde haar over Leonards haartheorie: dat een vrouw haar hele leven het kapsel uit haar glorietijd houdt om jonger te lijken dan ze in werkelijkheid is. Ik legde ook uit dat ik mijn glorietijd nog moest bereiken, zodat ik er nog vrij op los kon experimenteren. Maar aan haar haar te zien, zei ik, dacht ik dat zo ongeveer 1990 of 1991 haar beste tijd was geweest.

'Je mag me niet, hè?' merkte ze op.

Op dat moment stak pa zijn sleutel in het slot. Voor de verandering een perfecte timing van hem. Ik hoorde hem zijn tas in de hal neergooien en zijn schoenen uitschoppen en besefte toen pas hoe ik die geluiden had gemist. Ik wilde naar hem toe rennen, mijn armen en benen om zijn lijf wikkelen, mijn hoofd begraven in de geur van zijn werkdag, het prikken en schuren van zijn stoppelbaard in mijn hals voelen.

'Phoebe!' zei hij toen hij me aan tafel mijn cola zag drinken. 'Wauw! Wat een verrassing. Is er iets bijzonders?'

'De paus heeft in het bos gescheten,' zei ik, wat de clou was van een afgezaagde mop die pa jaren geleden altijd tapte wanneer hij me wilde opvrolijken.

Hij schoot in de lach. Chrissie niet.

'Ik ga me omkleden voor mijn werk.' Ze ging de badkamer in en deed de deur achter zich dicht.

'Nou, waarom ben je hier?' vroeg pa.

Ik had gedacht dat ik alles zou begrijpen door hem alleen al te zien, dat ik hem dan kon vertellen wat ma had gezegd en horen hoe hij het ontkende en afdeed als iets wat van haar te verwachten viel maar natuurlijk nooit echt was gebeurd. Nu merkte ik dat ik er geen woord over kon zeggen. Opeens was ik doodsbang dat het waar kon zijn. En dan? Ik was maar van één ding zeker: hij was pa en ik was Phoebe, samen in een kamer waar we onderzoekend naar elkaars gezicht keken in een poging te achterhalen wat er aan de hand was.

'Zomaar,' zei ik. 'Ik kwam even langs. Gewoon.'

'Weet je moeder dat je hier bent?'

'Het kwam opeens bij me op. Ik bel haar wel. We hebben nu mobieltjes. Leonard wordt nog steeds vermist. Hij wilde graag dat we hem Leo noemden. Maar dat heb ik nooit gedaan. Ik wilde het niet. Ik weet niet waarom. Voortaan zal ik hem Leo noemen. Ik meen het. Als hij terugkomt, noem ik hem Leo. Wat vind jij?'

Hij kwam snel overeind en zei: 'Ik ga je moeder bellen.'

'O ja?' zei ik. En om geen misverstanden te krijgen, voegde ik eraan toe: 'Eigenlijk denk ik niet dat ze wil weten dat ik hier ben.'

Hij draaide zich met een ruk om en tuurde naar me alsof hij me opeens wazig zag. Maar hij legde het toestel niet neer.

'Waarom niet?'

'Ze denkt dat ik bij Electra blijf slapen. We hebben ruzie gehad.'

'Waarover?'

Hij stelde wel veel vragen. Ho even, dacht ik. Dit is de omgekeerde wereld. Ik ben degene die van alles moet vragen. Niet hij.

'O,' zei ik, op een toon alsof alles me de keel uithing, 'ze is overspannen. Door Leonard en zo. Het grijpt haar aan, weet je. Al die onzekerheid.' En in een poging sarcastisch en volwassen te doen, voegde ik eraan toe: 'Ze is nu ook aan de Zoloft. Mooie boel.'

'Maar toch,' zei hij, en hij hield me de hoorn van het toestel voor, 'vind ik dat ze moet weten waar je bent.'

Chrissie kwam totaal getransformeerd de badkamer uit. Ze droeg een kort zwart rokje, zwarte Reebokschoenen en een rode top die haar schouders bloot liet en onderaan franjes had. Ik zag meteen dat ze haar haar anders had gedaan. Ze had het met een knalrood elastisch haarbandje in een hoge staart gebonden waarvan de lokken neerstortten als de waterstralen van een fontein.

'Ik ga,' zei ze tegen ons. 'In de koelkast liggen karbonades en er is nog bonensalade en koolsla. Er zijn ook maïskolven, maar die moet je eerst nog koken. Er is meer dan genoeg in huis om mee te eten, Phoebe. Als je wilt.'

Ze bukte, kuste pa op zijn mond en streek door zijn haar alsof ze met een van haar snuisterijen bezig was. Waarschijnlijk deed ze dat elke dag – hem zoenen, zijn haar aaien, gedag zeggen – maar op de een of andere manier had ik het gevoel dat het voor mij was bedoeld, alsof ze zichzelf wilde bewijzen; en wat ze wilde bewijzen, was dat zij macht over pa had en ik niet. Ik haatte haar. Toen was ze weg.

Veel herinneringen die ik heb aan mijn vader zijn kleinigheden, terloopse gebeurtenissen die plaatsvonden zonder dat ik er destijds bij stilstond en dacht: dit. Dit wil ik nooit meer vergeten. Zo werkt het geheugen niet; zo selectief is het niet. Iedereen die iets heeft wat de moeite waard is om zich te herinneren kan je vertellen dat het geheugen zijn eigen gang gaat. Dingen die we ons herinneren zijn meestal niet eens echte herinneringen, maar eerder de herinnering aan herinneringen die toevallig zijn blijven hangen.

Zoals deze. Ik was een jaar of zeven, acht en ging na het avondeten met pa mee op een van zijn ritten naar Avon-by-the-Sea. Pa was een hoge piet als leidinggevende van de hele afdeling onderdelen van een Forddealer in Asbury Park, maar hij werkte 's avonds vaak over met het afleveren van bestellingen bij garages en onderhoudsbedrijven in de wijde omgeving. Als een klant een carburateur, uitlaat of brandstofleiding nodig had, haalde pa zo'n ding uit het magazijn, nam het mee naar huis en sprong meteen na het avondeten in zijn auto om het te gaan brengen. Hij is zelfs weleens helemaal naar Newark gereden. Omdat hij bereid was dag en nacht klaar te staan voor zijn klanten werd hij de held van het hele kustgebied. Ik ging voor de gezelligheid weleens mee. Ik hield mezelf voor dat ik gewoon even weg wilde, maar terugkijkend zie ik nu wel dat er nog een reden was. In die tijd hoopte ik ook iets te bereiken – dat ik dichter bij hem kwam.

Pa zei nooit veel als we door achterstraatjes en over hoofdwegen van hot naar her reden, maar dat was niet ongewoon. Hij was altijd een man van weinig woorden geweest. Meestal luisterden we naar het nieuws op de autoradio of naar een zender die gouwe ouwe rocksongs uit de jaren zeventig en tachtig draaide. Soms zong hij mee alsof hij de tekst kende. Ik ook. Maar op een avond stond het nieuws aan en de verslaggever citeerde iemand anders, wat hij aangaf met de woorden 'aanhalingstekens openen' en 'aanhalingstekens sluiten'.

'Wat bedoelt hij toch?' vroeg ik aan pa. 'Wat zijn dat, aanhalingstekens?'

'Dat zijn van die hoge komma's bij een zin die iemand zegt in een boek,' legde hij uit. 'Je weet wel, de woorden die een personage op dat moment uitspreekt.' En hij maakte met twee vingers het aanhalingsteken in de lucht.

Waarom zou ik me juist dat herinneren? Er waren zoveel avonden dat we samen op de voorbank van zijn Country Squirestationcar zaten en overal en nergens heen reden, hij heeft me aan honderden monteurs en vrachtwagenchauffeurs voorgesteld ('Dit is mijn jongste – Phoebe') en wat ik me vooral herinner zijn die aanhalingstekens. Lekker belangrijk.

En nu ik jaren later bij hem zat, in dat flatje dat hij met zijn vriendin deelde, kon ik alleen aan die aanhalingstekens denken. Misschien had ik altijd gewild dat pa de ruimte tussen die aanhalingstekens openen en sluiten zou invullen met een waarheid over zichzelf, of over het leven, of hoe het kan dat twee mensen die hun hele leven onder een dak hebben gewoond uiteindelijk op een maandagavond tegenover elkaar aan een turkooiskleurige tafel komen te zitten en elkaar niets te zeggen hebben. Was het altijd zo geweest? vroeg ik me af. Ik wist het niet meer. Maar dit, dacht ik bij mezelf toen ik daar zo bij hem zat, dit zal ik me blijven herinneren.

Van oude lappendekens en extra kussens maakte hij een bed voor me en hij schoof de hele boel zo ver mogelijk van zijn eigen bed weg als maar wilde lukken in die kleine ruimte. Hij drong erop aan dat ik ma moest bellen om te zeggen waar ik was. Ik belde haar zogenaamd op mijn mobiel en kletste er tegen niets en niemand op los dat het hier zo leuk was en Chrissie zulk heerlijk eten voor ons had gemaakt en hoe knus mijn geïmproviseerde bedje was. Ik deed alsof ma het een goed idee vond dat ik bleef slapen. Pa vertrouwde het niet helemaal, maar hij maakte er geen punt van. Hij zei alleen: 'Jezus. De paus heeft dus echt in het bos gescheten.'

Omdat er niets op tv was zapten we heen en weer tussen een documentaire over dinosaurussen en een overzicht van Chers carrière. Na een tijdje werd ik zo slaperig dat die twee programma's in elkaar overvloeiden.

Het was al na middernacht toen ik wakker werd van een heidens kabaal. Iemand hield de bel beneden ingedrukt. Pa schoot als een kanonskogel uit bed en zei: 'Wie is daar?' in de intercom.

'Is ze bij jou?' hoorde ik Deirdre zeggen. 'Is Phoebe daar?'

Pa nam niet eens de moeite antwoord te geven. Hij drukte alleen op het knopje zodat ze boven kon komen. Ik denk dat ze de lift liet voor wat hij was en met twee treden tegelijk de trap op rende, want ze stond al op de voordeur te bonken voor pa zijn broek aan had kunnen trekken. Hij morrelde als een bezetene aan de grendels, maar het ging Deirdre niet snel genoeg. Toen de deur openzwaaide, stormde ze naar binnen en stoof zonder boe of bah langs hem heen. Ze bleef pas staan toen ze mij lekker ingepakt in de lappendekens zag liggen. Wild keek ze om zich heen. Ze zag lijkbleek, en haar gezicht was vlak als een masker, alsof alles aan haar tot het uiterste gespannen was en op het punt stond uit elkaar te knappen.

'Sta op,' zei ze tegen me. 'Kom mee. We gaan naar huis.'

'Maar...'

'Nu meteen!' schreeuwde ze, en ze klonk meer als mijn

moeder dan mijn moeder ooit gedaan had. En toen, als om te bewijzen dat het menens was, graaide ze mijn kleren bij elkaar. Ik stak protesterend mijn hand naar haar op, maar ze greep mijn arm en rukte me overeind. Ik stond amper toen ik besefte dat ik al op weg was naar de voordeur.

'Deirdre,' zei pa smekend terwijl hij een stap naar voren deed om ons de weg te versperren. 'Wacht nou. Laten we één seconde ons verstand gebruiken...'

Maar ze verspilde geen tijd. Ze liep om hem heen en keurde hem geen blik waardig. Ze zei geen woord tegen hem. Niets. Ze had haast, trok me achter zich aan tot we de flat uit waren, de trap af en buiten stonden in de koele, milde avondlucht op de parkeerplaats.

Ik had geen adem meer toen we bij ma's auto kwamen. Ik kon geen woord uitbrengen. Maar waarom zou ik ook? Deirdre was witheet van woede, en dat sprak boekdelen. Wat er nog te zeggen viel, vertaalde zich in het geluid van gillende banden over het asfalt van de donkere straten toen Deirdre en ik naar huis raceten.

Ergens in mijn achterhoofd vielen de puzzelstukjes op hun plaats en een compleet beeld drong zich naar voren. Toen ik het eenmaal helder zag, kregen allerlei gebeurtenissen en episoden die eerder geen logische oorzaak en gevolg hadden gekend een heel nieuwe betekenis. Opeens stond het op een rijtje en was alles logisch. Ma en pa waren niet uit elkaar gegaan vanwege Chrissie; ze waren uit elkaar gegaan om wat er tussen pa en Deirdre was voorgevallen. Pas daarna werd het echt iets met Chrissie. Deirdre was niet veranderd omdat pa uit huis was gegaan, ze was veranderd omdat... ik durfde die gedachte niet eens af te maken.

Deirdre reed onze oprit op en zette de motor af. Ze greep de achteruitkijkspiegel en keek of haar tranen geen sporen hadden achtergelaten.

'Geen woord hierover,' zei ze. 'Niet tegen ma. Tegen niemand. Akkoord?'

Ik knikte.

'Ik heb je bij Electra opgehaald. Einde verhaal,' zei ze en ze depte haar oogleden met een in elkaar gepropt papieren zakdoekje dat ze tussen de kussens van de voorbank had gevonden. 'Als iemand iets vraagt, was je bij Electra. Begrepen?'

Ik knikte weer. Ik begreep het maar al te goed. Maar wat ik niet begreep was waarom ze het me nooit had verteld. Waarom had ze me niet in vertrouwen genomen over wat er tussen haar en pa was gebeurd?

Ik moest een beetje huilen.

'Hou op,' snauwde ze me toe. 'Niet huilen. Oké?'

'Waarom heb je nooit iets gezegd?'

'Wat moest ik dan zeggen? Je was nog veel te klein om het te begrijpen. Jezus, ik was zelf veel te jong. Laten we nou maar... enfin... Ik heb je bij Electra opgehaald. Begrepen?'

Ik knikte voor de zoveelste keer. Deirdre kneep even in mijn schouder en zei: 'Doe wat aan je gezicht.'

Toen maakte ze dat ze wegkwam. Ze liep al met grote passen over het grasveld toen ik de auto nog uit moest. Binnen en buiten waren alle lichten van het huis aan. Als ik niet beter had geweten, zou ik gedacht hebben dat er een feest aan de gang was. Maar toen ik binnenkwam, zag ik alleen ma en Chuck in de woonkamer zitten. Ze staarden naar een van Leonards platformgympen. Die stond midden op de salontafel, als een soort trofee die als aandenken diende van een verpletterende nederlaag van het thuiselftal. Ma had gehuild; haar ogen waren roodomrand en haar huid leek flinterdun. Chuck keek ernstig en zijn gezicht gaf niets prijs. Ik keek naar de gymp, toen naar ma, toen naar Chuck, toen naar Deirdre. Omdat niemand iets zei, keek ik de rij nog eens langs – gymp, ma, Chuck, Deirdre. Ma wilde haar mond opendoen en iets zeggen, maar het enige wat eruit kwam was een soort zucht zonder geluid. Omdat ze de kamer verder niets te bieden had, liet ze haar hoofd op haar knieën zakken en bleef zo zitten.

# 12

Toen een journaliste van de plaatselijke *Asbury Park Press* had gebeld om naar de vermissing van Leonard te vragen, kreeg ik de kans even met haar te praten. Ze vroeg honderduit, maar om de haverklap onderbrak ik haar en zei: 'We moeten echt de nadruk op die gympen leggen. Goed?' Toen bood ik aan een tekening te maken en op te sturen om in de krant te plaatsen. Ik hoorde bijna door de hoorn dat ze glimlachte toen ze me verzekerde dat een beschrijving genoeg was.

'Ook goed,' zei ik door de telefoon, 'als u het maar niet vergeet. Die gympen zijn heel belangrijk.'

Ik had gelijk gekregen. Als de gympen niet in de krant hadden gestaan, was dat ding uiteindelijk niet gevonden en op onze salontafel beland nadat hij uit het meer was gevist.

Het goede nieuws was dat we eindelijk een spoor hadden. Het slechte nieuws was dat het er, om Chuck te citeren, 'niet zo mooi uitzag'. Hij had al een rechercheteam samengesteld en de moeite genomen twee beroepsduikers uit Atlantic City in te huren om de troebele diepte te doorzoeken van het meer waar de gymp was gevonden.

Ooit was de Sharkrivier de reden waarom zoveel mensen

zich in dit gebied vestigden. De mooie natuur werkte als een magneet op dagjesmensen en zomertoeristen, maar vanaf de jaren veertig en vijftig ook op mensen die een andere omgeving zochten om te wonen. Van heinde en verre kwamen mensen kijken wat Neptune te bieden had en ontdekten dat de huizen voor permanente bewoning overal als paddenstoelen uit de grond schoten. Een tijdlang stond Neptune zelfs als 'het knooppunt van de kust van New Jersey' bekend, en het feit dat de grote hoofdwegen, de Routes 18, 33, 35, 66 en de Garden State Parkway hier bij elkaar kwamen zal de mensen er wel van overtuigd hebben dat de streek nog belangrijk kon worden in de vaart der volkeren.

Niemand heeft me goed kunnen uitleggen waarom het meer naar een haai is genoemd. Een van de verklaringen is dat een echte haai misschien ooit zijn weg had gevonden van de oceaan naar het zoetwatermeer. Ook wordt beweerd dat de oorspronkelijke naam Shirk was, wat zoveel als 'werkschuw' of 'spijbelen' betekent, omdat er jaren geleden alleen luie donders in deze contreien woonden die niet warmliepen voor werk en verplichtingen. Enfin, hoe het echt zit met die naam zullen we wel nooit boven water krijgen, om maar in de sfeer van het raadsel te blijven.

Ik was er weleens geweest toen ik klein was; een keer met de meisjesscouts om dennenappels te zoeken die we zilver konden verven, en een keer met pa, ma en Deirdre om naar een nogal armoedig vuurwerk te kijken op een miezerige Onafhankelijkheidsdag. Het water heet officieel de Sharkrivier, maar het is eigenlijk een groot meer met huizen langs de beboste oevers en inhammen met strandjes waar je kunt zonnebaden. Ik kende de weg naar het meer wel ongeveer, maar ik had geen flauw idee waar ik de vrouw kon vinden die de gymp had opgevist.

Ik zei tegen Chuck dat ik Peggy Brinkerhoff wilde ontmoeten om haar persoonlijk te bedanken. Hij vond het nergens voor nodig.

'Waarom niet?' vroeg ik.

'Gewoon,' zei hij. 'Ze hoeft niet bedankt te worden. Het ding is bij haar huis aangespoeld. Het was stom toeval.'

Ik drong niet aan, omdat Chuck toch niet zou begrijpen dat Peggy mijn enige levende schakel met Leonard was geworden en het belangrijk was dat die band werd aangetrokken als we hem ooit nog wilden vinden. Als Chuck Leonard gekend had, had hij misschien ingezien dat de hele wereld een trillend, stralend web van onzichtbare glasvezel was dat de ene mens met de andere verbond. Leonard zou hem dat hebben uitgelegd; Leonard zou hem verteld hebben dat hoe meer draadjes er lopen, hoe intenser de gloed wordt. Dan was Chuck wel gevoelig geweest voor mijn plan om Peggy Brinkerhoff te ontmoeten; hij zou beseft hebben dat er een draadje tussen haar en mij moest lopen dat voor een lichtgloed kon zorgen waarbij we misschien, heel misschien, Leonard konden zien als we goed genoeg keken.

Ma had net een grote pot koffie gezet, Chuck zat in de keuken met haar te kletsen en voorzag zichzelf naar smaak van melk en suiker. Deirdre was al naar bed gegaan, zodat ik alleen in de woonkamer was en naar Chucks grote blauwe map keek die plat op tafel lag, naast Leonards gymp. Dit was een eitje. Ik hoefde alleen maar:

1 De map open te slaan.
2 Peggy Brinkerhoffs naam en adres te zoeken, die natuur-

lijk open en bloot op de eerste bladzijde zouden staan in Chucks duidelijk leesbare handschrift, meteen onder pa's naam en adres.

3 De gegevens over te schrijven op het schutblad van mijn boek *Lady Chatterley's minnaar* van D.H. Lawrence.
4 De map dicht te doen.
5 Welterusten te roepen naar Chuck en ma.
6 Te maken dat ik wegkwam.

En dat deed ik dan ook – van stap 1 tot en met 6.

De volgende ochtend zette ik me aan de klus dat ik een lift moest zien te versieren naar het Sharkmeer. Ik ben niet iemand die zich 'aan een klus zet'. Als ik besluit iets te gaan doen, doe ik het meestal gewoon. Maar tegenwoordig was niets meer gewoon en opeens vonden anderen lang niet alles wat ik wilde doen nog zo logisch. Ma zou pertinent geweigerd hebben me naar Peggy te brengen; ze was inmiddels weer aan het werk in de salon, en als ik al moeite had gedaan haar toestemming te vragen, zou ze zonder meer gezegd hebben dat ze het in geen duizend jaar goedvond omdat Chuck had gezegd dat het niet nodig was. Deirdre was ook geen optie; ze had zich in haar kamer opgesloten, was onbenaderbaar en, zoals ik al eerder zei, ze had niet eens een auto.

Wie dan wel?

Mijn vader was er nog, maar na wat ik over hem had ontdekt kwam hij natuurlijk ook niet in aanmerking – niet als iemand die me een lift kon geven, en ook niet meer als vader. Wat mij betreft kon hij me de rest van mijn leven gestolen worden.

Electra was ook uitgesloten. Vroeger had ik haar kunnen

bellen en haar overhalen haar broer zo gek te krijgen voor chauffeur te spelen. Maar sinds het incident bij de picknick op Onafhankelijkheidsdag hadden we elkaar niet meer gebeld en zag ik haar alleen in het voorbijgaan. En dat was gek, want ik had altijd gedacht dat zij en ik ons leven lang de beste vriendinnen zouden blijven. Ik had altijd gedacht dat we na school samen naar de universiteit zouden gaan. Naderhand zouden we naar dezelfde stad verhuizen (liefst New York), in hetzelfde huis wonen, vriendjes vinden bij dezelfde opening van een tentoonstelling zonder met ze te willen trouwen. Met het succes van haar artistieke werk en mijn romans zouden we stikken van het geld; genoeg om een lap grond te kopen. Dan kwamen we interessante kerels tegen die op motoren reden en niet bang waren voor het koken van een maaltijd. We zouden zelf brood bakken en onze kinderen thuis lesgeven. Het was een heerlijk toekomstverhaal.

Maar zodra Electra hoog begon op te geven over de oorlog in Irak, en telkens als ze beweerde dat we onze troepen moesten steunen al vonden we de hele missie verkeerd, kwam er een barst in de fantasie over onze gezamenlijke toekomst, waardoor die zijn glans verloor, waardoor ook onze vriendschap van nu verwaterde en ons gezamenlijk verleden leek te verschrompelen en verdwijnen. Als ik haar op straat tegenkwam, keek ik dwars door haar heen. Op een keer draaide ik haar zelfs mijn rug toe. Na een tijd ontstond er een nieuwe routine van elkaar negeren, niet echt als vijanden, maar evenmin als vriendinnen. Toen ik dit aan ma vertelde, zuchtte ze en kwam ze met haar nieuwe mantra op de proppen: 'Schat, alles wordt nu eenmaal anders.'

En dan was Travis Lembeck er nog. Hij woonde aan de andere kant van Route 33 en omdat hij een auto had en de laatste weken alles tussen ons inderdaad anders was geworden, kon ik best een poging wagen. De huizen in dat deel van de stad verschilden sterk van die bij ons; ze waren kleiner, kleurlozer, en bij de meeste zag je geen struiken en bloemen maar spullen die op de gazons van mijn buren ondenkbaar waren. Kapot speelgoed, roestende auto-onderdelen, beschadigd meubilair, afgedankte oude sportfietsen, aan hun lot overgelaten koelkasten en kapotte televisietoestellen vormden nog een kleine selectie van alle rommel die zich aan weerskanten van Travis' straat opstapelde als tuinversiering. Het leek alsof er in die buurt geen afbakening bestond tussen de binnen- en buitenkant van de huizen, waardoor het leven op een alarmerende, agressieve manier de tuinen in puilde.

Het huis waar Travis woonde was in staat van ernstige verwaarlozing; het was zo lang geleden geverfd dat het vage lichtgroen geen echte kleur meer was, maar meer een herinnering aan hoe het ooit was geweest. De treetjes bij de voordeur brokkelden af en door de stenen van het pad liepen evenveel barsten als door de weg naar de hel. Eén tegel ontbrak helemaal, alsof er met kracht een tand uit een gebit was getrokken. De dakgoten hadden het lang geleden begeven. De brievenbus was een oud melkkrat dat aan een houten paaltje zat gespijkerd. Een plaat triplex, die slordig over een van de ramen van de woonkamer was getimmerd, wekte de indruk dat het huis zelf halfblind was.

Toen ik op de deurbel drukte, was aan niets te horen of hij het deed. Ik bonkte hard op de vliegendeur en wachtte. Niets. Niets dan de stilte van de ochtend.

Na een paar minuten verscheen Travis in de deuropening,

een heel slaperige Travis. Hij was blijkbaar net wakker geworden.

'Hé,' zei hij.

'Hé,' zei ik terug.

Geen van beiden wisten we wat we verder moesten zeggen, en ik besloot dus maar met de deur in huis te vallen.

'Hoor eens,' begon ik, 'ik ben hier niet omdat ik zin heb in zoenen of zo. Daar kom ik niet voor. Dus denk niet... Ik heb een lift nodig en ik wist niemand anders om het aan te vragen. Als je niet kunt, als het niet uitkomt, geeft het niet.'

Hij keek naar buiten, knipperde met zijn ogen tegen het daglicht, en zei toen: 'Ik kan wel. Wacht even.'

Toen hij in de duisternis van het huis was verdwenen, boog ik me voorover en drukte mijn gezicht tegen de vliegendeur. Ik zag niets anders dan een stapel dozen en de omtrek van een grote geruite bank die tegen de achterwand was geschoven. Het zag er verre van netjes uit, en de verschraalde lucht van sigarettenrook, bier en verbrande popcorn was een ontzettende afknapper. Ik draaide me om en ging in zijn auto zitten wachten.

'Waar gaan we heen?' vroeg hij toen hij achter het stuur gleed en startte.

'Het Sharkmeer.'

Hij keek me even aan.

'Het Sharkmeer?'

'Ja.' En voor de zekerheid zei ik het nog maar eens: 'Het Sharkmeer.'

'Wat moet je daar?'

Onder het rijden vertelde ik hem wat ik wist van de gymp en Peggy Brinkerhoff; en omdat ik dacht dat hij ervoor openstond, vertelde ik ook over het web van draden en de intense gloed die versterkt moesten worden. Hij stak een sigaret op en het bleef zeker een kilometer lang stil. Toen zei hij: 'Jij deugt, Phoebe.' Dat, nam ik aan, was zijn manier om me te vertellen dat ik een goed karakter had en dat hij me niet meer ging zoenen. Hij blies een grote rookwolk uit en zei daarna: 'Iedereen kotst mij uit, hè?'

'Iedereen?' herhaalde ik, om tijd te winnen. Toen ging ik door: 'Ach ja. Dat geldt ook voor mij. Ik bedoel, ze kotsen mij ook uit.'

Intussen gleden winkelstraten, parkeerterreinen, hamburgertenten en kantoorgebouwen in een waas van onafgebroken saaiheid aan ons voorbij. Plotseling stelde Travis voor dat we het Sharkmeer links lieten liggen en in plaats daarvan naar het strand gingen.

'Er gaat niets boven de oceaan. Zin?'

'Nu niet,' zei ik zonder hem aan te kijken. 'Dit moet eerst. Misschien kunnen we daarna nog gaan.'

We vonden Peggy's huis moeiteloos. Hier waren duidelijk liefhebbers aan het werk geweest die het huisje grondig hadden opgeknapt in een aandoenlijk knusse stijl van 'kijk ons eens leuk aan het water wonen'. In de luiken waren zeilbootjes uitgesneden, en er was veel op het zeemansleven gebaseerd knutselwerk in het hek om het huis. Zes handpoppen van eendjes stonden op stokken op het gazon, maar omdat er geen zuchtje wind was bengelden ze erbij als vaatdoeken. De Amerikaanse vlag was er al even treurig aan toe; zonder vaderlandslievend vertoon hing hij slap langs de vlaggenstok. Boven de deur hing een houten bord met de naam BRINKERHOFF in cursieve letters die waren gemaakt van scheepstouw.

'Ja hoor,' zei ik tegen Travis. 'Hier is het.'

Achter het huis kon ik het meer zien, maar de zon schitterde zo fel op het water dat het pijn deed aan mijn ogen en ik niet kon blijven kijken. Ik stond op het punt om uit te stappen toen me iets vreemds overkwam. Mijn maag draaide zich bijna om en ik kreeg het gevoel dat er iets helemaal mis was. Misschien kwam het doordat ik hier niet langer de harde waarheid kon negeren dat Leonard echt voorgoed weg was. Niemand had het nog met zoveel woorden gezegd, nog niet, maar in dat meer was Leonard verdronken. Die gedachte was bij iedereen opgekomen toen de gymp was aangespoeld. Ik wist het. Chuck wist het. We wisten het allemaal. Maar stel dat dat mens, die Peggy, de spelregels niet kende? Stel dat ze niet besefte dat ik een Hertle was, en dat Hertles nu eenmaal het soort mensen zijn die pas over harde waarheden praten als ze er echt niet langer omheen kunnen? Ik wist niets anders van Peggy Brinkerhoff dan haar naam, adres en het feit dat ze Leonards gymp had gevonden. Als puntje bij paaltje kwam kon ze zelfs de moordenares zijn. Maar met een snelle blik op de eendjes en de uitgesneden zeilbootjes kwam ik tot de conclusie dat ze vast niet het type was om meteen onomwonden over ellende te beginnen. Minder zeker was ik van de vraag of ze wel of niet een koelbloedige moordenares kon zijn.

'Ga je mee naar binnen?' vroeg ik aan Travis. Aan de manier waarop hij zijn hoofd afwendde en voor zich uit staarde, kon ik merken dat hij niet verwacht had meer te hoeven doen dan me hierheen brengen.

'Hm,' mompelde hij.

'Het hoeft niet.' Het was een brutaal verzoek, maar ik kon niets anders bedenken om mezelf de auto uit en naar die voordeur te krijgen. Er waren vijf volle minuten voorbijgegaan en ik zat nog steeds op de voorbank zonder een vin te kunnen verroeren. Ik had hulp nodig.

'Ik weet niet. Wat moet ik dan doen?' vroeg hij en hij draaide zijn gezicht zelfs nog weg en keek naar de schittering van het meer.

'Mijn hand vasthouden,' zei ik en ik voegde er snel aan toe: 'Niet letterlijk. Ik bedoel... nou ja, je weet wel, morele steun en zo.'

Hij schoot zijn sigarettenpeuk op straat en we keken tot het rode puntje was gedoofd. Toen stak hij zijn hand uit en pakte die van mij. Letterlijk.

'Oké dan,' zei hij. 'Kom mee.'

Peggy Brinkerhoff was een vrouw met een lief gezicht, een grijze permanent en doordringende lichtblauwe ogen. Ze was geen type voor naaldhakken, al waren ze beslist voor vrouwen als zij uitgevonden. Op blote voeten was ze amper één meter vijftig. Als ze haar stem niet had gehad – een stem die kraakte en oversloeg en zo scherp was als glas – zou ze makkelijk over het hoofd worden gezien. Peggy was gepensioneerd; ze had een baan gehad als elektro-encefalogramoperator in het Hackensackziekenhuis in Bergen County, waar ze de hersengolven moest registreren van patiënten die een klap op hun hoofd hadden gehad, aan migraine leden, duizelig waren of zware epileptische toevallen hadden. Ze was niet opgeleid om de lijnen en pieken op de monitor, die uit haar printer ratelden, te analyseren. Dat was het werk van de arts die haar baas was. Maar ze droeg wel een wit uniform en een naamplaatje en ze mocht op woensdag en donderdag in de personeelskantine eten. Ze vond het fijn werk. Het was makkelijk, regelmatig, en ze had een goed pensioen in het vooruitzicht. Het enige wat ze moest doen, was de elektroden aan het hoofd van patiënten bevestigen, zeggen dat ze zich moesten ontspannen, het apparaat aanzetten en erbij blijven in het halfuur dat het duurde om de hersenactiviteit te registreren. Soms zat ze bij het zoemende apparaat detectives te lezen. Het lezen van detectives was Peggy's grote hobby. Toen ze met pensioen ging, werd het haar dagelijks werk. Ze kon er niet genoeg van krijgen. Ze las niet alleen goedkope flut van dertien in een dozijn, maar ze was ook een grote fan van de betere schrijvers als Patricia Highsmith, P.D. James en Ruth Rendell.

In tegenstelling tot de snelle spionnen, omaatjes die als speurder liefhebberden en keiharde privédetectives in de boeken, was Peggy nooit in aanraking gekomen met de misdaad; zij was een veilig en beschermd wereldje op zich. Ze was nooit overvallen, verkracht of beschoten. Niemand had haar tasje geroofd, haar auto gestolen, haar met een loden buis op haar hoofd geslagen of haar halfdood in de goot achtergelaten. Al met al was ze nooit het slachtoffer van een misdaad geweest en haar familieleden al evenmin. Ze vond dat verbluffend, en ze dacht vaak dat haar man Dick, hun twee volwassen zoons, Frank en Ted, en zijzelf oersaaie personages zouden zijn als ze in een van haar boeken waren voorgekomen.

En toen was er die middag in de zomer van 2001 dat Dick naast een boiler stond (hij had een reparatiebedrijf voor verwarmingsketels) en het ding ontplofte. Feitelijk was het een ongeluk, maar omdat Dick dood was, had Peggy het gevoel dat ze ten slotte toch door het kwaad was geraakt.

'Die dingen kunnen gebeuren,' zeiden haar vrienden.

Peggy nam geen genoegen met zulke praatjes. En daarom vroeg ze Dicks collega's het hemd van het lijf, vlooide zijn kantoormappen door, kamde alles uit op zoek naar aanwijzingen en bewijsmateriaal en werkte iedereen op de zenuwen. Achter haar rug sloegen mensen hun ogen ten hemel en zeiden: 'Zielig', alsof dat ene woord alles wat Peggy uitvoerde kon verklaren. Maar ondanks haar inspanningen kon ze niets vinden om te bewijzen dat Dicks dood iets anders was geweest dan een stom ongeluk, een van die dingen die kunnen gebeuren.

Zonder Dick leek het huisje aan de rand van het Sharkmeer opeens enorm. Peggy had nog even overwogen om te verhuizen; maar waar moest ze heen? Haar zoons woonden in de buurt. Het meer had iets troostrijks. En ze was vertrouwd geraakt met de straatnamen en de omringende woonwijken. Iedere ochtend ging ze aan tafel zitten met de plaatselijke krant om pagina na pagina te doorzoeken op artikelen over misdaad. Meestal werd in de eerste alinea de plaats delict genoemd en vaak kon Peggy zich dan een levendig beeld voor ogen toveren. Incidenten rond dronken automobilisten, kruimeldiefstallen, autoroof, doorrijden na een aanrijding, inbraak en beroving werden haar nieuwe hobby. Ook hield ze alle stukken bij over bedrijfsfraude, kindermisbruik, drugsdelicten, huiselijk geweld, autodiefstal en haar favoriete onderwerp: vermiste kinderen.

Peggy wist dat het helemaal niet gemakkelijk was om misdadigers te identificeren. Ook wanneer je de ene uitdraai na de andere van iemands hersenactiviteit kon analyseren, vond je niets wat erop wees dat een mens slecht was of in staat tot wandaden die later in de kranten opdoken onder een kop als:

AUTODIEF SLEEPT BESTUURDER 2 KM MEE. Dr. Seligman, de arts die Peggy had opgeleid, had dat allemaal uitgelegd tijdens de lessen. Hij wees de verschillende lijnen op de uitdraai aan en legde de klas uit dat een eeg een momentopname was van de hersenactiviteit, geen blauwdruk van de inhoud of verborgen bedoelingen. Aha, dacht ze destijds, dat is het dus – het kwaad kan op die golven meezwemmen zonder dat iemand het weet. Ze vond dat het in het dagelijkse leven niet anders ging – je kon in een menigte geen misdadiger aanwijzen tot hij of zij iets uithaalde wat misdadig was. Je had aanwijzingen nodig. Aanwijzingen, vond Peggy, waren als de pieken op de computeruitdraai van het menselijk gedrag, een hint dat er narigheid op komst was. Toen Peggy na de les haar theorie aan dr. Seligman vertelde, keek hij haar niet-begrijpend aan, knipperde met zijn ogen en zei: 'Tja, misschien, ik zou het niet weten.' En hij liep weg door de gang.

Natuurlijk had Peggy het artikel over Leonard in de *Asbury Park Press* aandachtig gelezen, stelde ze zich de achtergronden voor en maakte ze aantekeningen. Ze nam alle bijzonderheden, of zoals zij ze noemde: alle aanwijzingen, zorgvuldig in zich op. Het feit dat Leonard in de stad woonde, maakte het extra spannend en gaf haar een groter gevoel van betrokkenheid dan wanneer Leonard uit een ander deel van het land was gekomen. Je kunt je dus wel voorstellen hoe opgewonden ze was toen ze de platformgymp op het inktzwarte water van het Sharkmeer vlak achter haar huisje zag dobberen. Ze viste het ding met een lange stok op en zat er uren naar te kijken voor ze het alarmnummer draaide, opgetogen over deze meevaller.

Peggy was in de zevende hemel omdat ze bezoek kreeg. Ze

bood ons donuts en drinken aan en toen ze erachter kwam dat Travis niet had ontbeten, zette ze hem een maal voor van gebakken eieren met spek, geroosterd brood en een glas sinaasappelsap. Onder het klaarmaken van zijn eten vertelde ze ons haar levensverhaal, inclusief het deel over hersengolven en het kwaad. Travis zei al die tijd geen woord; hij at alles op wat ze voor hem neerzette en staarde naar Peggy alsof ze een tv-programma was. Uit beleefdheid stelde ik wat vragen. Terwijl Peggy in haar keuken heen en weer flitste op kracht van een zo te zien indrukwekkende stoot cafeïne, viel me terloops op dat ze een prachtkandidate zou zijn geweest voor een grondige make-over van Leonard, want er moest nodig iets aan die vrouw gebeuren. Haar bloemetjesbloes en roze polyesterbroek waren van ver uit de vorige eeuw. De permanent in haar muisgrijze haar was bijna uitgegroeid. En de zware bril, die steeds zo ver afzakte dat haar neusgaten vaak helemaal dichtgeperst werden, was een ware ramp. Na ongeveer een uur begon ik me af te vragen waar ze de lucht vandaan haalde om continu te praten als haar hersens zo weinig zuurstof kregen.

Toen ze begon over de grote klopjacht die voor morgen stond gepland en vervolgens honderduit babbelde over de duikers die zo ervaren waren en wat ze wel niet konden vinden, zei Travis dat het al laat werd en dat we moesten opstappen. Peggy stond erop dat ik voor ma en Deirdre een stuk van haar zelfgebakken bosbessenkwarktaart meenam. Ze wachtte geen ja of nee af, maar pakte de taart meteen voor me in. Travis ging naar buiten om bij de auto te wachten.

'Aardige jongen,' zei Peggy. 'Wel een beetje stil. Ken je hem al lang?'

'Jawel,' zei ik, en dat was ook zo. Ik kende hem mijn hele

schooltijd al. Hij had bij Deirdre in de klas gezeten, en ik had hem tegelijk met haar zien opgroeien en samen met haar zijn einddiploma zien krijgen. En ik had hem natuurlijk gekust. Maar ik had geen zin om in details te treden en ik liet het bij jawel.

Toen ik eindelijk wist te ontsnappen zat Travis niet in de auto en hij was nergens te bekennen. Ik riep zijn naam, maar er kwam geen reactie. Zwaaiend met mijn kleine tasje liep ik om het huis heen en probeerde me te herinneren waarom ik het een goed idee had gevonden om naar Peggy te gaan.

Travis stond aan de oever van het meer, keek in de verte, met zijn handen gebald in zijn achterzakken, waardoor zijn ellebogen naar opzij staken.

'Alles oké?'

'Ja,' antwoordde hij zonder zich om te draaien. 'Ik sta wat te denken.'

'Waaraan?'

'Gewoon. Weggaan, de stad uit.'

'Voorgoed?'

'En aan mijn ma. Ik stond te denken dat ze ongeveer van Peggy's leeftijd zou zijn geweest. Alles had heel anders kunnen zijn als ma nog had geleefd en een ontbijt had klaargezet, en taarten gebakken en zo. Lijkt me zo.'

De hele stad kende het verhaal dat het huis waar Travis als kind woonde tot de grond toe was afgebrand terwijl zijn moeder er niet uit kon. De oorzaak is nooit gevonden. Er werd wel wat geroddeld dat de jongen graag met lucifers speelde, die hij aangestoken en wel naar het huis gooide, maar er was nooit iets bewezen. De meeste mensen hadden met hem te doen, vooral toen hij en zijn vader dakloos werden. Later namen de buren hem in huis, omdat hij nergens anders terechtkon. Er werden dat jaar honderden liefdadigheidsacties op touw gezet voor het gezin, dat nu alleen nog uit hem en zijn vader bestond. Uiteindelijk wist zijn vader genoeg geld bij elkaar te schrapen om het huis aan Stanhope te kopen.

'Hoe oud was je toen ze... toen ze doodging?' vroeg ik.

'Acht.'

Ik wilde iets zeggen wat ik geleerd had nadat Leonard vermist werd. Ik wilde tegen Travis zeggen dat je soms pas weet hoeveel ruimte iemand in je leven inneemt als die persoon er niet meer is. Maar ik was bang dat ik het niet goed onder woorden kon brengen, vooral niet tegen iemand die zo vol was van het gemis van zijn dode moeder. Daarom ging ik vlak naast hem staan en pakte zijn hand, en zo stonden we samen heel lang naar het meer te kijken.

Toen hij me naar huis bracht, zat ik dicht tegen hem aan en ik voelde me warm worden van zijn lichaamswarmte. Het was op zich al bijzonder dat ik mijn lichaam weer voelde, na al die dagen van verdoving, waaraan ik gewend was geraakt. Op dat moment voelde ik weer dat ik leefde en ik was een en al verwondering, omdat ik opeens het soort meisje was dat dicht naast een jongen op de voorbank van zijn Nissan zat terwijl hij verdrietig was om zijn moeder. Toen hij zijn rechterhand van het stuur nam om mijn hand te pakken, voelde ik dezelfde duizelingwekkende hormonenkick die door me heen golfde als ik iets jatte in het winkelcentrum. Alles in de hele wereld om me heen, en Travis in het bijzonder, veranderde door dit gebaar. Het was alsof de lucht zelf binnenstebuiten werd gekeerd en mogelijkheden vrijliet die sluimerend hadden gewacht op het sein dat ze tevoorschijn konden komen.

Maar het meest van alles veranderde ik er zelf door, alsof ik zichtbaar binnenstebuiten werd gekeerd. Opeens zat mijn haar precies goed. Opeens leken mijn benen niet langer twee identieke staken die mijn hele timide ik overeind hielden, maar werden ze het middel dat een mooie meid gebruikt om haar doel te bereiken. Mijn vingers strengelden zich in de zijne en zagen er stuk voor stuk uit alsof ze voor een ring waren geschapen. En al deed ik mijn best om de verrukkelijke pijn van dit wakkere bewustzijn te verbergen, ik weet zeker dat er iets nieuws in mijn ogen te zien was toen ik hem aankeek. Wat vreemd, dacht ik bij mezelf, dat Leonard degene was die Travis en mij bij elkaar heeft gebracht. Echt iets voor hem. Hij had toch nog een manier gevonden om mij te transformeren, door van binnen naar buiten te werken.

# 13

Ma was niet van plan geweest de salon te sluiten. Het was haar bedoeling vroeg op te staan, meteen met de eerste afspraak te beginnen en hopelijk te vergeten dat er in het meer naar Leonards lichaam werd gezocht. Maar toen de eerste klant, mevrouw Artman, ma er lachend van beschuldigde dat ze haar rollers zo strak inzette dat het haast een natuurlijke facelift leek, gooide ma het bijltje erbij neer en stampte naar boven, naar haar kamer.

Ik legde de laatste hand aan mevrouw Artman en belde daarna ma's andere klanten om de afspraak te verzetten. Iedereen was vol begrip. De rest van de dag probeerde ik mezelf af te leiden door *Lady Chatterley's minnaar* te lezen. Elke keer dat de telefoon ging hield ik mijn adem in; zelfs het orgasme van lady Chatterley, door D.H. Lawrence beschreven als een soort golvende verrukking op sidderende vleugels, kon mijn aandacht niet vasthouden. Ik luisterde met al mijn zintuigen tot ik ma's stem aan de telefoon tegen degene die ze aan de lijn had hoorde zeggen dat er niets bekend was – nog niet. We hadden nog niets gehoord. En dan keerde ik terug naar de sidderende erupties van lady Chatterleys vrijgebroken binnenste.

Om ongeveer vijf uur hield Chucks auto stil voor ons huis. Door het raam van de woonkamer zag ik hem uitstappen en op ons huis aflopen als het vleesgeworden slechte nieuws in korte broek met bergschoenen aan.

Hij kwam natuurlijk zelf. Chuck was er de man niet naar om je via de telefoon aan het huilen te maken, op te hangen en je aan je lot over te laten, waarna je radeloos door de kamer liep te ijsberen.

'Ma!' riep ik naar boven, in een poging zo normaal te klinken als jongeren in tv-series. Ik had de deur al opengedaan voor Chuck de kans kreeg aan te bellen. Hij stond naar me te kijken. En op dat moment wist ik het. Zijn blauwe ogen waren vol van het meer en alles wat hij daar had gezien. Zijn mondhoeken waren neergetrokken in een uitdrukking die ik maar grimmige vastberadenheid zal noemen. Hij hoefde niets te zeggen.

Ma kwam langzaam de trap af, voorzichtig, als een blinde die tastend haar weg langs de leuning zoekt. Op de onderste tree bleef ze staan en keek ze naar Chuck op. Haar benen begaven het en ze zakte in elkaar. Ze viel op de tree neer en bleef daar zitten, aandoenlijk hulpeloos en klein. Toen ze uiteindelijk een jammerende kreet slaakte, gingen de haartjes op mijn armen en in mijn nek rechtovereind staan, als de voelsprieten van een insect dat zich afvraagt wat de beste richting vooruit is.

Chuck wilde iets zeggen, maar zodra hij zijn mond opendeed zei ma: 'Nee.' Ze bleef het zeggen. Ze zei het zo vaak dat Chuck ten slotte zijn pogingen maar staakte om zijn medeleven uit te drukken of iets uit te leggen.

Deirdre, die bij het horen van ma's eerste jammerklacht naar beneden was gehold, probeerde te redden wat er te redden viel.

'Pheebs! Haal een glas water voor ma. Snel!'

Toen ik uit de keuken terugkwam, terwijl het water over de rand van het glas klotste en op het kleed morste, was Deirdre al bezig ma naar boven te helpen, terug naar haar kamer.

'Nee,' zei ze steeds weer. 'Nee.'

Chuck en ik stonden onhandig onder aan de trap, wachtend tot ze uit het zicht waren verdwenen. Ik had geen idee wat ik moest doen. Ik had nog nooit zoiets bij de hand gehad. In de verste verte niet. Toen nana Hertle doodging, hadden we het maanden zien aankomen. Haar kanker woekerde voort en toen ze in een maandenlange coma zakte, was de dood een logisch gevolg. We wisten dat het niet anders kon aflopen, tenzij er een wonder gebeurde. Maar dit was iets heel anders.

Ik staarde Chuck aan, maar om eerlijk te zijn keek hij al even ontdaan als ik me voelde, zodat ik bij gebrek aan beter maar verviel in de toon en gebaren die eerder bij een tv-drama hoorden dan bij mijn normale manier van doen. Ik ging over op de automatische piloot, via de afstandsbediening.

'Zullen we gaan zitten?'

Toen Chuck de gebeurtenissen bij het meer beschreef – de duikers, de boten, het net, de walkietalkies – deed ik alsof ik naar iemand op de tv keek en er elk moment reclame zou komen zodat ik de kamer uit kon om iets lekkers te halen. Maar er kwam geen reclame. En toen hij eindelijk bij het deel kwam dat ik met angst en beven had zien aankomen, het deel waar ze Leonard vonden, zat ik als aan mijn stoel genageld.

'Een van de duikers kwam weer boven,' zei Chuck, die zijn voorhoofd wiste met de rug van zijn hand voor hij verderging. 'De hele middag bleven ze onafgebroken duiken en bovenkomen. Geweldige kerels. Echt geweldige kerels uit Atlantic City. Echte profs. Maar ze vonden niks. Tot die ene bovenkwam. Brian heet-ie. Brian kwam boven en schreeuwde naar ons. Alle boten gingen zijn kant uit. Ik zat in een van de boten. We gaven het teken de buitenboordmotoren uit te zetten. Het werd heel stil. De twee duikers, Brian en een Russische gozer, Vlad, gingen weer onder. Na een tijdje lieten we uit een van de boten een kabel zakken, met een soort draagbaar eraan vast. De boot had een lier, en toen we van beneden een teken kregen... haalden we het op... haalden we hem op... Leonard.'

Hier zweeg Chuck even. Hij zag het glas water op de salontafel staan, pakte het en nam een lange teug. Dat doen mensen in films en boeken ook, dacht ik, als ze een dramatische pauze willen.

'Wil je het echt allemaal horen?' vroeg hij.

'Ja.'

Als Chuck de moeite had genomen helemaal naar ons huis te komen moest hij zijn verhaal toch aan iemand kwijt kunnen. Bovendien was dit alleen maar een tv-programma. Niets van dit alles was echt. Pa woonde niet samen met Chrissie Bettinger; hij woonde nog bij ons en kon elk moment thuiskomen van zijn werk. De Deirdre van vroeger zat boven naar muziek op haar computer te luisteren, belde vriendinnen, borstelde haar lange, weelderige kastanjekleurige haar. Ma was in de keuken en zette gehaktbrood en fijngesneden groente in de magnetron. Leonard was beneden, gehuld in tule en bedekt met glittertjes, om een nieuwe look te bedenken waar we stiekem van zouden gruwen als hij er eindelijk mee aan tafel verscheen. Intussen keek ik in de woonkamer naar de tv, zonder reclameblokken.

'We behandelen het als een moordzaak,' zei Chuck. 'Er moet nog een autopsie komen, maar er zijn bewijzen genoeg dat het om een misdaad gaat.'

Moord. Autopsie. Bewijzen. Misdaad. Dit, zei ik tegen mezelf, was geen doorsnee woensdag. Peggy Brinkerhoff moet wel genoten hebben.

Om mijn stem in bedwang te houden en niet half te gaan janken, deed ik alsof ik Sam Waterston was in een aflevering van *Law & Order*.

'Wat voor bewijzen?' vroeg ik aan Chuck. Ik vond dat het redelijk overtuigend klonk.

'Het lijk was vastgebonden,' zei hij. 'Met touw vastgebonden en verzwaard met een anker.'

Voor het eerst werd er van 'het lijk' gesproken – alsof Leonard zelf er niet meer aan te pas kwam, alsof hij twee afzonderlijke wezens was geworden.

We zwegen en lieten de informatie bezinken. Leonard was er niet meer. Iemand had hem vermoord. Dan was er nog de gruwelijke vraag die we niet hardop stelden, al werd hij daar niet minder gruwelijk van. Waarom had iemand Leonard willen vermoorden? Ik heb in mijn leven genoeg tv gezien om te weten dat een motief je kan helpen degene te vinden die de misdaad heeft gepleegd. Maar, zoals Chuck me uitlegde: 'We tasten in het duister zonder enige aanwijzing.' Met andere woorden, we hadden geen motief en geen verdachte.

'Komt mijn vader in aanmerking?' vroeg ik. 'Als verdachte, bedoel ik.'

Chuck greep de forse knobbels van zijn knieën stevig vast,

kneep er hard in en keek toen de kamer rond. Misschien wilde hij er zeker van zijn dat niemand meeluisterde, of hoopte hij advies te krijgen welk antwoord hij moest geven.

'We sluiten niets uit,' antwoordde hij ten slotte. 'We hebben meer informatie nodig. Maar ik heb gisteren met hem gesproken en het lijkt me niet waarschijnlijk.'

Deirdre kwam weer beneden, verontschuldigde zich, zei dat ma rustte en vroeg of we iets voor Chuck konden doen.

'Nou,' zei Chuck, 'er is eigenlijk wel iets.'

Toen tilde hij het glas water op en nam een slokje. Er zoemde een vlieg door de kamer; het beest vloog lukraak rond, knalde tegen schemerlampen, klapte terug van de horren en zocht wanhopig een uitgang.

Chuck zette het glas neer, haalde diep adem en zei: 'Iemand zal het lijk moeten identificeren.'

Omdat Deirdre het verhaal niet kende, was ik bang dat ze zich zou aanbieden zonder te weten wat het precies inhield. Ma was er niet toe in staat zolang ze in het nee-stadium bleef hangen, en het zag ernaar uit dat dat nog lang kon duren.

'Wanneer?' vroeg ik.

Zodra ik mijn mond opendeed, besefte ik dat ik me onbedoeld voor de taak had aangemeld.

'Morgenochtend. Tegen tien uur. Ik zal je het adres geven.'

Toen vroeg Deirdre, die nog steeds midden in de kamer stond: 'Weet je dat nou wel zeker, Pheebs?'

Ik wist het helemaal niet zeker. Ik wist niets zeker. En zij was toch de oudste? Moest zij de zware rottaken niet voor haar rekening nemen wanneer die zich voordeden? Was het niet haar taak me te beschermen? Maar de wereld draaide veel te snel om zijn as en ik was bang dat de zwaartekracht het elk moment kon begeven en we allemaal van het aardoppervlak geslingerd zouden worden, een heelal vol gevaar en onzekerheid in. Op een of andere manier was de simpele beweging van mijn hoofd, dat ja knikte, het enige wat ons op onze plek kon houden. Het was wel het minste wat ik kon doen.

Chuck schreef het adres van het mortuarium op een stukje papier dat hij uit zijn blauwe map had gescheurd. En intussen zei hij: 'Je moeder zal het lichaam moeten identificeren. Of je vader. Iemand van boven de achttien.' Hij liet het adres op de salontafel liggen, alsof het een te groot waagstuk was om het aan mij te geven. Deirdre en ik liepen met hem mee naar de deur. Hij draaide zich om en keek van de een naar de ander, alsof hij nog een laatste mededeling moest doen.

'Wat is er?' vroeg ik.

'Niets,' zei hij vermoeid. En toen keek hij me strak aan met zijn grote trouwe blauwe ogen en voegde eraan toe: 'Hou je haaks, ja?'

'Oké.'

Later, toen ik in bed lag, kon ik bijna voelen dat het briefje nog op de salontafel lag; het was daar beneden trillend aanwezig, zinderend, om me wakker te houden. De minuten gleden voorbij. Uren. Maar op zeker moment moet ik toch in slaap zijn gevallen, want ik droomde.

In de droom kwam ik overeind in bed en zag ik Leonard bij het voeteneinde staan. Hij was doorweekt, het water van het meer droop van zijn gezicht en kleren op het gele kleed in mijn kamer. Ik was bang dat er kringen zouden komen in het kleed, al is het dan oud en versleten en bij de randen van kleur verschoten. Leonard lachte me toe alsof de wereld zonder zorgen was en je je nergens druk om hoefde te maken. Ik deed mijn mond open om iets te zeggen, maar voor ik een woord kon uitbrengen hield hij me zijn vuist voor. Toen deed hij langzaam, heel langzaam, zijn hand open om de gouden geldclip van Yves Saint Laurent te laten zien.

'Dank je,' zei hij.

Toen ik wakker werd (deze keer in het echt), was het ochtend en mijn ogen waren nat van de tranen. Ik had liggen huilen in mijn slaap en Leonard was nog steeds dood.

Om negen uur had ma zichzelf genoeg in bedwang om op het afgesproken tijdstip naar het mortuarium te kunnen gaan. Ze zei dat ik mee mocht rijden, maar ik zag zo wel dat ze me harder nodig had dan ze wilde laten merken. Zonder make-up en ontbijt en haar betrouwbare lach leek ze een tijdelijke versie van zichzelf, een plaatsvervangster die gestuurd was om haar rol over te nemen.

We zaten in een lange, brede gang met een hoog plafond. De vloeren waren glanzend gewreven en er hing nergens iets aan de muur, er waren geen planten, geen mensen, nergens een teken van leven. Het rook er naar ontsmettingsmiddel en formaldehyde. Ik had last van die diepe stilte, omdat elk geluid erdoor werd versterkt en belangrijker leek dan het in feite was – een deur die openging, een kuchje, een pen die op de harde vloer viel. Die geluiden bewezen dat zelfs in een omgeving waar voor sommige mensen het leven stil was blijven staan, datzelfde leven voor de rest van ons nog steeds doorging.

Chuck arriveerde precies op tijd en zodra ik hem zag, besefte ik hoe zielig ma en ik eruit moesten zien, zo met ons tweetjes op die bank, met onze rug tegen de muur, achteloos aangekleed, onopgemaakt, afwachtend. Chuck probeerde ma voor te bereiden op wat ze te zien zou krijgen. Terwijl hij praatte concentreerde ik me op zijn mond, zijn tanden, zijn grote tong, en ik vroeg me af of hij zijn tandarts aardig vond, of hij regelmatig floste, en of hij een vriendin had.

'Mag Phoebe mee naar binnen?' vroeg ma toen ze haar hand in die van mij liet glijden. Ze trilde van top tot teen.

Chuck keek me recht aan en keek toen even snel de lege gang door.

'Goed,' zei hij. 'Kom maar.'

We liepen achter hem aan door de openslaande deuren. Ik was me meteen bewust van een bromtoon in de kamer. Ik probeerde mezelf wijs te maken dat het doordringende gezoem de grondtoon was van een engelenkoor dat een wake hield bij de lijken aan het begin van hun lange, onzekere reis nu ze hun stoffelijke zelf achterlieten, maar het lukte niet omdat ik wist dat het in werkelijkheid het geluid was van de koelinstallaties langs de muur.

We werden voorgesteld aan een man met een ijzeren brilletje en een laboratoriumjas tot aan zijn knieën. Een ergere baan kan er niet bestaan, dacht ik bij mezelf. Ik bedoel, laden open- en dichtdoen waarin kadavers liggen, de lijken netjes afleggen zodat ze om aan te zien zijn, en moeten omgaan met het onverholen verdriet en de schrik van familieleden is niet bepaald iets wat je voor je lol doet op een mooie zomerdag. En al kan ik me met de beste wil van de wereld de naam van die man niet herinneren, ik weet nog wel dat ik me afvroeg hoe hij thuis was en waaraan zijn vrouw denkt als hij haar kust. Ik zag dat hij tengere handen had, die er een beetje wasachtig uitzagen, zoals bij namaakfruit; hij gebruikte beide handen om het glimmende chromen handvat van een koellade beet te pakken en er een flinke ruk aan te geven.

Ik had nog nooit een dode gezien. Nana Hertle was gecremeerd, en ze was al tot een kistje met as gereduceerd toen we er op een verbluffend warme dag midden in oktober op uit gingen met meneer Federmans boot om haar over zee uit te strooien. We strooiden het kistje leeg over de reling en haar resten verdwenen geluidloos in de oceaan, al waaide er wat as terug op onze reddingsvesten. Mijn vader sprak een paar woorden en dat was dat. De enige andere doden die ik kende, waren beroemdheden geweest die voortleefden op het witte doek, onaangetast door bederf, verval of de gevolgen van een maand lang op de bodem van een meer liggen. Leonards dood was iets totaal onbekends voor me.

Zijn lichaam was afgedekt met een wit laken van een zware stof, linnen of canvas of zo. Hij lag op een glimmende plaat van koud staal. Ik dwong mezelf naar de lichaamsvorm onder het laken te kijken. Zijn hoofd kwam het eerst tevoorschijn. Ik hield mezelf voor dat ik goed moest opletten, let goed op, heel goed, want wanneer zou ik nog eens zo'n ervaring krijgen? Maar op het moment dat ik aan de onderkant een doodeng stukje vlees onder het laken uit zag steken, veel te opgezwollen en blauw om de grote teen te kunnen zijn van de Leonard die ik had gekend, voelde ik al mijn belangstelling wegebben. De teennagel leek een oud stuk plastic dat er bij nader inzien nog snel met lijm op was geplakt. Toen klonk het gebrom in de kamer steeds harder en leek uit mijn eigen hoofd te komen. Ook hoorde ik hoge noten van andere engelen opklinken, alsof ze een teken hadden gekregen. En daarna was er niets meer.

Er wordt gezegd dat flauwvallen een reactie van het lichaam is op een plotseling gebrek aan bloedtoevoer naar de hersens. Het centrale zenuwstelsel zit zo in elkaar dat het brein ingrijpt op momenten van groot verdriet en zware angst; je hersens weten precies hoe en wanneer ze je buiten westen moeten slaan. Of de oorzaak nu fysiek of psychisch is, het idee erachter is dat je hoofd lager bij de grond moet komen, zodat je bloed weer kan gaan stromen en je hersens bereiken. Het is een heel slim veiligheidsmechanisme. Maar wanneer het jou overkomt en je lichaam languit op de koude tegels ligt, staat de tijd stil en de film van je leven wordt op pauze gezet. Je bent weg. Als je uiteindelijk je ogen weer opendoet en langzaam bij bewustzijn krabbelt, is het beeld volkomen anders. Je ligt horizontaal op schoenniveau en kijkt op naar de bezorgde gezichten boven je. En er zit een gat in de tijd waarvan je niet weet wat er is gebeurd.

'Wat is er gebeurd?' vroeg ik.

'Je bent flauwgevallen,' zei Chuck. Zijn ogen waren zo groot als schoteltjes, en hij hield me water voor in een papieren beker die de vorm had van een omgekeerd bloempotje. 'Hier. Neem een slok.'

Chuck en de man met de laboratoriumjas sjorden me overeind. Ze hielpen me door de openslaande deuren de gang in, waar ze me op een bank neerzetten. Ma zei steeds weer: 'Ik wist wel dat het geen goed idee was.'

Toen iedereen ervan overtuigd was dat ik in orde was, ondanks het feit dat ik net een rotsmak had gemaakt en op mijn gezicht terecht was gekomen, gingen ze weer naar binnen om af te maken waarvoor ze waren gekomen.

Terwijl ik daar in de koelte van de gang van het gerechtelijk lijkenhuis op mijn moeder zat te wachten, probeerde ik niet aan de gruwel van Leonards teen te denken. In plaats daarvan concentreerde ik me uit alle macht op de details van mijn droom van vannacht, het beeld van Leonard die drijfnat en blij aan mijn voeteneinde had gestaan en me bedankte omdat ik hem zijn clip had terugbezorgd. Om de aanblik van die teen te verdrijven, wilde ik aan de levende Leonard denken – die als een idioot zijn Britney Spearsdansje had gedaan voor de passpiegel, die bij de kraam van de voor-en-nafoto's op zijn eerste slachtoffer had staan wachten, die zijn teennagels had gelakt en vol glittertjes geplakt en sporen achterliet op het kleed van de woonkamer, die in tranen was en zich vernederd voelde wanneer we hem moesten wakker maken uit een nachtmerrie, die als de gekwetste majesteit door de gangen van school schreed terwijl iedereen hem uitlachte. En bij het afspelen van die herinneringen in mijn hoofd drong het opeens tot me door hoe moeilijk het moest zijn geweest voor Leonard, en hoeveel hij had moeten overwinnen om steeds maar weer blij te lijken. Ondanks zijn situatie keek hij altijd vrolijk en liet zelden merken dat hij het zwaar had. Hij was vastbesloten geweest om overal het beste van te maken, om erbij te horen, om zijn ellende te verslaan.

Ik zat daar op dat bankje de steriele lucht in te ademen, me bewust van de wereld die gewoon verderging met alles wat Leonard moest missen. En toen ik daar geen minuut langer tegen kon, propte ik mijn hoofd vol herinneringen aan de levende Leonard en zette ze in zo'n stralende gloed dat er geen enkele tragedie doorheen kon dringen.

# 14

Leonard zou bloemen hebben gewild, een paar tranen, en natuurlijk een grote stijl. Naderhand zou hij een feest hebben verwacht, muziek, een lichte lunch en misschien drankjes. Maar hij zou de eerste zijn geweest om erop aan te dringen dat we de plechtigheid kort en eenvoudig moesten houden. Iedereen, zou hij gezegd hebben, had nog van alles te doen en moest ergens heen. Het was tenslotte zaterdag. Uiteindelijk kozen we het basis-crematiepakket van Falluci's uitvaartcentrum; zij haalden Leonards lichaam op bij het mortuarium, reduceerden hem tot as en stukjes bot en tanden, en gaven ons zijn resten in een mooie bronzen urn, die in hun catalogus 'de Norm' heette. En dat alles voor vijfhonderdvijftig dollar.

De urn van Leonard werd daarna per auto naar Monmouth Memorial Park vervoerd, een moderne, overdreven vormgegeven begraafplaats waar de zachtglooiende heuvels uitlopen in een soort oneindigheid, wat wel het idee van de hemel in de buitenwijken zal zijn geweest van een of andere architect. Zo lang ik me kan herinneren wordt het gewoon het Park genoemd, alsof het een of ander recreatief doel dient.

Zodra je in het Park komt, valt je op dat er geen graftomben zijn, maar wel duizenden discrete gedenkplaten van brons die als metalen deurmatten in een vierkante meter aarde zijn gelegd. Hier en daar wordt het grasveld onderbroken door een bloempot met een geranium of een grafkrans – achtergelaten door mensen die er een gewoonte van maken bij hun dode dierbaren langs te gaan en de plek te verfraaien waar ze eeuwig rusten.

Bijna al mijn moeders klanten kwamen naar de begrafenis. En nog verbijsterender was het feit dat ze allemaal die ene elegante zwarte jurk droegen die ze volgens Leonards vaste overtuiging aan hun garderobe hadden moeten toevoegen.

'Dat heb je gewoon nodig. Echt, hoor,' had Leonard hun stuk voor stuk voorgehouden. 'Je moet nu eenmaal een zwart jurkje hebben. Minstens één. Dat hoort zo. Minstens één. Voor als je op een cocktailparty wordt gevraagd of zo.'

Dat deze vrouwen bijna hun hele leven in Neptune, New Jersey hadden gewoond, dat hun mannen met pensioen of dood waren, dat ze een karig inkomen hadden en voor het laatst een uitnodiging kregen voor een cocktailparty toen Ford nog president was – dat alles ontmoedigde Leonard niet in het minst. De vrouwen wierpen tegen dat een zwarte jurk nu eenmaal niet zo belangrijk was als, zeg maar, de dagelijkse boodschappen, en dat Leonard hun manier van leven misschien niet helemaal begreep.

'Ik word toch helemaal nooit ergens voor uitgenodigd. Nooit,' zei mevrouw Geleski, terwijl ze haar geld telde om te betalen voor haar permanent.

Leonard had zijn ogen dichtgedaan, zijn hoofd geschud en een hand opgestoken alsof hij het volgende onwelkome bezwaar wilde afweren. 'Mevrouw G., ik zal u eens wat zeggen.

Het gaat niet om levensstijl. Het gaat erom dat u wél zou worden uitgenodigd als u een mooi zwart cocktailjurkje had.'

Uiteindelijk gingen ze overstag. Maar wie had kunnen denken dat ze allemaal bij zijn graf zouden verschijnen om ter ere van hem met hun zwarte jurkje te pronken. In zekere zin was het een ware staatsgreep in de wereld van de mode. Leonard had meer voor de vrouwen van Neptune gedaan dan de talenten van Calvin Klein en Donna Karan bij elkaar. Het enige minpunt was dat Leonard niet zelf van zijn succes kon genieten. Het was de deftigste uitvaart die in Neptune had plaatsgevonden sinds 1989 toen Bunny Levitt, de basketbalkampioen van de vrije worp, werd begraven – en op Bunny's begrafenis was het lang niet zo druk geweest als bij Leonard.

'Wie zijn al die mensen?' kreunde Deirdre, die haar brandende sigaret achter een graftombe gooide en een kauwgumpje uit haar zwarte tasje haalde. Ze droeg een zwart, simpel recht jurkje en zwartleren ballerina's. Haar haar was allang weer aangegroeid, maar ze hield het kort, waardoor ze eruitzag als een obscure Franse filmster die weigerde zich te conformeren aan gangbare modetrends. Ze wist even goed als ik wie al die mensen waren, want net als ik kende ze hen al van zo ongeveer voor haar geboorte. Ik denk dat ze met die vraag bedoelde: waarom zijn er zoveel mensen op Leonards begrafenis?

Deirdre maakte zich niet druk om het effect dat Leonard had gehad op de vrouwen van Neptune, op ma, op mij en zelfs op haarzelf en haar haardebacle. Ze had het nooit over het feit dat hij haar op een of andere manier had weten te transformeren, of hoe hij haar had overgehaald. Maar toen ik naar haar keek, zoals ze daar stond op het gazon van de begraafplaats, zo lang en elegant, verfijnd en wat afstandelijk, zag ik zo wel dat het resultaat helemaal zo slecht niet was. Leonard had haar bevrijd van de last altijd en eeuwig de ster van Neptune te zijn, en met een resolute actie, waaraan een mannenkapper te pas kwam, had hij Deirdre op het spoor gezet van een nieuw leven als onafhankelijke vrouw.

'Kijk daar,' zei Deirdre, met haar kin in de richting wijzend van een groepje jonge mensen bij het graf. 'Godsamme. Wat een lef. Zijn ze uitgenodigd?'

Mevrouw D. en meneer Buddy torenden met kop en schouders boven de leden van Dramakamp uit. Ze krioelden om het graf als figuranten in een opvoering van *Spoon River*, alleen waren ze niet dood maar springlevend. Mevrouw D. en meneer Buddy probeerden een stel uitslovers ervan te weerhouden beenoefeningen te doen en legden anderen uit dat er geen sprake van kon zijn om hier met sierlijke handgebaren verdriet uit te drukken, maar ze verloren de strijd. Voor de meeste leden van Dramakamp was de dood een toneelscène met zwaard, namaakbloed en veel choreografie, of een onderwerp dat, nadat er iemand was doodgegaan, in rijmende zinnen door de hoofdrolspelers werd besproken. In beide gevallen kon je de acteur die de dode speelde later die dag bij de snackbar patat en een milkshake zien bestellen. De echte dood was een ander verhaal; het definitieve ervan was een heel nieuwe ervaring. En zoals dat gaat met nieuwe ervaringen voor theatermensen, maakten ze er theater van.

'We vinden het zo erg voor jullie,' zei meneer Buddy tegen Deirdre en mij. Hij was naar ons toe gelopen toen hij ons in zijn richting zag kijken.

'Dank u,' zei Deirdre. Ze stak weer een sigaret op en keek naar hem met half dichtgeknepen ogen.

'Je zult wel gehoord hebben,' ging hij verder, niet uit het veld geslagen door Deirdres kilte en rook, 'dat we toch doorzetten met *De storm*. Vanwege de acteurs, begrijp je wel. Maar we dragen de hele productie op ter nagedachtenis van Leonard. Ik hoop dat jullie dat goedvinden.'

'Serieus?' zei ik. 'Wat is dat nou aardig van u, meneer Buddy. Echt. Ik zal het ma vertellen. En misschien komen we wel kijken.'

Meneer Buddy keek naar zijn schoenen. Het waren beige linnen veterschoenen met leren zolen die doorweekt waren van het natte gras. Ze waren waarschijnlijk verpest, maar meneer Buddy scheen het niet erg te vinden. Hij tikte met de punt van zijn drijfnatte schoen tegen de natte grassprieten.

'Leonard was een heel bijzondere jongen.'

Deirdre en ik waren met stomheid geslagen.

'Zeer getalenteerd,' voegde hij eraan toe.

Meneer Buddy keek achterom en zag dat mevrouw D. haar handen vol had aan de kinderen. Ze wierp hem een smekende blik toe.

'Zonder Leonard hadden Sal en ik ons vast niet gerealiseerd hoeveel we van elkaar houden.'

'Sal?' zei Deirdre vragend.

'O. Sorry. Mevrouw Deitmueller.'

Voor we er erg in hadden schoten Deirdre en ik tegelijk in de lach. We hadden ons bij de naam Sal allebei een korte, stevige Italiaan voorgesteld met een krulsnor en borstelige wenkbrauwen die smoorverliefd was geworden op meneer Buddy. Het idee dat mevrouw D. die Sal was, was te veel van het goeie. Maar meneer Buddy, de fidele kunstenaar, ploegde voort.

'Ik begrijp wel dat dit niet bepaald de ideale situatie is voor zo'n aankondiging, maar ik wil toch dat jullie het weten. Mevrouw Deitmueller en ik hebben besloten in de kerstvakantie te gaan trouwen. En, tja, zonder Leonard... hij was degene die ons deed beseffen... ik denk dat hij het eerder doorhad dan wij. Zo was hij nu eenmaal, hè?'

Deirdre liet haar sigaret in het gras vallen. Tegen de tijd dat ze de volgende had aangestoken, was meneer Buddy weer bij mevrouw D. terug. Wij stonden naar dat onwaarschijnlijke stel te kijken en probeerden hen net als Leonard in een heel ander licht te zien.

Op dat moment arriveerde oom Mike, de broer van ma en de wettelijke voogd van Leonard. Hij stapte uit een huurauto en nam het tafereel in zich op. Hij was net uit Mexico komen vliegen, met een huid als bruin leer, en hij droeg een boerenhemd en sandalen. Hij had krachtige, donkere gelaatstrekken, van het soort dat een kind met een paar strepen kon tekenen – dik, donker, krullend haar, doorlopende wenkbrauwen die zwaar boven zijn diepliggende glinsterende ogen zaten, en een sterke Romeinse neus die boven zijn prominente kin zweefde. Mike was een man die de wereld met open vizier tegemoet trad, maar zijn uitdrukking van eeuwige verbazing was er het bewijs van dat hij op bijna niets was voorbereid van wat de wereld voor hem in petto had. En hij was al helemaal niet voorbereid geweest op Leonards uitvaart. Het was alsof hij al jaren bij de beren leefde en uit de wildernis was komen strompelen om een beschaafd ritueel bij te wonen, waarvan hij zich de details amper kon herinneren. Hij was te groot, te onhandig bij het graf, en hij was al in tranen toen hij ons eenmaal had gevonden.

'O, Phoebe,' zuchtte hij en hij drukte zijn hoofd tegen mijn hemelsblauwe topje en sloeg zijn armen stevig om mijn middel. Zelfs het luchtje van zijn goedkope aftershave kon niet verhullen dat hij het afgelopen jaar had doorgebracht in de geuren van vee en nachtelijke Mexicaanse kampvuren.

'Ik weet het,' zei ik. Al wist ik het niet. In ieder geval niet precies.

Oom Mike had Leonard op ons dak gestuurd. Stom genoeg had hij zonder meer aangenomen dat Leonard sterk genoeg was om zich overal doorheen te slaan, waar hij ook werd gedumpt. Ik wist niet of ik medelijden met oom Mike moest hebben of woedend op hem zijn. Maar goed, het verdriet van ieder ander bij het graf viel in het niet bij zijn emotie.

Mijn moeder, die in haar salon altijd zo goed kon troosten wanneer verdrietige vrouwen een man, kind of geliefd huisdier hadden verloren, was die gave plotseling kwijtgeraakt. Ze liet Mike aan zijn tranen over en stond stil naast hem in de verte te staren, alsof ze op een bus wachtte. Af en toe bevochtigde ze haar lippen met haar stift (een vleugje Glossimer met hoogglans van Chanel) en soms depte ze met een verfrommeld papieren zakdoekje onder het glas van haar grote ronde zonnebril. Op een bepaald moment van de plechtigheid boog ze zich naar me toe en fluisterde: 'Gaat het?' Verder vertoonde ze geen teken van leven. Ze had duidelijk haar aanleg, of haar wil, verloren om zich iets aan anderen gelegen te laten liggen.

Na veel heen en weer gepraat over wat we aan moesten doen naar de begrafenis had ma zwartleren pumps en een knalroze mouwloos jurkje met klokrok van Ann Taylor gekozen. Deirdre vond het te vrolijk, zelfs voor een uitvaartdienst in de zon. Het kon ma niets schelen wat anderen ervan vonden en ze kondigde aan dat ze het beslist zou dragen. Dit was toevallig wel de combinatie die Leonard een paar dagen voor zijn verdwijning voor haar had gekozen. Hij had het gekozen, zei hij er destijds bij, omdat het goed paste bij haar nieuwe, jongere, eigentijdsere look. Deirdre en ik zwegen toen maar. We keken elkaar in de gang alleen even aan terwijl ma zorgvuldig haar kleren rechttrok. We wisten wat er aan de hand was. Ma trok dit pakje aan voor de begrafenis om daarmee duidelijk te maken dat ze de goedkeuring van een geest belangrijker vond dan die van alle meelevende aardbewoners bij het graf. En ma was niet gek; ze wist dat ze zou opvallen tussen al dat traditionele zwart.

En dat gebeurde ook. Toen ik haar zag, een vrolijke knalroze vlek op de begraafplaats, dacht ik bij mezelf: dit. Dit zal ik nooit vergeten.

'Dank je hartelijk,' zei ze tegen mensen die bij haar bleven staan om haar te condoleren.

'Ja, we redden ons wel.'

'Nee, je hebt al zoveel voor ons gedaan.'

Haar houding, vlak en wat afstandelijk, had volgens mij veel te maken met de Zoloft die eindelijk was aangeslagen; maar in de ogen van anderen moest het wel enorme wilskracht lijken, de tactiek die een rouwende pleegmoeder had uitgestippeld om door een tragische gebeurtenis heen te komen, een bewonderenswaardig optreden.

Mijn moeder had het verlies van Leonard heel zwaar opgenomen. Vanaf het begin had zijn aanwezigheid bij ons thuis haar eigen persoonlijkheid versterkt. Hij had het talent om van haar meer de vrouw te maken die ze altijd had willen zijn. Leonard rolde nooit met zijn ogen en sprak haar ook nooit tegen, hij deed niet spottend over haar slechte smaak, stelde geen eisen of ultimatums zoals Deirdre en ik. Leonard had mijn moeder serieus genomen, had waardering voor haar kapsalon, had om haar grapjes gelachen en moedigde haar groeiende zelfbewustzijn aan. Met Leonard had ma haar grootste fan verloren, en dus verviel ze weer in haar vroegere gewoontes van een vrouw die maar wat glimlachte als ze tegenslag ontmoette, een vrouw die niet wilde veranderen.

Maar het was niet alleen Leonards dood die mijn moeder zo zwaar had aangegrepen en haar hart had gebroken; het was alsof al haar verlies van de afgelopen jaren door deze ene gebeurtenis was opgerakeld en ze bedolven werd onder alle pijn. Haar scheiding van pa, Deirdres depressie en afzondering, alle hoop die verloren was gegaan en alle teleurstellingen die ze op de een of andere manier had weten te incasseren en overleven. Leonards dood had dat alles in alle hevigheid teruggebracht, en nu was ze iemand die ondanks haar inspanningen onherroepelijk veranderd was door omstandigheden waaraan ze niets kon doen.

Het had 's nachts gehoosd, en de lucht was helder en schoon, met een onverdraaglijk blauwe hemel. Het gras van de glooiende hellingen in het Park was kletsnat en de grond glinsterde als zilverpapier in het heldere zonlicht van de ochtend. Veel schoenzolen raakten doorweekt van het staan, mijn teenslippers zompten onder mijn voeten, pumps werden voorgoed geruïneerd. Maar niemand zei iets over de natte grond of klaagde over de gevolgen. Dit was domweg een van de ongemakken die de levenden moesten verdragen, en onder de omstandigheden bleven we met beide benen op de grond staan en keken we vooruit.

Pastoor Jimbo had toegestemd de plechtigheid aan het graf te leiden. Een paar dagen eerder had hij ons verteld dat de katholieke kerk crematie nog niet zo lang geleden een heidense vorm van begraven had gevonden, maar hij verzekerde ons meteen dat hij geen problemen verwachtte. En was het geen idee om in Leonards naam een 'donatie' te doen aan het kerkfonds? Ma hoestte honderd dollar op en ja hoor, op de dag van de plechtigheid kwam pastoor Jimbo opdagen in zijn zwarte Lexus met alle bijbehorende gebeden, attributen en mooie woorden voor verlies en uitvaart.

Pastoor Jimbo kwam uit Ethiopië. Hij had een strakke, donkere huid die glansde als een espressoboon. Hij was slank en elegant, met lange magere ledematen. Omdat hij elke ochtend vijftien kilometer hardliep bewoog hij zich met de souplesse van een beroepsatleet. Pastoor Jimbo heette eigenlijk Ngimo, maar hij was er al snel achter gekomen dat Ngimo voor de inwoners van Neptune al even moeilijk uit te spreken als te onthouden was. Dus hield hij het uiteindelijk maar op Jimbo.

Vanaf het begin onderscheidde pastoor Jimbo zich in Neptune door voor iedereen open te staan op een manier die meer bij zendingswerkers en de episcopale kerk hoort. Ook wilde hij tijdens zijn preken nog weleens persoonlijk worden en over zijn eigen leven vertellen, een eigenschap die hem de genegenheid van zijn parochie en de ergernis van zijn superieuren opleverde. Hij vertelde ons bijvoorbeeld vanaf de preekstoel dat hij er nooit zelf voor zou hebben gekozen om herder te spelen over een parochie van voornamelijk witte schapen in de stad Neptune, New Jersey. Maar door een ernstig gebrek aan Amerikanen die ervoor voelden priester te worden en de parochies onder hun hoede te nemen, had 'bovenaf' besloten om elders gegadigden te zoeken. Hij zweeg even, lachte en bekende ons toen dat hij als opgroeiend jongetje in Afrika er niet van had kunnen dromen dat zoiets zou gebeuren. In geen miljoen jaar. Hij vond Neptune 'nog verder dan vergezocht'. En in één adem door vertelde hij ons dat als er al een bewijs kon bestaan van Gods gevoel voor ironie, zijn lot daarvoor in aanmerking kwam.

'Meer dan honderd jaar geleden graasde de kerk letterlijk de Afrikaanse rimboe af om zieltjes te winnen,' deelde hij ons mee met zijn mond half opgekruld in een lach. 'En nu ze ons voor het oprapen hebben, maken ze echte priesters van ons, zoals ik, en sturen ons naar oorden als New Jersey.'

'Is iedereen er?' vroeg hij de aanwezigen met die melodieuze Afrikaanse intonatie van hem. En omdat niemand zei dat hij er niet was, begon hij voor te lezen uit zijn gebedenboek en maakte uitbundige handgebaren boven het graf, wat allemaal bijdroeg aan de plechtige en unieke sfeer van de bijeenkomst.

Helemaal achter in de menigte stonden mijn vader en Chrissie Bettinger erbij als levensgrote kartonnen modellen van zichzelf. Nu hij niet meer bij de familie hoorde, had mijn vader zich de rol van buitenstaander aangemeten. Hij deed geen poging ons te komen condoleren. Zijn gezicht was verwrongen van verdriet. Toen ik hem even recht in zijn ogen durfde te kijken, hem in stilte uitdagend te laten merken dat hij bestond, wendde hij zich af. Maar even daarvoor had ik in zijn ogen het verlangen gelezen om ook als rouwend familielid dichter bij het graf te staan. Jammer joh. Uitgesloten. Jij bestaat niet meer. Maar Chrissie stond gespannen en nerveus te kijken, en misschien een beetje versuft, door de hitte.

Ik keek over de hoofden en kapsels heen in de hoop een glimp van Travis op te vangen. Ik verwachtte half en half dat ik hem ergens achter de menigte zou ontdekken, een sigaret rokend en nonchalant tegen een grafsteen leunend. Toen hij nergens was te bekennen, besefte ik pas dat ik hem meer dan half en half had verwacht.

Wel zag ik mijn beste ex-vriendin, Electra. Ik herkende haar kwastige dreadlocks, die boven een paar gewonere kapsels uit piekten. Ik verschoof even en ging op mijn tenen staan. Ze keek doodernstig en stond bij haar ouders. Haar broer Larry was er ook. Toen Electra me zag, hief ze haar kleine ronde hand en maakte een van onze oude geheime wuifgebaren. Alsof de bliksem insloeg drong het op dat moment echt tot me door: we waren geen vriendinnen meer. Niet echt. Zij was iemand van vroeger. Hoe was het zover gekomen? En hoe konden zij en haar familie in de marge van de gebeurtenissen zijn beland?

Nog geen maand geleden waren de Wheelers het brandpunt van alle drukte en aandacht die onze stad kon opbrengen. Tantes, ooms, nichten, neven en Electra zelf draaiden bedrijvig om Larry heen als kleine, onbeduidende manen die Larry's licht weerkaatsten en afhankelijk waren van zijn zwaartekracht. Hij was de held van de stad die gewond uit de oorlog was teruggekeerd. Maar Larry en de hele familie Wheeler werden nu alweer verduisterd door ander nieuws van de dag. Ze stonden (of in Larry's geval: zaten) bijna achteraan in de menigte, zich ervan bewust dat mijn dode neef Leonard opnieuw de hoofdrol had opgeëist als held van Neptune.

Leonard was natuurlijk niet het soort held dat anderen het leven redde; hij was nooit een brandend huis in gegaan of had tegen terroristen gevochten in hun thuisland; en ook al had hij mevrouw Barchevski's pruik mooi gemodelleerd nadat ze door chemotherapie haar eigen haar was kwijtgeraakt, hij had geen uitzonderlijk moment van glorie gecreëerd dat lang na zijn dood nog in ieders herinnering zou voortleven. Geen wapenfeiten. Hij was alleen dapper genoeg geweest om zichzelf te blijven in weerwil van alles wat had geprobeerd hem te veranderen. Ik had het niet willen erkennen toen hij nog leefde, maar Leonards ijzeren wil om tegen de verdrukking in zijn eigen leven te leiden was van een grote kracht die lof verdiende, al werd hij dan niet beloond met een medaille en een picknick bij de VFW.

De plechtigheid was bijna voorbij. De kleine urn van Leonard was in een gat in de grond gezakt en pastoor Jimbo ging afronden met het voorlezen van een Bijbeltekst over herders en groene weiden. Oom Mike was – eindelijk – opgehouden met huilen en de vrouwen propten hun zakdoekjes weer in hun tasjes.

Pastoor Jimbo haalde een kleine stok uit een zilveren emmer, en toen hij er een paar keer mee boven de kuil sloeg, vielen er druppels wijwater in het graf. En opeens besefte ik dat er geen woord over Leonard was gezegd. Het hele gedoe leek veel te onpersoonlijk voor iemand die zo origineel en kleurrijk was geweest als hij. Straks liep iedereen de heuvels weer af naar hun auto's en eigen leven en besognes. Een klein groepje zou mee teruggaan naar de salon, om nog wat na te praten, een broodje te eten en Leonards afwezigheid te ondergaan als een tong die een mond afzoekt naar een getrokken kies. Iemand moest iets zeggen voor het te laat was.

'Mag ik even?' flapte ik er opeens half schreeuwend uit, waardoor een aantal mensen van schrik bijna op hun natte schoenen een luchtsprong maakte. 'Ik wil nog iets zeggen... een paar woorden. Over Leonard, zeg maar.'

Nu had ik geen speech geschreven die ik uit de zak van mijn rok kon trekken en woordelijk opzeggen omdat ik thuis al voor de spiegel in mijn kamer had geoefend. Ik had helemaal niets voorbereid. Er was dan ook enig oponthoud terwijl ik mijn gedachten op een rijtje zette en mijn moed bij elkaar raapte om te spreken. Links van me begon iemand knallend te niezen. Er werd nerveus gekucht in de menigte. Toen werd er gefluisterd en 'sst' gesist.

'Gaat ze iets zeggen?'

'Wat gebeurt er?'

'Kunnen we gaan?'

Als ik hun aandacht wilde vasthouden moest ik beginnen, en snel ook. Mijn mond kwam in beweging, maar net als in een droom kwam er geen geluid uit. Pastoor Jimbo liep naar me toe met een gezicht alsof hij wilde helpen.

'Nee!' zei ik, toen ik opeens met schrikwekkende kracht mijn stem terugvond. Pastoor Jimbo deinsde achteruit, trok zijn priesterboordje recht en hield het bij heftig aanmoedigend knikken, met een grimas die of doodsangst was of een glimlach. Ik schraapte mijn keel en begon opnieuw.

'Ik heb weleens iets gestolen.'

'We horen je niet!' riep iemand achteraan.

Mijn hart ging zo tekeer dat ik amper mezelf hoorde. Ik haalde diep adem en stak nog eens van wal.

'Ik zei dat ik weleens heb gestolen. Niet van mensen. Uit winkels. Meestal flutdingen. Make-up, kleren. Op een keer heb ik een radio gestolen. Dat was het grootste waarmee ik niet ben betrapt.'

Het zonlicht blikkerde op ons neer en de mensen werden onrustig. Ze vroegen zich natuurlijk af waarom ik erover begon. En waarom nu? Maar ik zag ma vanachter haar donkere zonnebril naar me kijken; ze knikte kort, wat ik opvatte als een teken om door te gaan.

'Ook schreef ik brieven aan mensen die nooit terugschreven. Filmsterren. Eén filmster, eigenlijk. Winona Ryder. Ik geloof niet dat ze vandaag gekomen is. Winona? Sta je ergens?'

Ik zweeg even en keek onderzoekend rond alsof ik echt hoopte dat ik Winona onder het publiek zou zien. Dat was mijn idee van een grap. Ik had eens gelezen in een boek van nana Hertle, over spreken in het openbaar, dat het goed is om er een beetje humor door te mengen, zowel verbaal als visueel, om het publiek erbij te betrekken en wakker te houden. En het werkte nog ook, want iemand schoot luid in de lach. Maar een ander siste dat hij stil moest zijn en het werd weer stil.

Waarom zei ik dit? Waarom had ik het niet over Leonard? Ik kon bijna de tekstballonnen als in een stripverhaal boven de hoofden van de aanwezigen zien hangen, met vragen als: wat bezielt haar? Wat bedoelt ze? Waarom praat ze niet over Leonard?

'Van Leonard heb ik iets anders geleerd... ik bedoel, dat het ook anders kan. Ik steel niet meer. Ik schrijf niet meer aan mensen die niet terugschrijven. Dat kwam door Leonard. Dat heeft hij gefikst. Want het was niets voor Leonard om zich vast te klampen aan onzinnige waanideeën. Begrijp je wat ik bedoel? Ik bedoel dat ik nooit iemand heb gekend die zoveel van mensen hield als hij. Iedereen was belangrijk voor hem, echt iedereen, en hij deed niet alsof. Ik vond dat altijd maar gek, want als iemand een reden had om zich tegen andere mensen te keren was het Leonard wel. We kennen allemaal zijn geschiedenis. Maar God weet dat hij meer en vaker lol had dan de meeste mensen. Ik bedoel, tot zijn einde.

Kijk, ik beweer dus niet dat Leonard een soort heilige was. Vraag het aan de mensen bij wie hij in huis woonde en we kunnen je vertellen dat hij een ongelooflijke etterbak kon zijn. Sorry, pastoor Jimbo. Maar ik weet niet, ik wil eigenlijk alleen zeggen dat Leonards leven belangrijk is geweest. Voor mij. Ik denk voor ons allemaal. Heel belangrijk. Hij was er echt voor ons. Hij was er voor de volle honderd procent. En nu is hij er niet meer.'

Daarna bleef het heel stil. In de verte achter de heuvels was het suizen en dreunen van het verkeer op de snelweg, om ons eraan te herinneren dat het leven elders gewoon doorging. Maar wij waren hier, als groep bijeengekomen op een hete ochtend in juli om te rouwen om de dood van een vriend. En even waren we er voor de volle honderd procent. Niemand dacht aan wat er nog komen ging, niemand hoopte op meer. Voor iedereen bij Leonards graf was er alleen dit, en dit was het enige.

Net toen ik dacht dat het publiek niet langer bestand was tegen de hitte en de stilte gebeurde er iets wonderlijks. Vijf monarchvlinders, groter dan ik ooit had gezien, doken op. Ze kwamen als bij toverslag uit de stille, blauwe ochtendlucht tevoorschijn. Ze fladderden vlak boven ons hoofd, in kleurflitsen van zwart, oranje en goud, en ze dartelden in de lucht in patronen die een geheime code van pure verrukking leken te vormen. Het was een sprookje dat niemand ontging. Er stegen spontane oh's en ah's van bewondering op. Mevrouw Pissaro lachte met hoog gegiechel toen een vlinder plotseling haar kant uit schoot en verstrikt dreigde te raken in haar opgekamde haar. Later zouden enkele aanwezigen met een broodje ham in de ene hand en een glas in de andere bij de buffettafel staan en het afdoen als toeval, een incident op het juiste moment waaraan wij in ons verdriet te veel betekenis hechtten. Maar ik wilde wanhopig graag geloven dat Leonard een teken had gegeven dat hij niet voorgoed bij ons weg was.

Na het voorval met de vlinders liepen we de heuvel af naar de parkeerplaats. Sommige mensen bleven even staan om te vragen of ze iets mee konden nemen naar de receptie; anderen complimenteerden me met mijn toespraak, of met mijn donkerblauwe omslagrok, of met mijn haar (dat ik even donkerblauw had geverfd als mijn rok). Maar over het algemeen schuifelden we in stilte naar ons leven terug, hielden we ons aan een onofficiële regel van de begraafplaatsetiquette die de doden zelf niet van ons vragen.

'Pst!' zei ze toen ze me op de parkeerplaats inhaalde. 'Ken je me nog?' Ik keerde me om en zag de kleine, ademloze gestalte van Peggy Brinkerhoff, die een zonneklep had opgezet ter bescherming van haar verhitte gezicht. Toen ze de veel te grote klep omhoogzette en lachte, deed ik alsof ik haar nu pas herkende.

'O. Ja. Peggy. Toch?'

Ze glimlachte flauwtjes naar me, bleef stokstijf staan en keek om zich heen alsof ze bang was dat we bespioneerd werden. Ze stak een vinger op en kromde hem als een uitnodiging om dichterbij te komen.

'Je hebt je haar geverfd,' fluisterde ze, alsof we al de samenzweerders waren die we later zouden worden.

'Ach ja,' zei ik, en ik trok aan het donkerblauwe stro dat nu mijn haar was. 'Magenta is uit. Dit is in.'

'Staat je goed,' zei ze.

'Komt u nog even mee naar huis? We doen niks bijzonders, maar nou ja, u bent welkom.'

'Nee, maar toch bedankt,' zei ze. 'Zeg, ik moet met je praten. Het is belangrijk.'

Ik was niet gewend aan donker haar; met die brandende zon op mijn kruin vloog ik bijna in de fik. Ik liep door, wilde bij de auto zijn voor ik als een gesmolten plasje op het asfalt zou liggen. Peggy liep mee; ze praatte door, maar nu dringender en zachter.

'Ze hebben mijn steiger gebruikt als een soort basis voor het onderzoek. Daar hebben ze Leonards lichaam heen gebracht. Ik heb er niet meer dan een minuut of twee van gezien. Het was dan wel mijn achtertuin, maar ze wilden niet dat ik me er als een soort oude Miss Marple mee bemoeide, dus bleef ik erbuiten en liet ze hun gang gaan. Maar ik ben wel heel zeker van wat ik heb gezien.'

Ze zweeg even, wachtte of ik haar zou aanmoedigen. Ik moest waarschijnlijk: 'O ja?' zeggen, of: 'En wat zag je dan?' Maar ik speelde het spelletje niet mee. In plaats daarvan hield ik mijn mond en liep door zonder naar haar te kijken. Er zat een baksteen in mijn maag. Ik wilde de gruwelijke details niet horen. Ik bleef staan en keerde me naar haar toe. Ik staarde naar het bolletje haar dat boven uit de zonneklep stak, grijs en glad als neergedaald stof.

'Het komt nu niet goed uit,' zei ik.

Mijn moeder en Deirdre stonden bij de auto te wachten, en mijn moeder riep me dwars over de parkeerplaats: 'Phoebe! Kom je nog?'

Ik zwaaide, keek naar Peggy en haalde hulpeloos mijn schouders op.

'Ik moet weg.'

'Kom morgen bij mij thuis,' zei Peggy, die mijn arm greep en er nadrukkelijk in kneep. 'Zeg dat je komt.'

Ik knikte, al wist ik dat moment alleen zeker dat ik van haar greep bevrijd wilde zijn. Het was een prachtige dag. Ik wilde weer bij de vlinders zijn.

Toen ik op de achterbank van de auto gleed, zat onze oude buurvrouw, mevrouw Kurtz, naast me. In tegenstelling tot bijna al ma's klanten droeg mevrouw K. geen mooie zwarte jurk. In plaats daarvan had ze een zwart-blauw gebloemde ochtendjas aan die om haar middel zat dichtgesnoerd met een brede ceintuur van wit lakleer. Ze droeg witte tennisschoenen waar gaten uit waren geknipt om haar pijnlijke likdoorns de ruimte te geven. In plaats van de lap die ze meestal bij zich had om haar zweet af te vegen, had ze nu een grote mannenzakdoek in haar hand. Ze zag er klein, broos en volkomen afgemat van de hitte uit. Blijkbaar reed ze met ons mee terug naar de salon, waar ze zich te goed kon doen aan broodjes en haar zakken volstoppen met bitterkoekjes. Naderhand zou ze de zachte koekkruimels aan haar valse, tandeloze chihuahua genaamd Joey voeren en hem vertellen wat hij allemaal had gemist.

'Je hebt prachtig gesproken,' zei ze en ze raakte me zacht aan. Het leek alsof iedereen behoefte had een ander aan te raken. Een omhelzing, een kus, een klopje op je rug of je arm, een handpalm tegen een gezicht, een kneepje in je hand, woordeloze gebaren waarmee we nog de warmte en spontaniteit konden terughalen die Leonard zo eigen waren geweest.

Ik kon niet naar haar kijken. Nog niet. Ik staarde uit het raam naar de langsglijdende winkels en snackbars. Ik zou absoluut mijn besluit laten varen als ik naar haar keek, met dat zwartgeverfde haar dat plat tegen de zijkant van haar hoofd plakte, de straaltjes zweet die van haar slapen gutsten, haar doffe oogjes die zich inspanden me te zien door haar dikke brillenglazen. Ik verdomde het om vrijdag naar haar huis te gaan en in die muffe, benauwde voorkamer van haar te zitten met een amechtig grommende Joey om mijn voeten. Ik had echt niet de moed om haar voor te lezen, zoals Leonard had gedaan, uit een boek over een jongen die als wees alleen op de wereld is en uiteindelijk toch gelukkig wordt.

'Zeg,' zei ik, en ik keek strak naar het voorbijglijdende landschap, 'bij welk hoofdstuk waren Leonard en u eigenlijk in *Grote verwachtingen*?'

'Dat weet ik niet meer,' zei mevrouw Kurtz bijna klaaglijk. 'Maar ik weet nog wel dat het net mooi begon te worden.'

# 15

Oom Mike sliep als een blok op de bank in onze woonkamer; hij lag erbij als een dode, en ik stond over hem heen gebogen. Ik trok mijn RED DE WALVIS-T-shirt strak om mijn dijen zodat hij niet wakker zou worden met uitzicht op mijn slipje. Hij mocht dan familie zijn, maar hij bleef een man.

'Oom Mike?' fluisterde ik dringend.

Er kwam geen reactie. Ik probeerde het nog eens, met een rukje aan het gebloemde laken dat om zijn benen zat gewikkeld. Toen ook dat mislukte, probeerde ik het beproefde eentweetje – een snelle por in zijn zij en hard gehoest in zijn rechteroor. Dat hielp. Hij dacht zeker dat ik een dagloner van de ranch was die er midden in de Mexicaanse nacht met zijn portemonnee vandoor wilde gaan, want hij schoot als een kanonskogel van de bank en brulde: 'Paco! Wat heb ik nou gezegd! Sodemieter op!'

Natuurlijk schreeuwde ik het uit.

Voor ik wist wat er gebeurde stond ook ma in de kamer. Ze kwam linea recta uit de salon rennen met in de ene hand een grote kam en in de andere een bus schuim voor extra volume. Wat ze zag kwam vast niet goed bij haar over. Oom Mike, in niets anders dan een boxershort, kneep hard in het zachte, vlezige deel van mijn bovenarm en zijn ogen rolden verwilderd in hun kassen.

'Wat moet dat in godsnaam?'

'Ik heb hem wakker gemaakt,' zei ik in een poging de situatie uit te leggen. 'Hij schrok van me. Het is niet wat je denkt.'

Ma stond ons een seconde of dertig aan te kijken alsof wij een moeilijke optelsom waren die ze deze keer absoluut goed moest uitrekenen. Ze had de uitkomst al eens eerder fout gehad, en ze wilde geen risico lopen dat het haar een tweede keer gebeurde. Toen ze tot de conclusie kwam dat de som op nul uitkwam, zei ze dat ik naar boven moest gaan en me aankleden, met een klank in haar stem alsof de hele heisa mijn schuld was.

'Hij had allang wakker moeten zijn,' verdedigde ik me nog zwak. 'Het is al laat.'

Naderhand maakte ik een warm ontbijt voor oom Mike. Het was gewoon een wafel uit de diepvries en een beker koffie die ik had opgewarmd in de magnetron, maar zo te zien vond hij het best lekker.

'Ik wil nog wel een keer zeggen dat het me spijt,' zei ik terwijl ik hem een papieren servet gaf en naar het straaltje schenkstroop op zijn kin wees.

Eindelijk draaide hij bij en hij lachte.

'Tja, nou ja, het was een schokkend ontwaken.'

'Ha ha,' zei ik, want ik herkende dat antwoord als een van oom Mikes flauwe pogingen grappig te zijn. Ik bood hem nog een wafel aan.

'Neu,' zei hij. 'Het is wel goed zo.'

Onderweg naar het Sharkmeer in zijn gehuurde blauwe Malibu legde ik hem het doel van mijn missie uit. Ik zei dat ik een permanent moest inzetten bij een vrouw. Ze heette Peggy Brinkerhoff, zei ik, en omdat ze een zielige, aan bed gekluisterde invalide was voor wie een tocht naar de salon te pijnlijk was om zelfs maar aan te denken, moest ik met enige regelmaat bij haar thuis haar haar doen. Maar we stonden nog niet voor haar huis of we zagen Peggy in de tuin bezig, zo fit als maar kon voor iemand van haar leeftijd. Hoe moest ik haar wonderbaarlijke genezing verklaren? Voor ik een oplossing kon bedenken, had ze ons al gezien en trok ze een monter sprintje naar de auto.

'Hé, je bent echt gekomen,' zei ze tegen me. Toen boog ze zich naar het raampje om oom Mike beter te kunnen zien.

'Hoi,' zei ze, deze keer tegen hem. 'Ik ben Peggy Brinkerhoff. Ik wil je wel een hand geven, maar je ziet dat ik onder de modder zit.' En ze lachte er meisjesachtig bij.

'Dit is mijn oom,' zei ik tegen haar. 'Ik moet hem nog even spreken, goed?'

En dat 'even' was precies wat ik nodig had om een verhaal te verzinnen over Peggy die een moeder had die ook Peggy heette, en dat Peggy Senior degene was die een permanent kreeg, niet Peggy Junior, die de Peggy was die we net hadden gezien. Vervolgens bezwoer ik oom Mike dat zien hoe een permanent wordt ingezet ongeveer even boeiend was als zien hoe iemand een gazon aanharkt, nog minder zelfs. Hij kon beter een paar honderd rondjes door de omgeving rijden, of misschien nog beter: bij het meer op me wachten.

'Het was hier, hè? Hier is Leonard... hier is hij doodgegaan.'

'Ja,' zei ik. 'Red je het wel?'

We zaten samen naar het roerloze, blauwe meer te kijken; het lag erbij alsof een groot deel van de hemel op een hete dag in augustus omlaag was gestort en plat op de aarde in het niets was neergekomen. De bomen om het meer stonden scheef naar het water; de takken, zwaar van zomerpracht, hingen omlaag en raakten bijna het water.

'Ja, nee, jawel hoor. Ik bedoel, ik werk aan een nieuw liedje... ja, het is wel goed zo.'

Mijn moeder vond oom Mike een hopeloos geval. Jarenlang had ze tss-geluidjes gemaakt over zijn haar, kleren, keuze van vriendinnen, en vooral zijn royaal gebruik van marihuana. Ze beklaagde zich tegen iedereen die het maar horen wilde, omdat ze er zeker van was dat het zonder de wiet heel anders was gelopen voor Mike en hij een groot succes van zijn leven had kunnen maken. Op school was hij een ster geweest als quarterback, hij had meerdere aanbiedingen gekregen om op beroemde universiteiten verder te studeren, de meisjes belden hem op alle uren van de dag en de nacht. Maar toen hij van school kwam, besloot Mike alles op te geven voor een reeks minderwaardige baantjes in discountzaken, zodat hij zijn droom kon volgen om even groot te worden als Bruce Springsteen. Hij leerde zichzelf gitaar spelen, hij had het erover dat hij een band wilde vormen, en zelfs nadat hij naar Phoenix was verhuisd, werk vond en Leonards moeder leerde kennen, bleef hij nog doorgaan met high worden en songs schrijven die geen mens ooit zou horen.

'Het is nog niet af,' zei hij altijd als een van ons vroeg of hij zijn nieuwste wilde spelen.

Terwijl hij naar het meer kuierde en een halfbakken deuntje neuriede, bedacht ik dat je dat ook van oom Mike zelf kon zeggen – hij was nog niet af. Maar zoals hij ons zelf altijd voorhield: het was wel goed zo.

'Ik had echt niet gedacht dat je zou komen,' zei Peggy, die me naar haar knusse kleine eethoek leidde.

Ik geloof niet dat het mijn bedoeling was om naar Peggy toe te gaan toen ik die ochtend wakker werd. Maar toen ik in bed lag na te denken, wist ik opeens dat ik ondanks mijn weerzin en de talloze smoesjes die ik voor mezelf had bedacht nog diezelfde dag bij haar terecht zou komen, om de doodeenvoudige reden dat ik nieuwsgierig was.

Haar huis was net zo schoon en keurig als ik me herinnerde. De portretfoto's van haar familieleden stonden in het gelid op de schoorsteenmantel, de porseleinen herderinnetjes waren netjes door de hele kamer gerangschikt, het meubilair stond erbij als op een foto in een wooncatalogus. Ik was opgegroeid in een huis waar we altijd moesten opboksen tegen een opkomende vloed van rommel en stof, haarspelden, haarnetjes, krulspelden en zoekgeraakt huiswerk. Mijn haren gingen rechtovereind staan in een huis als dat van Peggy. Ik was domweg niet gewend aan zoveel orde. In een huis als dat van Peggy, waar alles een vaste plaats had waar nooit van afgeweken werd, had ik het gevoel dat er op elk moment van alles mis kon gaan.

Het zonlicht weerkaatste van het meer naar het huis; de zon zette de eethoek in een zilveren glans en speelde over de namaak-Tiffanylamp die boven tafel hing. Op de muur spiegelden heel kleine vierkante kleurpatroontjes, en als ik op de goede plek ging staan kon ik ze over mijn gezicht en handen laten spelen.

'Ik zei toch dat ik zou komen.'

'Jawel,' zei ze en ze gaf haar bril een duwtje zodat ze het opschrift op mijn T-shirt kon lezen. 'Walvissen. Mooi. Hoe is het met je vriendje? Travis, toch? Hij is niet meegekomen.'

'Nee. Hij... heeft andere dingen te doen. Tenminste, dat denk ik. Ik heb hem de laatste tijd amper gezien.'

'Er gebeurt ook zoveel. Voor jou, bedoel ik, de laatste week. Kun je het allemaal een beetje aan?'

Ik wilde niet dat ze me zou aanzien voor zo'n meisje dat gedumpt werd door leuke jongens met auto's en het vervolgens niet meer kan schelen wat ze aanheeft als ze bij vreemden op bezoek gaat, zodat ik zei dat het goed met me ging. En ik voegde eraan toe dat ik het heel druk had.

'O ja?' zei ze, terwijl ze me fronsend aankeek. 'Waarmee?'

'Ach, gewoon. Van alles.'

Dat vond ze blijkbaar geen bevredigend antwoord, want ze bleef me eindeloos staan aanstaren.

'Eigenlijk,' zei ik ten slotte, 'denk ik erover te gaan schrijven. Over Leonard, weet je. Maar...'

'Goed zo! Goed zo! Doe dat. Ik wou dat ik kon schrijven. Maar ik kan het niet. Met de beste wil van de wereld niet.'

En met die woorden verdween ze naar de keuken en grabbelde in iets wat eruitzag als een grote la met rommel.

'Ga je een misdaadroman schrijven?' vroeg ze vanuit de keukenhoek, duidelijk in de hoop dat ik ja zou zeggen.

'Nee.'

'Een detective?'

'Nee.'

'Een thriller?'

'Nee.'

'Wat dan wel?'

'Ik weet niet. Ik ben niet zo dol op dat soort boeken,' verklaarde ik me nader. 'Ik vind het een soort zwendel.'

Toen ze terugkwam naar de eethoek, had ze een stuk touw

bij zich en een ijzeren ringetje van vijftien centimeter doorsnee.

'Zwendel?'

Op tafel lag een plastic zeil, met een bovenkant vol pastelkleurige plaatjes van ouderwets keukengerei en een onderkant van vilt. Ze verplaatste een keurig stapeltje uitgeknipte krantenberichten en legde het touw en de ijzeren ring midden op tafel.

'Ja,' zei ik. 'Ik vind het een goedkope manier om mensen aan het lezen te krijgen, want eigenlijk moeten ze lezen uit liefde voor de woorden, de ideeën. Maar dat kan aan mij liggen. Ik bedoel, waarom moet het altijd een probleem zijn of iets wat moet worden opgelost?'

'Dat weet ik niet,' zei ze. 'Ik hou gewoon van zulke boeken. Hier. Ga zitten.'

Met een tuinschaar knipte ze het touw in gelijke stukken van ongeveer een meter. Ik kreeg het gevoel dat ze voorbereidingen trof om een goocheltruc te doen – of een moord te plegen.

'Waar bent u eigenlijk mee bezig?' vroeg ik, terwijl ik zenuwachtig de ijzeren ring oppakte. Ze pakte me de ring weer af en legde hem terug op tafel, deze keer dichter bij haar. Toen ging ze verder met knippen tot ze drie stukken touw had. Ze legde ze zorgvuldig naast elkaar. Ze telde de touwen om er zeker van te zijn dat ze het juiste aantal had voor haar demonstratie.

'Een. Twee. Drie. Oké,' zei ze en ze legde haar handen plat over de touwen. 'Ik ben klaar. Nou, hier wilde ik het met je over hebben. Het is een beetje ingewikkeld en het heeft gevolgen. Maar we moeten toch ergens beginnen.'

Met haar wijsvinger duwde ze haar bril op het puntje van

haar kleine neus en toen pakte ze de ring en een stuk touw op. Ze haalde het uiteinde van het touw door de ring, sloeg het nog een keer om en maakte een lus. Dit herhaalde ze nog twee keer, zodat ze drie ongeveer even grote lussen had. Ze hield de drie lussen tegen elkaar met haar linkerhand, draaide daarna met haar rechterhand het resterende eindje touw drie keer om de lussen. Ten slotte trok ze aan beide uiteinden van het touw, waarna de hele boel zichzelf als bij toverslag tot een mooie, strakke knoop trok. Het was een prachttruc, die nog verbluffender werd door het feit dat ze intussen aan één stuk door praatte.

'Mijn man was dol op vissen. Hij deed niets liever dan vissen. Zat altijd op het meer. Maar het allerliefst viste hij op zee. Ik liep er eerst niet warm voor, hoor. Toch ben ik het ook gaan doen, want dan waren we vaker bij elkaar. Enfin, ik heb de kneepjes van het vak geleerd. En knopen leggen stond bovenaan op het lijstje.'

Terwijl ze me de eerste truc liet zien van wat naar mijn gevoel een hele serie zou worden, ging de bel.

'Ik ga wel!' zei ik en in mijn haast gooide ik bijna de stoel om toen ik opsprong en naar de voordeur holde. 'Dat zal mijn oom wel zijn, die komt kijken of ik klaar ben.'

Toen ik de deur opendeed stond Chuck voor mijn neus, in gewone burgerkleding – een blauw hemd met korte mouwen, een beige broek en hoge schoenen. Maar omdat hij zijn blauwe map onder de arm had, wist ik dat hij hier niet in zijn vrije tijd stond; hij kwam voor zijn werk. We zaten definitief in Fase 2.

'Phoebe?' vroeg hij aarzelend, om te weten of ik het echt was. Misschien dacht hij dat aan deze kant van de stad een meisje woonde dat sprekend op Phoebe Hertle leek, afgezien van het haar, dat nu donkerblauw was. In ieder geval was hij echt verbaasd en van zijn stuk gebracht.

'Wacht. Wat doe jij hier?' vroeg ik.

'Ik ben gebeld,' zei hij en hij tuurde langs me heen de koelte van het huis in. 'Ik ben gebeld door de vrouw die hier woont. Mevrouw Brinkerhoff. Wat doe jij hier?'

Peggy was inmiddels naar de voordeur gekomen en trok Chuck al naar binnen. Nadat ze hem bedankt had voor zijn komst, deelde ze mee dat hij Peggy moest zeggen, bood hem koffie aan (hij bedankte) en wilde verdergaan met haar leerzame demonstratie.

'Ik heb daar bij de steiger iets gezien op de dag dat... je weet wel. Die dag. Ik weet wel zeker dat ik het bij het rechte eind heb. Het kwam door het touw. Het zat op zo'n manier aan het anker vast, dat... nou ja, laten we maar zeggen dat ik het een en ander weet van vissers. Alleen een visser kan deze knoop leggen.'

Ze hield de mooie, strakke knoop omhoog die ze zojuist voor me had gelegd en gaf hem aan Chuck. Hij bekeek hem aandachtig en draaide hem om en om. Het was vakwerk, en Peggy was duidelijk een kenner.

'Dat is de Jansikknoop. Hij kan niet losglijden. Het is een goede manier om je haak muurvast aan een lijn te krijgen. En ik zal je wel vertellen dat je een verdomd goeie visser moet zijn om in het donker zo'n knoop te leggen. En dan nog wat. Daar ben ik minder zeker van, en daarom heb ik je om die foto's gevraagd, Chuck. Mag ik Chuck zeggen? Degene die de knoop heeft gelegd, was volgens mij linkshandig.'

Chuck sloeg zijn blauwe map open en haalde er een bruine envelop van karton uit. We keken hoe hij de flap losmaakte en er zwart-witfoto's van 20 bij 15 centimeter uit schoof. Het waren close-ups van de knoop waarmee het touw om Leonards lichaam was vastgebonden en de knoop waarmee het touw aan het anker was bevestigd. Hij spreidde de foto's naast Peggy's touwen op tafel uit. Peggy gaf haar bril een zetje en boog zich over de foto's.

'Ja, hoor,' zei ze met een knikje, wijzend op één foto in het bijzonder, die van de knoop aan het ankertouw. Zelfs ik kon zien dat de knoop omgekeerd was gelegd.

Toen pakte ze een andere foto om beter te bekijken.

'Aha. Dat is gek.'

'Wat?' vroeg Chuck. Hij leunde inmiddels voorover en ging er helemaal in op, want onze Peggy had al ruim haar nut bewezen als betrouwbare deskundige in de zaak.

'Kijk,' zei ze en ze hield de foto omhoog zodat wij hem ook konden zien. 'Met deze knoop zijn de twee uiteinden van het touw om het middel van de jongen vastgebonden. Een doodgewone overhandse knoop. Klunzig. Zo'n beetje iedereen op de wereld legt op die manier een knoop. En stevig is-ie ook niet.'

Ze greep de twee stukken touw die nog op tafel lagen en bond ze aan elkaar. Haar knoop was beter dan die op de foto, maar haar bedoeling was duidelijk. Dit was een knoop van iemand die er geen verstand van had, iemand anders dan degene die de Jansik had gelegd.

We keken alle drie op en wachtten tot een ander het zei.

'Er waren dus minstens twee daders.'

Chuck had het hoge woord eruit gekregen.

Peggy keek hem aan over de rand van haar bril en knikte. 'Ja. Dat zou je wel denken.'

Op hetzelfde moment hoorden we een plons in het meer.

We keken door het panoramaraam en zagen iemand wegzwemmen.

'Dat is mijn oom Mike,' zei ik. 'Even kijken of alles goed is.'

Ik ging de achterdeur uit en de tuin in. Het grasveld liep zacht glooiend omlaag naar de oever, werd gemaaid en onderhouden door een tuinman die blijkbaar van een militaristische stijl hield. De orde en regelmaat waren bijna griezelig. Midden in het gazon stond een grote plataan die veel schaduw gaf. Opzij daarvan blakerde de zon ongenadig op een plek waar jonge fruitbomen voor hun leven vochten. Maar mijn aandacht werd vooral getrokken door de netjes opgestapelde kleren op het strandje bij de waterkant – een blauw T-shirt, een korte kakibroek, een versleten paar Nikes en een boxershort.

'Tering,' zei ik hardop. 'Hij is naakt.' En ik schreeuwde: 'Oom Mike!' Maar hij zwom gewoon door. Het hoge tjirpen van de krekels was mijn enige antwoord. Of oom Mike was al te ver van de oever om me te horen, of hij was vastbesloten dat hij zich door niets en niemand liet weerhouden om verder te zwemmen.

'Is er iets?'

Chuck stond achter me en keek naar het zonovergoten meer.

'Die man is zo gek als een ui,' zei ik met een diepe zucht van ergernis. 'Waar is ie in vredesnaam mee bezig?'

'Hij komt wel terug,' zei Chuck en hij schoot in de lach. 'Misschien wil-ie even afkoelen.'

We keken hoe mijn oom door het wateroppervlak van het meer kliefde en zich op het soepele ritme van zijn sterke armen steeds verder van ons verwijderde.

'Ik heb gehoord dat hij in Mexico was toen het gebeurde.'

Ik draaide me om, keek Chuck aan, trok een wenkbrauw op en zei: 'Hij is geen verdachte die terugkeert naar de plaats van de misdaad, als je dat soms denkt. Jezus, het is niet te geloven dat ik woorden als "verdachte" en "plaats van de misdaad" in de mond neem. Ik ben toch zeker Nancy Drew niet. Hoe heeft het zover kunnen komen in mijn leven?'

Chuck stond er met zijn handen in zijn zakken bij, kneep zijn ogen dicht tegen het felle licht en ging rustig door met ademhalen. Na een poos zei hij: 'Ik weet het niet. Misschien is je leven gewoon gecompliceerder geworden. We leven nu eenmaal in een gecompliceerde wereld.'

'Nou, fijn,' zei ik, terwijl ik me weer naar het water omdraaide. En weer schreeuwde ik: 'Oom Mike!'

'Maak je geen zorgen,' mompelde Chuck alsof hij het tegen zichzelf had, 'we vinden de daders wel.'

'Waarom maak jij je er druk om?'

'Tja. Het is mijn werk,' antwoordde hij.

'Dat is geen antwoord. Ik wil het weten, omdat ik het raar vind. Werk waarin je steeds achter het kwaad aan jaagt.'

'Ik zei al, het is een gecompliceerde wereld.'

Weer keek ik hem met een opgetrokken wenkbrauw aan.

Hij keek omhoog alsof het antwoord in de koele kroon hing van de boom die boven ons uit torende. Toen haalde hij diep adem en zei: 'Tja. Vroeger dacht ik dat mensen in de kern goed waren en af en toe in de fout gingen. Maar toen heb ik iets meegemaakt. Ik was ongeveer zo oud als jij nu. Het is een lang verhaal. Laten we het er maar op houden dat ik erachter kwam dat er in iedereen wel iets slechts schuilt. Als de omstandigheden ernaar zijn, komt het op volle kracht tevoorschijn en richt het schade aan.'

'Ho even. Wil je beweren dat ieder van ons diep vanbinnen in staat zou zijn om Leonard te vermoorden? Als de omstandigheden ernaar zijn, bedoel ik?'

'Nee. Zo bedoel ik het niet. Ik wil alleen zeggen dat het met iedereen goed of slecht kan uitpakken als er geen belemmeringen bestonden. Zo gaat het in de wereld. Maar zo gaat het ook vanbinnen.' Hij wees op zichzelf, zodat er geen misverstand mogelijk was.

'Belemmeringen?'

'Ja. De samenleving, de wet, de kerk, noem maar op. Ik heb nog een tijdje overwogen geestelijke te worden, moet je weten, om het goede in de mensen aan te moedigen. Maar het was niets voor mij. Toen leek het me een goede tweede om bij de politie te gaan. Ik dacht dat ik dan in ieder geval een paar mensen kon ontmoedigen om het slechte pad te kiezen.'

'En kun je dat?'

'Geen idee,' zei hij er pal achteraan. 'Dat mag jij zeggen.'

En daar lieten we het bij.

Inmiddels was oom Mike halverwege het meer. Hij zwom niet meer, en alleen zijn hoofd dobberde boven water.

'Oom Mike!' schreeuwde ik. Deze keer draaide hij met een ruk zijn hoofd om en stak een arm op, ten teken dat hij me had gehoord.

'We moeten weg!' brulde ik nog, zodat er geen misverstand over kon bestaan.

Hij zwaaide nog een keer, snel, en begon aan de terugtocht door het water.

'Ik wacht wel in de auto,' zei ik tegen Chuck. 'Ik kan het er vandaag niet meer bij hebben dat ik ook nog eens op klaarlichte dag mijn oom in zijn blote kont zou zien. Zeg dat hij opschiet, wil je? En vertel hem niets over die knopen. Mijn moeder weet niet dat ik hier ben.'

'Best,' zei hij.

Ik liep tegen de grashelling op naar het huis, en net toen ik bij de achterdeur kwam, hoorde ik Chucks stem achter me roepen.

'Hé, Phoebe!'

Ik keerde me om en zag hem daar in zijn eentje midden op het gazon staan, op de plek waar ik hem had achtergelaten. Hij glimlachte, maar niet zijn hele gezicht deed eraan mee, en ik wist wat hij wilde zeggen voor hij het zei. En hij zei het.

'Hou je haaks, ja?'

# 16

Toen ik een jaar of negen was zei nana Hertle tegen me dat ze mij had uitgekozen.

'Waarvoor?' vroeg ik, want ik dacht dat al mijn pogingen om braaf te zijn eindelijk werden beloond en ik op het punt stond veel snoep, speelgoed of geld te krijgen. Maar nee. Ze zei dat ze andere plannen met me had. Als ze eenmaal 'aan de andere kant' was, zei ze, zou ze alles in het werk stellen om uit de dood terug te komen en me te vertellen hoe het eraan toeging in de geestenwereld.

Nana Hertle had stapels boeken gelezen over 'leven na de dood' en ging zelfs zo ver dat ze tijdens haar leven een aantal seances bezocht. Maar al deed ze nog zo haar best, ze geloofde nooit helemaal dat er contact was gelegd met de andere kant. Ze zei dat ze er nooit echt zeker van was of het haar jeugdvriendin Agnes Hrabel was die een lome groet uitspelde op een ouijabord of een manifestatie van haar eigen hoopvolle verlangen. Maar in plaats van te concluderen dat de hele onderneming bizar was, meende ze dat de doden met wie ze in contact probeerde te komen niet de juiste mentaliteit hadden of domweg niet wisten hoe ze er een groot succes van moesten maken.

'De condities moeten aan beide zijden precies goed zijn,' legde ze me ooit uit. 'Het heeft wel iets van waterskiën.'

Het was een warme middag in juni en we wandelden over het plankenpad in Asbury Park. Aan de horizon pakten zich donkere wolken samen; ze dreven naar de kust en brachten een gordijn van regen met zich mee. Niemand leek ermee te zitten. Nog niet.

'Iedereen die weleens heeft gewaterskied, weet...' Ze zweeg, draaide zich naar me toe en richtte haar donkergrijze ogen met haar scherpe vogelblik op me. 'Heb jij weleens gewaterskied?' vroeg ze.

'Nee,' zei ik. 'Jij wel?'

'Ja, hoor. Miljoenen keren,' antwoordde ze. Toen keek ze weer voor zich, negeerde de eerste regendruppels die vlekken maakten op het rottende plankenpad onder onze voeten en ging verder. 'Waterskiën is een enorme krachtsinspanning. Zowel geestelijk als lichamelijk. Maar als je het eenmaal onder de knie hebt, vraag je je af waarom niet meer mensen op latten gaan staan en zich met tachtig kilometer per uur over het water laten trekken. Het is een ongelooflijke kick.'

Ze keek uit over zee en vernauwde haar ogen alsof ze in de verte daadwerkelijk een waterskiënde versie van haar vroegere zelf voorbij zag zoeven. Nana Hertle was een mooie vrouw geweest. Nu ze ouder was, droeg ze het liefst makkelijke kleren, broeken en T-shirts met een kleurige trui die, net als zij, een beetje versleten was van ouderdom. Ze had een gave huid die korrelachtig glad was. Ze had een klein, alwetend lachje en haar neus was even scherp als haar verstand. Soms probeerde ik onbevooroordeeld naar haar te kijken, als naar een vrouw die ik niet kende en van wie ik niet hield, en dan zag ik een oude vrouw die zich door niemand liet inpakken.

'Niet iedereen is er geschikt voor,' voegde ze er weemoedig aan toe. 'Maar ja, dat geldt voor het hele leven. Kun jij het aan?'

'Waterskiën?' vroeg ik.

'Nee,' schamperde ze. 'Dat je mijn contact wordt als ik eenmaal aan gene zijde ben. Kun je dat wel aan?'

Eerder die maand had ma tegen Deirdre en mij gezegd dat we op haar kamer op bed moesten gaan zitten. Ze had ons uitgelegd dat nana Hertle de diagnose kanker had gekregen. Het zat in haar darmen en was al uitgezaaid naar haar lever, een indicatie dat er bijna geen kans op genezing was. Ma zei dat nana, na het inwinnen van veel informatie, meerdere second opinions en diep nadenken, het besluit had genomen om niet aan welke medische behandelingen ook te beginnen. Ze zei dat zoiets niets voor haar was en beweerde dat bestraling gevolgd door agressieve chemotherapie een soort gaten in je aura maakte. Omdat ze niet wilde dat haar spirituele lichaam eruit kwam te zien als gebleekt ondergoed met de structuur van Zwitserse gatenkaas koos ze ervoor de hele procedure te laten zitten. Ze vertrouwde liever op de diepere krachten en kennis van haar eigen fysiek, behandelde zichzelf met kruiden en aansterkende middelen en reserveerde een bed in een verpleeghuis voor wanneer het haar tijd werd. Ze was er klaar voor, zei ze tegen ons.

Deirdre en ik huilden onze ogen uit het hoofd tot er een grote vlek van tranen in ma's sprei zat. Toen ik eindelijk was uitgehuild, stond ik op van het bed en het leven ging weer bijna net als anders zijn gangetje. Maar op een dag belde ik zomaar spontaan nana's nummer. Ze nam op, even vrolijk en pittig als altijd, en ik hoorde mezelf zeggen dat ze meteen moest komen en een ijsje met me moest gaan eten.

'Nu?' vroeg ze.

'Ja,' antwoordde ik een beetje te sarcastisch. 'Ik ben er klaar voor.'

Dat was op de dag waarop zij en ik samen over het plankenpad liepen; het was echt weer iets voor mij om allang niet meer te weten wat ik allemaal had willen zeggen. Ik deed mijn best haar geur in mijn geheugen te prenten, de klank van haar stem. Ik dacht niet eens meer aan het ijsje; ik had het veel te druk met mezelf te wapenen tegen het idee dat ze niet meer bij ons zou zijn. Ik vond dat ze er gezond uitzag. Een beetje bleek, een beetje mager, maar gezond. Ik wilde niet dat ze doodging. Nooit. Maar als ze al doodging (een gebeurtenis die, zoals ze zei, voor het einde van het jaar zou plaatsvinden) dan wilde ik doen wat ik kon om haar vast te houden, zelfs als dat inhield dat ik mezelf moest aanleren idiote dingen te doen als leren waterskiën.

'Ik meen het echt,' zei ik tegen haar. 'Wat moet ik doen?'

Ze gaf me een snelcursus contactleggen met de doden. Ik moest een kaars aansteken, leren omgaan met een ouijabord en de fijne kneepjes van het automatisch schrijven beheersen. Ze gaf me een knalroze kaartje met de naam en het telefoonnummer van Madame Sandy. Madame Sandy was aangewezen als medium en was het meest geschikt om mij in contact te brengen met nana als ze 'aan de andere kant' was.

'Ze zit helemaal op onze golflengte,' zei nana erbij. 'Pas wel op dat ze je niet voor de sessies laat betalen. Ik heb vooruit betaald, en dat weet ze donders goed. Als ze moeilijk doet, zeg je maar dat ik zal terugkomen om haar de doodsschrik op het lijf te jagen en ervoor te zorgen dat ze van haar leven geen omgang meer met geesten krijgt.'

Nadat nana naar de andere kant was vertrokken, probeerde ik alles uit. Ik werd zelfs een regelmatige bezoekster van Madame Sandy's salon in Bradley Beach, waar ik urenlang in een schemerig vertrek zogenaamd met de doden praatte via een gids in de geestenwereld die Morris heette. Ik vermaakte me kostelijk en Sandy zelf was een giller. Ze leerde me canasta spelen, maakte broodjes met sardines voor me en liet me binnenshuis sigaretten roken, maar jammer genoeg moet ik bekennen dat ik al die tijd nog niet de kleinste hint opving van nana Hertle aan gene zijde. Wel kan ik melden dat ik na een jaar zonder mijn oma de ervaring had dat het gemis even groot en echt voor me werd als haar daadwerkelijke aanwezigheid. Eerlijk gezegd ging ik geloven dat ze op die manier bij me was teruggekomen – door middel van de kracht van mijn eigen verlangen haar terug te zien.

Vooral wanneer ik in de kelder bij haar spullen zat, had ik sterk het gevoel dat ze bij me was. Toen Leonard eenmaal in de kelder woonde, wachtte ik soms tot hij het huis uit was om weer bij haar dozen te kunnen zitten, een vage vleug van haar parfum op te vangen en behaaglijk tegen het gewicht van haar oude leven aan te leunen. En dat deed ik ook na mijn gesprek met Peggy en Chuck – ik ging naar huis, gooide in de keuken mijn tas neer, liep op mijn tenen naar de kelder en ging bij oma's dozen zitten. Maar nu bleef het er niet bij dat ik contact voelde met haar geest, nu begon ik als een dolle in de dozen te zoeken naar ik-weet-niet-wat.

Als ik een roman had geschreven waarin het bovennatuurlijke een rol speelde, zou dit het goede moment zijn geweest voor een geestverschijning van mijn oma. Dan had ze er min of meer uitgezien zoals ik me haar herinnerde – in spijkerbroek, op gympen, met een gehaakt vest en een T-shirt aan. Haar haar zou minder grijs zijn, maar wel even lelijk gepermanent als vroeger. Waarschijnlijk keek ze blijer, ging ze niet meer gebukt onder de lasten van de levenden, en kon ze me vertellen hoe het daar aan de andere kant was. Misschien zou ze zelfs Jezus, Dr. Phil of Neil Diamond citeren. En dan, met enig tromgeroffel, voerde ze Leonard ten tonele. Ze zou hem trots naar voren halen als het knapste jongetje van de klas en erbij zeggen dat zelfs de dood overwonnen kan worden als we ons verstand en ons hart gebruiken. En dan zou Leonard me een aanwijzing geven die me op het spoor bracht van zijn moordenaars.

Stel je eens voor hoe ik op een zondag in augustus laat in de middag op een blauwe, ijzeren kruk in de kelder zat en een boek van mijn oma doorbladerde, een rode pocket met de titel *De magie van geloven* door Claude M. Bristol, om de gruwelijke foto's van Leonards gebonden en gezwollen enkels en zijn verwrongen blauwe polsen te kunnen vergeten. Afgaand op de flaptekst van *De magie van geloven* (zoals mijn oma moet hebben gedaan) zou je tot de conclusie komen dat er sterke krachten in je geest liggen besloten die je verlangens in werkelijkheid kunnen omzetten. En als je toevallig pagina 68 las, zou je ontdekken (zoals ik deed) dat een van Claude M. Bristols nuttige suggesties over dat gedoe van het ontsluiten van je geest gemakkelijk bewezen kan worden, ook als je zulke zaken met een korrel zout neemt.

*Dit eenvoudige experiment toont de opvallende kracht aan van verwezenlijking door middel van visualisering, ofwel hoe het men-*

*tale beeld werkelijkheid kan worden. Zoek een paar kleine stenen of kiezels waarmee je goed kunt gooien en neem als doel een boom of paal met een omtrek van ongeveer vijftien centimeter. Ga op een afstand van acht tot tien meter staan, of verder weg als je wilt, en probeer raak te gooien. Een gewoon mens gooit geheid mis. Pauzeer dan en hou jezelf voor dat je je doel gaat raken. Maak een mentale voorstelling van de boom die figuurlijk naar je steen toe komt, of van de steen die de boom raakt op precies de plek die jij wilt, en je zult algauw merken dat je recht in de roos gooit. Zeg niet dat het onmogelijk is. Probeer het en bewijs dat het kan – zolang je er maar in gelooft.*

Toen ik later die avond in bed lag en niet kon slapen, dacht ik na over die ene zin: *Probeer het en bewijs dat het kan.*

Ik stond op, schoot een paarse short en een zwart topje aan en bond mijn witte windjack om mijn middel. Ik sloop op mijn teenslippers de met tapijt beklede trap af en glipte toen de achterdeur uit en de nacht in.

Alles zag er even onbekend uit toen ik door de duistere buurt liep. Zonder mensen, huisdieren en het vertrouwde daglicht, zonder alle kleine dagelijkse afleidingen van de buurt die ik als eigen was gaan zien, leek elk huis langs de straat opeens onwerkelijk en verlaten. Zelfs mijn eigen huis zag er vlak en donker uit, zonder inhoud, vervreemd van wat het was en betekende bij daglicht.

Alleen de dauw op de nachtelijke gazons en aan mijn tenen voelde gewoon en echt nat toen ik me een weg over de grasvelden zocht. En alleen de sterren die tegen het zwart boven me fonkelden, straalden verhalen uit waarin ik kon geloven.

Eindelijk kwam ik bij de brug over de tolweg. Ook die was

echt. Op de snelweg onder me was de drukte van denderende vrachtwagens, bussen met gokkers uit Atlantic City en eenzame automobilisten die de nacht doorhaalden met behulp van cafeïnetabletten. Ik stond even stil, greep het ijzeren hek vast en voelde in de nacht het ritme van goed en kwaad zinderen, op weg naar onbekende doelen.

*Een gewoon mens gooit geheid mis.*

Het was al heel laat en ik kon maar beter doorlopen. Ik was tenslotte op pad gegaan met een doel voor ogen. Ik had nog veel kilometers te gaan.

Ik liep om Travis' huis heen naar zijn verwaarloosde achtertuin. Het leek eigenlijk nergens naar, dat stukje ruwe grond met hier en daar plukken wild gras. Er stonden een paar roestige, onbruikbare fietsen tegen een ingezakte afrastering van kapot gaas. Ik stond in het hoge gras bij het huis omhoog te kijken naar een raam waarvan ik hoopte dat het van Travis' kamer was. Ik had een glad kiezelsteentje in mijn hand en herhaalde voor mezelf de mantra van Claude M. Bristol: *Probeer het en bewijs dat het kan.*

Omdat Travis zich bijna een week op afstand had gehouden en zo communicatief was geweest als een lantaarnpaal, leek hij mij het juiste doel voor mijn experiment. Ik gooide de eerste keer mis. Kennelijk geloofde ik er niet in. Niet genoeg. Na zeven mislukte pogingen besefte ik dat ik in het verkeerde geloofde. Ik had me niet geconcentreerd op het raken van het raam, zoals voorgeschreven; ik werd te veel in beslag genomen door het idee dat Travis en ik voor elkaar bestemd waren.

Bij de achtste poging hoorde ik het scherpe geluid van brekend glas toen ik raak gooide. In de kamer ging licht aan, en Travis' silhouet tekende zich af bij het raam. Hij smeet de hor open en stak zijn hoofd in het donker.

'Hier,' zei ik en ik zwaaide wild met mijn armen.

'Wat moet dat godverdomme?' schreeuwde hij terug. 'Je hebt de ruit ingegooid!'

Kennelijk was hij niet blij me te zien.

'Ik ben al weg,' zei ik. Ik liet mijn armen langs mijn lijf vallen en liep snel naar de voorkant van het huis. Ik hoorde hem schreeuwen: 'Wacht!', maar ik was er al vandoor.

Toen ik bij de stoep kwam, stormde hij op blote voeten zijn huis uit. Hij deed verwoede pogingen een T-shirt over zijn hoofd te trekken.

'Wacht nou,' zei hij.

*Pauzeer dan en hou jezelf voor dat je je doel gaat raken.*

Ik bleef staan, maar daar hield mijn geloof op. Ik kwam er niet verder mee. Ik draaide me niet om, en omdat ik niets wist te zeggen kon ik niets anders dan wachten op wat er komen ging.

'Ik schrok me de tering van je,' zei hij tegen mijn rug. 'Wat doe je hier? Hoe laat is het?'

Toen ik geen antwoord gaf, raakte hij zo zacht mijn schouder aan alsof hij aan de bovenkant van een versgebakken taart voelde of hij gaar was.

'Phoebe?' fluisterde hij.

Met een ruk draaide ik me om en keek hem aan met alle woede die ik kon opbrengen. Zijn gezicht zag er zo verfomfaaid uit als een kussensloop, zacht en gekreukeld van het slapen. En aan de verschrikte uitdrukking te zien was het hem een raadsel waarom ik het in mijn hoofd had gehaald midden in de nacht naar zijn huis te komen. Wat hem betrof kon dit een droom zijn waarin mensen om onduidelijke redenen idiote dingen doen en zeggen.

'Ik had niet moeten komen,' zei ik, alsof dat niet allang duidelijk was. 'Ik wou gewoon... ik dacht dat, na wat er vorige week is gebeurd... ik dacht dat er iets tussen ons was, dat we iets hadden. Ik had het mis. Blijkbaar.'

*Zeg niet dat het onmogelijk is. Probeer het en bewijs dat het kan – zolang je er maar in gelooft.*

Een patrouillerende politiewagen reed de straat in; hij remde af en stopte naast ons.

'Alles in orde hier?' vroeg de agent. Hij was een jongere, slankere uitgave van Chuck, ook een agent die zijn plicht deed en door de wijk reed om mensen te ontmoedigen het slechte pad op te gaan.

'Ja, hoor,' antwoordde ik, zo laconiek mogelijk om geen slachtoffer te lijken.

Zijn partner was een vrouwelijke agent met blond haar dat strak achterover in een paardenstaart zat. Ze boog zich voorover zodat wij haar konden zien en zij eens goed naar Travis kon kijken. Ik lachte opgewekt naar haar en zei: 'O, hallo.'

'Mooi,' zei de eerste agent, en de auto reed verder.

Travis en ik bleven staan en zeiden heel lang niets. En eindelijk zei hij: 'Je had het niet mis. 't Is goed dat je bent gekomen.'

# 17

Travis en ik hingen zeker een uur rond op het trappetje naar zijn voordeur terwijl hij de ene sigaret na de andere rookte. Zijn tenen kromden zich om de rand van de trede als de klauwen van een vogel om een boomtak, en onwillekeurig viel het me op dat hij heel sierlijke voeten had. Mijn eigen voeten zijn niet om over naar huis te schrijven, al waren mijn teennagels die nacht extra mooi omdat ik ze door een beroepspedicure had laten lakken voor Leonards uitvaart.

'Nou?' vroeg Travis, nadat we over koetjes en kalfjes hadden gekletst. 'Wat is er nou eigenlijk met je?'

Mijn enige reactie was dat ik mijn hoofd tussen mijn knieën verborg. In de vier, vijf minuten die volgden produceerde ik druppels op het beton door mijn tranen de vrije loop te laten. Het was een waanzinnig emotionele uitbarsting, volkomen onverwacht. Travis legde zijn hand zacht in mijn nek en liet hem daar liggen alsof hij een doorgedraaid apparaat stil probeerde te krijgen. Tussen mijn gesnik en de verontschuldigingen voor mijn gesnik door, vergat ik mijn teennagels, vergat ik Travis' voeten, vergat ik Claude M. Bristol. Ik vergat alles, behalve dat ene.

'Leonard,' zei ik en ik slikte een traan terug. 'Wat had dat joch toch? Het was zo'n ongelooflijke mafketel. En hij heeft niet eens lang bij ons gewoond. Wat kan het me toch schelen? En wat doe ik met mijn leven? Ik woon hier tienduizend keer zo lang als Leonard. Ik ken iedereen. Mijn oma heeft een grote uitvaart gehad. Of hoe heet dat, een herdenkingsdienst of zo. Iedereen was er. Ook mensen die ze van vroeger kende. Maar hoeveel mensen zullen er op mijn begrafenis komen? Electra? We waren altijd de beste vriendinnen, maar nu lijkt ze wel iemand uit een dom boek dat ik heel vroeger heb gelezen.'

Travis keek met half dichtgeknepen ogen naar een bundel lantaarnlicht die op het gras viel en zei niets.

'Tuurlijk,' zei ik en ik veegde met de rug van mijn hand mijn snot af. 'Die stomme familie van me komt natuurlijk, maar alleen omdat ze moeten. Die ouwe mevrouw Kurtz komt ook wel. Voor de bitterkoekjes. Maar daarna gaat iedereen gewoon verder alsof er niets is gebeurd. Ze zullen me niet missen. Niet echt. Er zal niets veranderen.'

'Ik zou ook komen,' zei Travis zacht.

'Ja, maar gisteren was je er niet. Waar was je?'

'Ik was weg.'

'Ja, hoor. Weg. Het zal wel.'

Hij gooide zijn peuk op een pol dood gras. Toen pakte hij mijn hand. Met een ruk trok hij me overeind. De vliegendeur kreunde om een druppel olie toen hij opengling, en voor ik er erg in had stonden we in het donkere huis.

Het was er stil, koel, en het rook er naar ijzer vermengd met de stank van het oude vloerkleed en verschraald bier.

'Ik hoor hier niet te zijn.'

'Ssst,' zei hij. 'Mijn vader is er niet. We zijn alleen.'

Ik liet me meevoeren naar boven. Elke voetstap echode door het huis toen we de trap op gingen. Bij de slaapkamer boven aan de trap knipte Travis het licht aan, maar bedacht zich meteen en we werden weer in een duisternis gedompeld die even verbijsterend als abrupt was. Mijn hart begon tegen mijn ribben te bonken; het sloeg met zoveel geweld dat ik bang was dat het echt op hol zou slaan, losbreken en me voorgoed in de steek zou laten. Travis had mijn hand nog vast, maar ik legde mijn andere hand op mijn hart om kalm te worden en de paniek te bezweren. Was het een hartaanval? Ging ik dood?

Toen mijn ogen aan het donker gewend waren, zag ik de contouren van een matras die op de vloer tegen de achtermuur lag gedrukt.

'Ga lekker liggen,' zei hij.

Ik was blij dat ik door mijn knikkende knieën kon zakken, want die hielden het niet lang meer. De bultige matras ving geluidloos mijn gewicht op. Travis deed me mijn teenslippers uit, die met een plof op de grond vielen. Toen voelde ik zijn lichaam naast me. Hij kwam dicht tegen me aan liggen, en ik kon de scherpe lucht van tabak op zijn adem ruiken, vermengd met zijn dagelijkse lichaamsgeur. Ik kon de hitte van zijn huid voelen toen hij zich tegen me aan drukte, maar vooral voelde ik iets anders, iets van verlangen dat in me opwelde, en toen, zoals D.H. Lawrence het had omschreven, begon ik heel diep vanbinnen de 'golvende verrukking op strelende vleugels' te voelen. Dit kan het worden, dacht ik. Het gaat gebeuren. Zet je schrap.

Opeens moest ik aan Bethany denken en aan dat stomme getuigschrift dat ik voor de vakantie in de aula had ondertekend. Destijds had natuurlijk niemand dat ding serieus genomen; het was gewoon iets wat je deed omdat het moest en omdat iedereen het deed. Maar het feit dat ik eraan dacht terwijl ik naast een jongen lag die zijn hand in mijn broek schoof, bewees dat het toch meer was dan een onzinnig vel papier. Door mijn naam eronder te zetten had ik op een of andere manier een kleine Bethany in mijn hoofd toegelaten, die nu zangerig in mijn oor zeurde: 'Als je niet op iets slechts wordt betrapt, betekent het toch nog niet dat je de gevolgen ervan niet ondervindt?' Maar was het wel zo slecht? Of was het precies wat ik van Travis had gewild vanaf het moment dat ik hem in het winkelcentrum had gezien en hem op de parkeerplaats had gezoend? Ik had een moment adempauze nodig om eruit te komen, maar...

'Wil je niet?' fluisterde Travis in mijn haar. Hij lag nu boven op me. Ik voelde zijn ribben tegen die van mij drukken, zijn heupbot drong in mijn bekken en drukte tegen mijn dij; hij bewoog met een schokkerig ritme dat mijn aandacht opeiste, sloofde zich uit alsof ik verloren grondgebied was dat hij zich wanhopig wilde toe-eigenen.

En al had ik het nog nooit gedaan, ik wist genoeg om te weten dat al dat zwoegen en duwen niet was wat ikzelf wilde. Hij was er duidelijk niet erg bedreven in. Hij deed veel te hard zijn best.

'Wacht,' mompelde ik, al moet ik toegeven dat ik me niet zo verzette als Bethany van ons had gewild als het ooit zover zou komen. Ik zei het nog eens, luider deze keer, en voegde er een nadrukkelijke por van mijn onderarm aan toe. Mijn elleboog stootte tegen zijn kaak. Hij ging een stukje achteruit en keek me aan.

'Wat?'

'Niets, ik denk alleen...'

Hij wachtte niet tot ik was uitgesproken. In plaats daarvan sprong hij van de matras op en slaakte een woeste, sissende zucht die overging in een sombere kreet. Even dacht ik dat hij uit het raam wilde springen, maar hij bleef staan, drukte zijn handen plat op de vensterbank en boog zijn bovenlijf naar buiten.

'Zeg,' zei hij, alsof hij tegen iemand praatte die buiten het raam zweefde. 'Ik kan het maar beter zeggen voor je het van anderen hoort. Ik ga in dienst.'

'In dienst? Hoezo? Bij het leger?'

'Ja. Misschien wel bij de commando's.'

Wat wilde hij me duidelijk maken? En waarom zei hij het? Waarom nu? Dit komt wel heel onverwacht, dacht ik. Was het de bedoeling dat ik medelijden moest voelen, zijn mannelijkheid bewonderen, met mijn benen wijd gaan liggen en hem zijn gang laten gaan omdat het zijn laatste kans was als burger klaar te komen voor ze hem overzee stuurden? Ik kon er geen wijs uit worden. Ik kon alleen maar aan zijn voeten denken, zijn mooie voeten, die zich zo sierlijk en bijna vrouwelijk op een hete zomeravond om de tree hadden geklemd. Hoe zou het verdergaan met die voeten? Waar zouden ze hem heen brengen? Irak? Zou hij net als Larry Wheeler met één voet terugkomen? Dat kon. Hij kon ze allebei verliezen. Hij kon ook helemaal nooit meer terugkomen.

'Het is een klotewereld,' zei Travis toen hij zijn bovenlijf weer in de kamer trok. 'Iemand moet toch vechten tegen de as van het kwaad en zo. Laat ik dat dan maar zijn. En wat heb ik hier nou? Altijd en eeuwig dezelfde shit.'

Hij stak een sigaret aan en smeet de lucifer achteloos de achtertuin in. Hij had in het droge gras beneden wel een enorme brand kunnen stichten. We hadden wel aan flarden geblazen kunnen worden door de ontploffing van een gaslek of zoiets. Ik wachtte, maar er was niets te horen dan het verre sjirpen van de krekels en het diepe gebrom van de airconditioning bij een buurhuis. Altijd en eeuwig dezelfde shit.

'Doe je het echt?' vroeg ik. 'Ik bedoel, is dat echt wat je wilt doen met je leven?'

'Het is toch niet voor mijn hele leven. Vier jaar. Dan kom ik er weer uit en wat kan me dan helemaal gebeuren? Er wordt een feest voor me gehouden bij de VFW zoals voor die sukkel, die Larry Wheeler, en iedereen behandelt me als held. Kon erger.'

'Misschien kom je om.'

Hij trok een schouder op en blies een trage, gestage sliert sigarettenrook het raam uit.

'Praat anders eens met Larry,' zei ik en ik hees me op mijn ellebogen. 'Hij kan je vertellen hoe het in het echt is.'

'Ik weet hoe het in het echt is.'

Hij boog voorover zodat hij bij het toetsenbord van zijn computer kon en drukte een toets in. Het beeld kwam op en zette de kamer in een griezelige blauwe gloed die uit gelijke delen licht en schaduw leek te bestaan.

'Zie je dat? Dit is Full Spectrum Warrior. Wel even heftiger dan een spel waarbij een dik loodgietertje Princess Toadstool moet redden.'

'Super Mario, bedoel je?' zei ik.

Ik wilde laten merken dat ik niet volslagen achterlijk was in games. Ik wist best dat hij op een van de eerste spellen van Atari doelde, uit de tijd dat computerspellen nog in opkomst waren en vooral bedacht werden voor kids in plaats van killers. Ik was geen expert, maar ik had Mario vaak op Electra's spelcomputer gespeeld en ik vond het in het begin zelfs leuk en spannend, maar spellen hadden geen vat op me gekregen zoals op bijvoorbeeld Electra's broer of Travis. Ik was meer het type voor Jane Eyre. Ik las boeken.

Na doelbewuste klikken had Travis zijn cursor op het spoor van een elektronisch spel van het soort dat de Super Mario Brothers zich nooit van hun leven hadden kunnen indenken.

'Dit spel is door het leger gemaakt om de troepen te trainen. Je kunt het overal kopen en het is supergewelddadig. Met veel heftiger bomexplosies en van die zooi. Geen ammunitie meer, dan gewoon illegaal nieuwe halen bij een ambulance of zo, wat je in de echte oorlog natuurlijk nooit doet. Dus het is niet helemaal de werkelijkheid. En degenen die doodgaan zijn... nou, kijk, hier staat het.'

Travis boog zich naar de computer, met een gezicht dat opgloeide toen hij in het licht tuurde. Hij las de letters aan de linkerkant van de Full Spectrum Warrior-homepage.

*Het doel van de oorlog is niet dat je sterft voor je land, maar ervoor zorgt dat die andere hufter sterft voor het zijne.*

'Cool toch? Let op.'

Zelfs vanaf de matras kon ik de kleine poppetjes van de Amerikaanse soldaten op het beeldscherm zien; ze droegen woestijnuniformen en verborgen hun gezicht achter geweren die op een denkbeeldige vijand waren gericht. Niemand bewoog, nog niet; maar ze konden elk moment in actie komen en misschien sneuvelen als Travis niet snel genoeg met zijn duim op de muis drukte.

Het spel begon, en meteen werd zijn aandacht volkomen in beslag genomen door het beeldscherm. Gedempte geluiden van explosies, mitrailleurvuur en nog meer wapengeweld vulden de kamer. Ik kon met geen mogelijkheid geloven dat dit dezelfde jongen was die kort ervoor zijn arm teder onder mijn nek had geschoven, mijn borst had gestreeld en 'je bent lief' in mijn oor had gefluisterd. Zijn gezicht had nu de spookachtig bleke kleur van de doden. Zijn kaak was verbeten, zijn mond verwrongen en zijn ogen stonden glazig. Alleen de beweging van zijn vingers met de muis en af en toe een spiertrekking of onwillekeurige kreun wanneer hij een Amerikaanse soldaat verloor, herinnerden me eraan dat hij van vlees en bloed was. Een tank werd opgeblazen en hij leek er fysiek onder te lijden; hij deinsde even terug van het beeldscherm, vond zijn evenwicht en zijn lef terug en boog weer voorover, klaar voor nieuwe actie.

Maar hij zag vanuit zijn ooghoek dat ik naar hem staarde, en misschien vond hij verliezen nu erger, omdat er naar hem werd gekeken. In ieder geval liet hij het spel in de steek en ging snel naar de vensterbank terug.

'Ik ben er goed in,' zei hij. 'Ik word heus niet omgelegd, als je daar soms bang voor bent. Ik weet wat ik doe.'

Op dat moment schoot me te binnen dat Leonard precies hetzelfde tegen me had gezegd.

'Moet je horen, Pheebs,' zei Leonard toen hij op een keer op een vuilnisbak zat en zijn benen liet bengelen, 'ik weet wat ik doe.' En als iemand er het bewijs van was dat hij voor geen cent wist wat hij deed, al beweerde hij nog zo hard van wel, was het Leonard.

Maar wie van ons weet eigenlijk wel wat-ie doet? Als we

eerlijk zijn, bedoel ik? Zit dat air van gelijkhebben, die ik-weet-wat-ik-doe-houding van ons niet domweg ingebakken in ons DNA zodat we ons niet steeds opgejaagd voelen, achteraf wel beter weten en onszelf gek maken omdat we eigenlijk níéts weten? Kan het zijn dat overleven in zekere zin afhangt van het geloof dat we dénken te weten wat we doen? En het maakt niets uit of een onzichtbare, alwetende en alomtegenwoordige God die eigenschap op onze harde schijf heeft geïnstalleerd of dat hij voortkomt uit het eeuwigdurend evolutieproces volgens Darwin. Grote kans dat de eerste de beste je toch weer vertelt dat hij of zij precies weet wat hij doet. Maar is dat zo? Weten ze het écht?

Ik voelde dat ik op het randje van een huilbui balanceerde. Een stortvloed aan tranen pakte zich samen in mijn hoofd en wilde eruit – dikke, jankerige meisjestranen, zoals op de treedjes bij de voordeur toen Travis zijn hand in mijn nek legde. Dat wilde ik niet. Niet nog een keer. Niet waar Travis bij was. Eén keer huilen was begrijpelijk; maar twee keer huilen bestempelde me tot een halvegare. Ik moest hier weg voor het te laat was. Ik grabbelde over de grond aan het voeteneinde van de matras naar mijn teenslippers.

'Wat is er?' vroeg Travis.

'Niks,' zei ik terwijl ik overeind kwam. 'Ik ben moe. Ik moet naar huis.'

Mijn ogen waren inmiddels op het donker ingesteld en ik kon zien dat het er een gigantische rommelzooi was van neergekwakte kleren, frisdrankblikjes, proppen papier, snoepwikkels, oude gympen. Het was een kamer waar zelden of nooit verhaaltjes voor het slapengaan waren verteld, waar bijna geen vriendjes en vriendinnetjes kwamen en waar al helemaal nooit pyjamafeesten waren gehouden. Het was in de verste verte geen kamer waaraan een meisje jaren later graag zou terugdenken als ze zich de nacht herinnerde waarin ze ontmaagd werd.

Maar het decor was niet de reden waarom ik op de vlucht wilde slaan. En het kwam eigenlijk ook niet door de dreigende tranen. Ik wilde weg om dezelfde reden waarom ik moest huilen. Het was opeens tot me doorgedrongen dat ik geen idee had wie Travis echt was. In de afgelopen maand had ik voor mezelf een beeld van Travis verzonnen, en gaandeweg was ik doof geworden voor wetenswaardigheden over hem uit het dagelijkse leven. Als iets niet paste bij het beeld van Travis dat ik voor ogen had, zette ik het opzij. Travis Lembeck was mijn schepping, mijn Frankenstein. Zelfs het levensechte gedoe van hem kussen, ruiken en in het donker tegen hem aan liggen, kon mijn zorgvuldig afgestelde, halfbakken fantasie niet verstoren. Met de onthulling dat hij bij het leger ging, dat hij voor de lol cybermensen opblies en cyberdorpen verwoestte, bleek de Travis die ik in mijn hart had gekoesterd opeens een verzinsel. Zoiets als de levensgrote, op karton geplakte foto's van presidenten en filmsterren waar je naast kunt staan om gefotografeerd te worden en iedereen wijs te maken dat je gezellig met de echte had staan babbelen. Als ik een minuut langer in die kamer bleef, wist ik zeker dat de echte Travis zou opstaan, en ik twijfelde er sterk aan of ik daar tegen kon.

'Ik moet weg,' herhaalde ik, als een robot die geprogrammeerd was om te vluchten. Mijn linkerteenslipper bungelde half aan mijn voet, zodat ik me vastgreep aan een houten ladekast links van me om mijn evenwicht niet te verliezen. En terwijl ik de teenslipper aanschoof, zag ik het. Het ding piepte tevoorschijn onder een wirwar van rommel, lag daar op de kast alsof het de gewoonste zaak van de wereld was – de geldclip van Leonard.

Travis stond achter me te oreren dat ik niet zomaar op kon stappen, wat bezielde me eigenlijk? Maar de exacte woorden ontgingen me, want het enige wat nog bestond was de flits van dat namaakgoud.

'Hoe kom je daaraan?' vroeg ik, toen ik me met een ruk had omgedraaid en hem aankeek. Ik hield de clip tussen mijn vingers, stak hem in de lucht zodat Travis hem kon zien.

'Waaraan?'

'Waar heb je dit vandaan?'

'Hij heeft hem aan me gegeven,' zei Travis doodleuk. Ik kon de uitdrukking op zijn gezicht niet zien, want het licht van de computer was pal achter hem en zijn gezicht was in de schaduw. Maar aan zijn stem te horen was hij niet geschrokken en er was bijna geen adempauze tussen mijn vraag en zijn antwoord geweest. Hij deed een kleine stap in mijn richting, waardoor ik de clip stevig vastgreep en tegen mijn topje drukte.

'Wie?' vroeg ik. 'Wie heeft hem aan je gegeven?'

'Gewoon. Je neef.'

'Dat is krankzinnig. Waarom zou hij hem aan je geven?'

'Ik wil er niet over praten. Kunnen we het ergens anders over hebben?'

'Nee! Hij had die clip van zijn moeder gekregen,' zei ik en mijn stem sloeg over. 'Het was het enige wat hij nog van haar had en...'

'Toch is het zo,' onderbrak Travis me. Zijn stem klonk verveeld, alsof de kwestie al was uitgepraat en helemaal had afgedaan. 'Hij heeft hem aan me gegeven.'

Hij wipte het lipje van een blikje Mountain Dew open. Nadat hij het schuim dat over de rand bruiste had opgeslurpt, ging hij op zijn gemak op de vensterbank zitten en bood me een slok aan. Ik schudde kort van nee. Ik was niet van plan met mijn lippen iets aan te raken waar hij met de zijne aan had gezeten. Hij schokschouderde alleen, nam nog een teug en wendde zich toen van me af alsof het hem allemaal een rotzorg was. Er trok een huivering door me heen, een soort kilte, iets wat precies het tegenovergestelde was van de golfjes en tintelingen en het aanwakkeren van zachte vlammen waardoor ik eerder werd meegesleept. Ergens diep in mijn binnenste blies de Travis die ik verzonnen had zijn laatste adem uit en stierf. Ik stond in een slaapkamer boven in een leeg huis met een volslagen vreemde, en opeens was ik bang.

'Hij heeft me verteld dat je een goeie vriendin voor hem was,' zei Travis, zo kalm dat ik er koude rillingen van kreeg. Hij keek me niet aan. 'Hij zei dat jij hem geluk bracht.'

Daar had je die onzin weer. Leonard en ik, vrienden voor het leven. Pure verzinsels. Waarom beet iedereen zich vast in het idee dat Leonard en ik gezworen kameraden waren geweest?

'Dat valt nogal tegen.'

'Ik heb jullie een keer samen gezien. Weet je nog? In het winkelcentrum. Je kwam voor hem op.'

'Ach dat.'

'Nee, niks ach dat. Je kwam voor hem op.'

'Wanneer heeft hij je dat ding gegeven?' vroeg ik. 'Wanneer?'

Het klonk bijna smekend. Hij moest het me vertellen, want de randen van de mij bekende wereld braken af en het heelal viel uit elkaar in miljoenen brokstukken. Als Leonard en Travis een band hadden gehad waarin cadeautjes pasten en vertrouwelijke gesprekken of zelfs een paar losse opmerkingen over mij, dan moest ik alles in een heel ander licht gaan zien. Want waarom had bijvoorbeeld Leonard, iemand die nooit de waarde had begrepen van iets voor zichzelf houden, me nooit over zijn vriendschap met Travis verteld?

'Een tijd terug.' En toen voegde hij eraan toe: 'Ik ben geen homo, als je dat soms denkt.'

Misschien was het omdat die verklaring zo onverwacht kwam, maar ik barstte in lachen uit.

'Wat is er zo lollig?' wilde hij weten. 'Vind jij dat lollig?'

Travis zette het blikje op de vensterbank en boog zich naar me toe, doodernstig. Was het een bedreiging? Ging hij slaan? De duisternis legde een sluier over zijn gezicht, verhulde zijn bedoelingen. Maar zijn stem klonk scherp en onheilspellend.

'Je blijft hier,' zei hij en voor ik ertegen in kon gaan, had hij mijn bovenarmen beetgepakt en trok me naar zich toe. Hij wilde me kussen, maar ik ging het uit de weg, draaide steeds mijn gezicht af. Opeens rammelde hij me hardhandig door elkaar, alsof hij kleingeld uit mijn zakken wilde schudden. Hij hield even op en schudde me toen nog eens. Ik gaf me over. Het had geen zin me tegen hem te verzetten; hij was zonder meer veel sterker dan ik. Hij drong zich aan me op, drukte zich tegen me aan alsof hij iets wilde bewijzen. Ik maakte mijn arm uit zijn greep los en met een snelle ruk van mijn elleboog stompte ik hem hard in zijn buik. Hij sprong achteruit als een wild dier.

Hij knipte een lampje naast de computer aan. Een intens felwit licht vulde de kamer, en mijn ogen deden pijn. Ik keerde mijn gezicht af, maar toen ik me weer naar hem wilde omdraaien, met knipperende ogen tegen het verblindende licht, zag ik iets tegen de muur staan. Het was een dunne, moderne vishengel met een fraaie molen en strak nylonsnoer dat een gloed afgaf als een enkele, strakgespannen draad in een rond spinnenweb.

'Ik moet weg.' Ik draaide me om en sloeg op de vlucht.

*'... en je moet wel een verdomd goeie visser zijn om in het donker zo'n knoop te kunnen leggen.'*

Peggy Brinkerhoffs woorden galmden door mijn hoofd, zoals in flutfilms waarin de heldin zich opeens een cruciale clou herinnert terwijl de moordenaar achter haar staat en haar letterlijk op de nek zit. Hoe kon ik zo stom zijn? Hoe heb ik me door hem kunnen laten aanraken?

Ik rende met twee treden tegelijk de trap af tot ik beneden kwam en buiten stond. De hemel begon al wat lichter te worden en de vogels kwetterden in de boomtoppen. Ik wilde het uitschreeuwen, maar ik mocht geen adem verspillen. Ik wist alleen dat ik weg moest zien te komen. Een straat verderop zweette ik als een rund, mijn longen stonden op knappen, en ik had een moordende pijn in mijn zij. Toen ik de Parkway overstak pompte mijn hart als een razende. Niet nadenken, niet nadenken, zei ik steeds in mezelf. Niet stil blijven staan. Rennen moet je. En blijven rennen. Ren, en wat je ook doet, kijk niet om.

# 18

Zeven maanden later zat ik voor het eerst van mijn leven in een echte rechtszaal. Het was de eerste dag van het proces tegen Travis voor moord met voorbedachten rade op Leonard Pelkey, en het enige waaraan ik kon denken was dat een echte rechtszaal van geen kanten lijkt op wat je op de tv ziet. En waarom niet? Na een minuut of twintig had ik het antwoord: door de belichting. Op tv leggen mensen de eed af, zeggen de waarheid en niets dan de waarheid, liegen, soebatten, komen met bewijsstukken en houden een slotpleidooi onder lampen die zo staan opgesteld dat ze eruitzien als filmsterren. Wat je ziet wanneer er geen camera's lopen in een stad als, zeg, Trenton in New Jersey, is hard licht van tl-buizen dat efficiënt en goedkoop is maar verre van vleiend. Het gezicht van een openbare aanklager is al even beroerd als dat van een verdachte; de kleur van een vrolijk, afkledend pakje wordt flets zodat het niet afleidt van de zaak waarom het gaat; en de geblondeerde plukjes van een coupe soleil (hoe professioneel gedaan ook) zijn dof onder de tl-buizen; kortom, de belichting is allesbehalve van tv-kwaliteit.

Het was dan wel mijn eerste rechtszaak, maar ik ontdekte al

snel dat de hoofdrolspelers in rechtbankdrama's die niet voor de tv zijn bedoeld evenmin allure hebben. Echte advocaten, rechters, juryleden en figuranten in soorten en maten worden niet gekozen vanwege hun scherpe profiel, mooie lijf of fantastisch talent om op commando te huilen. En ze missen niet alleen de glamour van de acteurs die avond na avond in de honderden afleveringen van *Law & Order* spelen, hun kleren lijken ook nergens naar. In het echte leven dragen mensen meestal slecht zittende, onflatteuze confectie die ze in de uitverkoop of bij een goedkope winkel hebben gekocht. Dag in, dag uit zat ik trillend van emotie in die rechtszaal, maar ik kon intussen niet om de gedachte heen dat mensen eens meer moeite moesten doen om er goed uit te zien. Misschien was dat mijn erfenis van Leonard – misschien zou hij altijd naast me zitten en ongelovig zijn hoofd schudden, onthutst door de slechte kleding en ongelukkige kapsels, vastbesloten iedereen een gloednieuwe look te geven.

Travis kon je het natuurlijk niet kwalijk nemen dat hij niet op zijn paasbest was gekleed. Omdat hij overdag afzichtelijke oranje gevangenispakken moest dragen en 's nachts in een cel van het gerechtsgebouw sliep, kon hij weinig aan zichzelf doen. Maar zijn haar was in ieder geval gewassen.

Ik herinner me dat ik, toen ik hem de eerste keer met voet- en handboeien de rechtszaal binnen zag komen, vond dat hij veel kleiner leek. Misschien kwam het doordat hij tussen twee klerenkasten van cipiers liep die boven hem uit torenden. Ook dacht ik dat ik hem misschien vergeleek met de andere Travis, degene die ik had verzonnen, degene die ik ooit had gekust.

Hij schuifelde met neergeslagen ogen door de zaal en keek

naar het linoleum. Eén keer keek hij even met een snelle, timide blik om zich heen, als een meisje op een feest dat hoopt dat iemand met haar wil dansen. Niemand hapte toe. Maar misschien telde hij alleen de aanwezigen, schatte hij hoe belangrijk hij was aan het aantal belangstellenden dat voor hem was gekomen. Wie zal het zeggen? Ik vroeg me af of hij keek of ik er was, en anderen die hem al kenden voor de hel was losgebarsten.

Ik liet expres mijn tasje vallen en bleef naar de grond toe gebogen zitten om zogenaamd mijn sportsok op te trekken.

In de stad heerste het idee dat ik zeker door de openbare aanklager als getuige zou worden opgeroepen, en er was me op het hart gedrukt om uit de buurt van de jongen te blijven en geen contact te hebben met zijn advocaat. Ze waren bang dat ik onbewust informatie kon loslaten waardoor de zaak omsloeg in het voordeel van de verdediging. Nu die schoft, dat monster, die ijskoude moordenaar was opgepakt en gevangengezet mocht er niets meer fout gaan. De hoop dat Travis' leven met een dodelijke injectie zou aflopen was als een duizelingwekkend geheim dat door iedereen in Neptune werd gedeeld – door iedereen, leek het, behalve pastoor Jimbo en mij.

Begrijp me niet verkeerd. Niemand liep in de stad rond te bazuinen dat Travis dood moest. Het werd niet open en bloot gezegd. Maar wel wisten de mensen in alledaagse gesprekken op verbluffend subtiele wijze lucht te geven aan die duistere gevoelens. Ze kwamen elkaar bijvoorbeeld in de supermarkt tegen, bespraken de zaak en lieten doorschemeren dat elk spoortje van sympathie voor de verdachte ongewenst was. Travis werd gezien als de duivel in eigen persoon, en door het minste of geringste contact met hem kon je regelrecht in de hel belanden. Er waren vaste klanten van ma die Travis' naam al gebruikten als waarschuwing voor stoute kleinkinderen. 'Wil je soms zo worden als die jongen van Lembeck? Je weet toch hoe het met hem afloopt?' Iedereen had kennelijk al besloten dat de jongen van Lembeck schuldig was. Het was gewoon nog een kwestie van tijd. Wacht maar af, zeiden ze: je zult het beleven.

Travis' advocaat, een kleine vrouw met donker, gemillimeterd haar, was het niet met de algemene opinie eens. Zij vond dat haar cliënt onschuldig was. Min of meer. Haar naam was Fassett-Holt. Ze had geen waarneembare taille en droeg een pakje dat speciaal ontworpen leek om dit feit te benadrukken. Helemaal fout, dacht ik toen ik haar voor het eerst naast Travis zag zitten. Het bolvormige pak van schokkend pauwblauw leek een lap die je over een vogelkooi gooit, met knopen. Later ontdekte ik dat ze vijf van die mantelpakken had, een voor elke werkdag. Ze had een schandalige overdaad aan gel in haar haar.

In het begin ontvouwde mevrouw Fassett-Holt het idee dat Travis gewoon een jongen was die domweg te veel dreunen had moeten incasseren, waardoor zijn leven uiteindelijk een wending had genomen die buiten zijn controle lag. Ze beargumenteerde dat Travis niet echt schuld had aan Leonards dood, omdat er geen sprake was van voorbedachten rade. Ja, misschien had Travis hem gedood, maar dat kon hem niet worden aangerekend. Omdat Carl Lembeck, Travis' vader, de jongen regelmatig had geslagen – beweerde mevrouw de advocate – en Carl Lembeck de jongen diverse keren had opgesloten in de schuur in de achtertuin, met andere woorden dat Carl Lembeck als vader op alle fronten had gefaald, en omdat de moeder, Nancy Lembeck, een vroege tragische dood was gestorven, had de jongen nooit de kans gekregen het fundamentele verschil tussen goed en kwaad te leren. Het was een vicieuze cirkel, legde meester Fassett-Holt de juryleden uit. Omdat de jongen mishandeld was, mishandelde hij anderen. Ze rondde haar openingspleidooi af met de verklaring dat ze van plan was aan te tonen hoe de jongen door zijn achtergrond was beschadigd, maar ik luisterde niet echt. Ik had het te druk met tellen hoe vaak ze Travis 'de jongen' noemde in die eerste verklaring (tweeënvijftig keer). Het was niet moeilijk te zien waar ze op aanstuurde.

Eerlijk gezegd denk ik dat de jury de theorie van meester Fassett-Holt niet slikte. Iedereen met een greintje verstand weet dat het vastbinden van een veertienjarig kind met touw en hem daarna verzwaard met een anker in een meer dumpen zo ver van het goede afstaat als het kwaad maar staan kan. Maar de hoop dat de vader verantwoordelijk kon worden gesteld voor de zonden van de zoon werd de grond in geboord toen Carl Lembeck in de getuigenbank zat. Hij zei dat hij zoveel van Travis hield als een vader maar van zijn enige zoon kon houden, maar het moest wel even zonneklaar zijn dat hij als knokkende, alleenstaande ouder domweg geen geld en tijd had om een wild en eigengereid kind in goede banen te leiden. Met andere woorden, hij verdomde het om op te draaien voor wat zijn zoon had uitgespookt. Vergeet het maar.

Vanaf dat moment was Travis op zichzelf teruggeworpen. Hij werd de ster van de show, de psychopaat. Hij was het monster dat er eigen ideeën op na hield, waaraan niemand medeplichtig was. Nu was het alleen nog een kwestie van zijn gangen nagaan, zijn wereld blootleggen en op zoek gaan naar vernietigende details om onomstotelijk te bewijzen dat hij het had gedaan.

Dat was de taak van het openbaar ministerie – in de gedaante van meneer Griswold. Hij was een lange, magere man in een double-breasted kostuum met een zijdeachtige glans. Zijn licht grijzende haar was van een onbestemde kleur, en hij werd kaal op zijn kruin. Aan zijn vlakke, maskerachtige gezicht was met geen mogelijkheid af te lezen wat er in hem omging.

Toen ik de officier van justitie gadesloeg bij zijn presentatie van de aanklacht had ik het gevoel dat ik keek naar een biologieleraar die een kikker ontleedt – een smerig werkje, maar ook fascinerend. Alles werd blootgelegd. Zelfs Travis' intiemste gedachten in de vorm van grappige, hatelijke of tedere mailtjes werden in de rechtszaal onthuld, onder de loep genomen en beoordeeld. Als de details ons te veel werden, keken we de andere kant uit, tuurden naar onze schoenen, bestudeerden andermans haar en make-up, dachten aan de lunch.

Het stond nauwelijks ter discussie of Travis het wel of niet had gedaan. De bewijslast was overdonderend. Moord met voorbedachten rade, zware mishandeling, ontvoering. Iemand moest de schuld krijgen van dergelijke misdrijven, iemand moest de kwade genius zijn die het op zijn geweten had. De officier en zijn medewerkers van het OM stelden alles in het werk om Travis te ontmaskeren als bron van het kwaad. Ze creëerden een portret van een jongen die niet van het rechte pad was geraakt, omdat hij geen leiding kreeg en aan zijn lot was overgelaten, maar omdat hij een geboren misdadiger was met een hart van steen en een onbedwingbare moordlust.

De bekentenis van Curtis Calzoni die, in ruil voor de minder zware tenlastelegging van medeplichtigheid aan moord en de belofte hem als minderjarige te berechten, met betraande ogen in de getuigenbank verscheen, nam het laatste spoortje twijfel weg. Travis had het gedaan.

Maar zelfs na al die weken waarin bewijsmateriaal werd gepresenteerd en betwist, getuigen werden gehoord, deskundigen ondervraagd naar hun mening over de details van de boot, het lijk, de plaats delict, het touw, net zolang tot iedereen het hele proces en alle betrokkenen hartgrondig beu was, lag daar nog altijd die ene grote vraag: waaróm had Travis het gedaan? Na weken in de rechtszaal te hebben geluisterd naar slaapverwekkende stemmen van beëdigde getuigen, naar huilend afgelegde verklaringen en bikkelharde woordenwisselingen bij het kruisverhoor, begreep ik het nog steeds niet. Niet echt. En ik denk dat de jury het ook niet begreep. Wat er die avond was gebeurd waardoor het geweld onvermijdelijk en onomkeerbaar werd, bleef een duister raadsel.

Wel kwamen we door de rechtszaak dit te weten: Travis was met Curtis een eindje gaan rondrijden, wat op zich al vragen was om moeilijkheden. Toen ze toevallig Leonard in westelijke richting langs Colter Road zagen lopen, stelde Travis voor de jongen een lift te geven. Leonard was op weg naar huis; hij kwam bij Buddy Howard vandaan, waar hij de hele avond had bewezen dat hij zijn tekst uit het eerste bedrijf van *De storm* al helemaal uit zijn hoofd kende. Meestal bracht meneer Buddy hem met de auto thuis, zoals mijn moeder met hem had afgesproken; maar uit meneer Buddy's eigen verklaring begrepen we dat Leonard die avond wilde lopen, omdat hij met een vriend had afgesproken. Toen Leonard was vertrokken, las meneer Buddy het tweede bedrijf van *De storm* en beantwoordde daarna een aantal mails. Meneer Buddy's computer was gecontroleerd en zijn verklaring klopte.

Travis stopte, en na een kort praatje stapte Leonard in en ging op de achterbank zitten. Was het van tevoren afgesproken dat ze elkaar zouden ontmoeten? Volgens Curtis niet; hij beweerde dat het stom toeval was. Leonard leunde voorover, stak zijn hoofd tussen hen in en vertelde Travis en Curtis honderduit over het toneelspektakel. Hij vroeg of ze niet mee wilden helpen als toneelknecht. Ze lachten om het idee dat zij in de schaduw zouden staan terwijl hij als een sprookjesfiguur in het licht ronddartelde. Leonard zei dat ze cultuurbarbaren waren.

'Nou en,' had Travis volgens Curtis geantwoord.

Op een bepaald moment, volgens de verklaring van Curtis, had Leonard voorgesteld dat ze door zouden rijden naar het Sharkmeer. Om af te koelen, legde Curtis het hof uit. 'Zwemmen dus.' Dat was raar, want, zoals ik achteraf tegen meneer G. zei, Leonard kon niet eens zwemmen en het leek niet waarschijnlijk dat Curtis zelf op het idee was gekomen. Meneer G. gromde iets, krabbelde in zijn blocnote en zei dat die wetenschap later nog van pas kon komen.

Travis parkeerde de auto in een stille zijstraat en de jongens stapten uit. Niets wees op een worsteling. Nog niet. Iemand (Curtis was er niet zeker van wie) stelde voor om in een huis vlakbij in te breken en iets te stelen, maar dat werd weggestemd. Leonard moest plassen en wilde dat per se op een plek doen waar niemand hem kon zien. Samen liepen ze verder de weg af, tot ze vanuit de huizen aan het meer niet meer te zien waren. Toen ze bij een kleine natuurlijke inham kwamen, omzoomd door berken, zei Travis dat hij niet verderging. Hij kleedde zich snel uit en dook het meer in. Bij de ponton die een meter of zes van de oever lag, draaide hij zich om en riep hen. Curtis en Leonard moesten ook komen.

'Schiet op!' schreeuwde hij.

Curtis kleedde zich uit tot op zijn onderbroek, schopte zijn sportschoenen uit, rukte zijn T-shirt van zijn lijf en dook met een plons het water in. Leonard bleef op de oever staan kijken. Curtis gaf een schreeuw omdat het water zo koud was en, volgens eigen zeggen, omdat het allemaal dikke lol was.

Het is niet erg duidelijk wat er daarna gebeurde. Curtis' getuigenis werd vager op dit punt en zelfs de doortastende, nuchtere ondervragingstechniek van meneer G. kon geen opheldering brengen. Waarom was Travis bijvoorbeeld teruggezwommen naar de oever? Wilde hij Leonard het water in zien te krijgen, of had hij al slechtere bedoelingen gehad? Volgens Curtis' berekening gingen er zo'n vijf, zes minuten voorbij waarin hij niet wist wat er was gebeurd. Wat er in die tijd tussen Travis en Leonard was voorgevallen en wat ze tegen elkaar hadden gezegd, bleef een mysterie, want Travis weigerde er iets over te zeggen.

We weten wel dat bij Curtis' terugkomst op de oever Leonard nog leefde en bewusteloos in het gras lag. Travis stond met een kei in zijn hand over hem heen gebogen, en hij was nog naakt. Bij wijze van verklaring van wat er was gebeurd, zou Travis hebben gemompeld: 'Die vuile flikker.'

Toen gaf Travis zijn autosleutels aan Curtis en zei dat hij als de sodemieter het touw moest halen dat in de achterbak lag. Curtis zei dat hijzelf inmiddels in een shocktoestand verkeerde. Maar toen meneer G. doorvroeg, zei hij dat Leonard volgens hem al dood was (wat niet zo was) en hij bang was geweest dat hij Travis' volgende slachtoffer werd als hij niet deed wat hem was opgedragen. Dus deed Curtis wat hem was opgedragen. Hij riep dat hij daardoor geen medeplichtige of handlanger of zo was. De rechter maande hem kalm te blijven en rustig antwoord te geven op de vragen van meneer G.

Toen hij het touw uit de auto had gehaald, ging Curtis terug naar de plaats van de misdaad. Travis had intussen een roeibootje gevonden dat vlakbij lag aangemeerd en hij had de boot naast Leonards lichaam op de wal getrokken. Curtis zag dat Travis over Leonard heen gebogen stond.

'Help eens,' zei Travis en op dat punt mengde Curtis zich erin door de klunzige knoop te leggen – de platte knoop ofwel 'bewijsstuk F'. Toen tilden Travis en Curtis snel en zakelijk Leonards slappe lichaam op en legden het in de romp van de boot.

'Heb je op enig moment gemerkt dat Leonard nog ademde?' vroeg meneer G. hem.

Mevrouw Fassett-Holt tekende protest aan.

'Afgewezen,' zei de rechter en ze keek licht ironisch naar Travis' advocate. 'We hebben al van de deskundigen gehoord dat het slachtoffer door verdrinking om het leven is gekomen. Dan kunnen we toch veilig aannemen dat hij, als hij nog leefde toen hij in de boot werd gelegd, nog ademde. Of schiet mijn kennis van het menselijk lichaam tekort?'

Mevrouw Fassett-Holt ging weer op haar potlood zitten kauwen en de ondervraging kon verdergaan.

Curtis had er niet echt op gelet of Leonard nog ademde,

maar hij had aangenomen dat het joch dood was en ze zich van een lijk ontdeden.

Nadat Curtis Travis had geholpen Leonards lichaam in de boot te leggen, roeiden ze het meer op, maakten het anker los en bonden het aan Leonard vast. Daarna hesen ze het lichaam overboord en lieten hem geluidloos in het water zakken. Leonard zonk naar de bodem van het meer, waar hij bleef liggen tot hij gevonden werd door de duikers Vlad en Brian.

'Wist je dat Leonard aan elke enkel een gewicht van één kilo droeg?' vroeg meneer G. aan Curtis.

'Jep,' zei Curtis en hij probeerde een grijns te onderdrukken. 'Dat wist iedereen. Het was voor het stuk waarin hij speelde. Hij liep er altijd over te zeiken.'

'Aangezien jij zo goed op de hoogte blijkt,' zei meneer G. opzettelijk plechtig, 'wil je vast wel zo vriendelijk zijn om het ons uit te leggen.'

'Oké,' begon Curtis. 'Leonard deed op school mee aan een toneelstuk. We dachten niet dat hij echt op het toneel rond zou gaan huppelen in een maillot. Niemand geloofde dat.'

'Welk stuk was dat?'

'Shakespeare. Iets van Shakespeare, en hij speelde een soort elfje of zo.'

Onderdrukt geproest en gelach in de rechtszaal. Rechter Gamble sloeg met haar hamer.

'Ga door,' zei meneer G.

'Nou, hij was dus iemand die op een eiland vastzit. Ik ken het stuk niet. En ik snapte geen bal van wat-ie allemaal bazelde. Die kilo's aan zijn enkels moesten helpen om zo licht als een veertje te kunnen dansen, zeg maar... nou ja, om voor elfje te spelen dus.'

Weer geproest. Weer een klap van de hamer.

Meneer G. praatte nog wel tegen Curtis, maar hij draaide zich om en keek naar de jury.

'Je beseft toch wel, Curtis, dat wanneer Leonard in het water bij bewustzijn was gekomen en het hem gelukt was zich van het anker te bevrijden, hij alsnog was gezonken door die gewichten aan zijn enkels. Is dat niet bij je opgekomen?'

'Protest, edelachtbare. De getuige worden woorden in de mond gelegd.'

'De vraag wordt geschrapt.'

'Goed,' zei meneer G., in de wetenschap dat de schade al was aangericht. De officiële notulen van de rechtszaak interesseerden hem niet; het was zijn bedoeling geweest om de situatie goed duidelijk te maken aan de jury. 'Ik heb geen vragen meer, edelachtbare.'

# 19

Rechter Gamble hield de jury voor dat het emotioneel dan wel bevredigend mocht zijn om een duidelijk motief te hebben in de zaak, maar dat een motief op zich niet essentieel was voor het onomstotelijk vaststellen van schuld. Maar zonder duidelijk motief zijn alle bewijsstukken van de wereld alleen maar materiaal dat op een tafel ligt uitgespreid. Zonder het waaróm blijft het verhaal in het luchtledige hangen. Uiteindelijk is het motief de rode draad die losse eindjes aan elkaar knoopt, een zaak afrondt en ons in staat stelt tot rust te komen. En er was geen motief – niets wat hardop en met zekerheid gezegd kon worden.

Toen het proces begon, waren alle journalisten die we een jaar geleden na de dood van Leonard hadden gezien weer in ons leven teruggekomen. Zij konden erop los speculeren wat Travis' motief was geweest, maar voor hen hoorde het gewoon bij hun werk. De meesten sloegen hun kamp op buiten het gerechtsgebouw in Trenton en brachten dagelijks verslag uit van de gebeurtenissen binnen. Sommige verslaggevers van wie we de namen en microfoons herkenden, parkeerden een bus in onze straat en wilden koste wat het kost tegen de charmante achtergrond van de salon een verklaring van een van ons zien los te peuteren. Meestal bleven we binnen als ze in de buurt waren. Geen van ons voelde er iets voor om 's avonds in het nieuws als plaatselijke beroemdheid te worden opgediend. Dat hadden we wel gehad.

Als Deirdre, ma en ik niet haastig met een jas over ons hoofd van het huis naar de auto holden, loerden we door de gordijnen naar reporters ter plekke die met hun camerahoofd bij het felle licht van een lamp over ons stonden te ouwehoeren tegen de kijkers thuis. Piekfijn gekleed stonden ze er op dat beroepstoontje van ze op los te fantaseren over hoe we ons moesten voelen, waarom Travis het had gedaan en wat zijn straf zou zijn als het allemaal achter de rug was. Oude rotten in het vak, zoals mijn oude vriendin Carol Silva-Hernandez, spraken recht in de camera en deden hun best de indruk te wekken dat ze met ieder van ons meeleefden, zelfs met Travis. Als Carol het al over de toekomst had, liet ze duidelijk merken dat ze zich liever afwachtend opstelde.

Natuurlijk kregen ook de homo's en lesbo's lucht van Leonards noodlot, sloten de gelederen en kwamen onze kant op. Volgens hen was Travis' motief haat. Ze noemden het een haatmoord. Eerst had ik nog iets van: 'Ho even, moord draait toch altijd om haat?' Maar Jodi, een lesbienne uit Weehawken, legde me uit dat sommige mensen het doelwit van geweld worden omdat ze 'anders' zijn. Jodi was naar Trenton gekomen 'om een publieke vuist te maken', met de pers te praten en bij het gerechtsgebouw te demonstreren. Ze hield regelmatig hof op de trappen bij de rechtbank en ook op ons grasveld wanneer ze op bezoek kwam. Soms haalden reporters er bij haar uit wat erin zat, gaven haar zendtijd en bestookten haar met vragen, maar anderen negeerden haar totaal en deden alsof ze gestoord was. Ze was een activiste – en dichteres. Haar leven, zei ze tegen me, was haar kunst. Graag of niet.

Persoonlijk vind ik dat kunst nooit als excuus mag dienen voor slecht zittend haar. Mensen mogen best een beetje op hun uiterlijk letten, vooral als ze op tv komen. Jodi's haar was van voren geschoren en van achteren lang. Op tv kwam het over alsof een grasmaaier en een pleeborstel om haar hoofd hadden gevochten. Zonder succes. Ma en ik wilden haar bijbrengen dat ze hard toe was aan een make-over, maar wanneer ze bij ons was, had zij het steeds zo druk met uitleggen waar deze rechtszaak echt om ging dat we er geen speld tussen kregen. Haar uiterlijk was domweg geen prioriteit voor Jodi. Als Leonard er nog was geweest, dacht ik bij mezelf, had hij Jodi een nachtje te logeren gevraagd en zou ze de volgende dag als een ander mens ons huis hebben verlaten.

Dit misdrijf, legde ze ons uit, was niet ingegeven door hebzucht, hartstocht, jaloezie of zelfs blinde woede; zo persoonlijk lag het niet. Ze zei dat de pleger (Travis) bij het slachtoffer (Leonard) demonstratieve trekjes van een bepaald type (homoseksueel) had gezien, en hoewel de pleger op zich geen negatieve of positieve gevoelens voor het slachtoffer zelf had, had hij wel uitgesproken zwarte gevoelens (haat) voor het type. In deze zaak, ging ze verder, bleek zonneklaar uit Curtis' bekentenis dat Travis het enkel en alleen op Leonard had gemunt, omdat hij het onverteerbaar vond dat Leonard zich als homo gedroeg.

Als je Leonard op de man af zou hebben gevraagd of hij homo was, had hij vast een ontwijkend antwoord gegeven. Hij zou alleen hebben gezegd (zoals destijds tegen mij) dat hij gewoon zichzelf was – punt uit. Maar ik denk dat iedereen die Leonard kende het erover eens zou zijn dat 'zichzelf zijn' inhield dat de signalen ervanaf knetterden als vonken van een brandend schip. Als hij nog niet echt zover was, was hij in ieder geval hard op weg geweest. Je kon erop wachten.

Hordes mensen verschenen om de beurt in de getuigenbank en iedereen steunde het idee dat Leonard misschien niet helemaal homo was, maar op zijn minst 'zwierig' overkwam. 'Kleurrijk' was ook zo'n woord waarmee de getuigen Leonard typeerden. Ook 'afwijkend' werd genoemd. Leonards leraren, een aantal klanten van ma, oom Mike en zelfs klasgenoten van Leonard zeiden in hun eigen woorden allemaal hetzelfde – Leonard was een nicht. Het was een peulenschil voor meester G. om van daaruit tot de kwalificatie te komen dat Leonard, wat hij noemde, 'prehomo' was en daardoor het mikpunt van alle vooroordelen die er tegen homoseksuelen kunnen bestaan. De zaak werd niet als haatmisdaad behandeld, tenminste niet officieel, maar meneer G. had zijn bedoeling duidelijk gemaakt.

Heel af en toe bewoog Travis zijn hoofd, maar hij keek geen enkele keer voluit naar de getuigenbank of de jury, en voor zover ik kon zien leek het allemaal niet tot hem door te dringen. Zelfs toen meester G. naar hem wees, hem aanduidde als 'de dader' en hem verweet zich schuldig te hebben gemaakt aan iets wat hij 'uitlokking' noemde, gaf Travis geen krimp. Jodi zei achteraf dat meneer G. de haattroef op tafel had gelegd. En Travis liet hem zijn gang gaan zonder een spier te vertrekken. Jodi kwam er niet uit of het een indrukwekkende vertoning van zelfbeheersing van Travis' kant was, of dat die jongen vanbinnen domweg dood was.

Toen meester G. mails van Travis als bewijsmateriaal opvoerde en aan Curtis vroeg om bepaalde fragmenten tijdens de zitting voor te lezen, boog Travis zich naar zijn advocate en fluisterde haar iets in het oor. Maar meester Fassett-Holt tekende geen protest aan. Wat had het ook voor zin? Ze besefte natuurlijk ter plekke dat haar jongen er gloeiend bij was. De woorden die Travis had gekozen om Leonard in die mails te beschrijven mochten dan schokkend zijn voor de aanwezigen, de inhoud sprak voor zich. Alle homo's moesten dood.

Toch ontbrak het nog steeds aan bewijs dat de moord op Leonard met voorbedachten rade was gepleegd. De haat was aangetoond, maar het plan niet.

Bij de lunch zei meester G. tegen ons dat hij niet onomstotelijk had kunnen vaststellen dat Travis, al dan niet met Curtis, een plan had beraamd om Leonard te vermoorden. Dat was een belangrijk punt, zei hij. Toch, legde hij uit terwijl hij keurig kleine hapjes knabbelde van de KitKat die hij uit de automaat had getrokken, maakte meester Fassett-Holt zonder waterdicht alibi en zonder geloofwaardige getuigen geen schijn van kans bij zoveel belastend materiaal tegen de verdachte. Hij zei dat Travis absoluut schuldig bevonden ging worden en dan restte alleen nog de vraag: hoe zwaar zou de strafmaat zijn?

'En het motief dan?' vroeg ik hem. 'Doet dat niet meer mee?'

Hij haalde zijn schouders op en liet ze weer zakken. Joost mocht het weten. De jury zou zelf moeten beslissen of er voldoende bewijs was om een mogelijk motief kracht bij te zetten. Maar meneer G. legde uit dat naar zijn gevoel de zaak beklonken was, tenzij de verdediging op het laatste nippertje nog een konijn uit de hoed wist te toveren. En toen at hij zijn laatste stukje KitKat en likte hij zijn vingers af, als om te benadrukken dat het over en uit was.

De volgende twee dagen stonden helemaal in het teken van de verdediging die door meester Fassett-Holt werd gevoerd. Ze riep talloze mensen op: deskundigen en getuigen die verklaringen aflegden over de inhoud en achtergrond van Travis' ellendige jeugd, en met vereende krachten versterkten ze het argument dat de jongen, op zijn zachtst gezegd, enige clementie verdiende. Er waren geen grote verrassingen of kroongetuigen, waardoor de gang van zaken soms te stroef werd om doorheen te komen. Maar Fassett-Holt hield moedig stand.

Aan het einde van de tweede dag zag ik hoe Travis de rechtszaal werd uitgevoerd. Hij deed (zoals mijn oma Hertle altijd zei) 'doodgemoedereerd', zonder een greintje emotie, alsof het hem niet aanging. Het leek alsof hij niet doorhad hoe diep hij in de nesten zat en wat de gevolgen konden zijn van een schuldigverklaring. Het was alsof het hem niet kon schelen wat de uitslag werd, en die middag liep hij gewillig met zijn cipiers mee in plaats van nog eens om te kijken naar de rechtszaal zoals hij meestal deed. Ze duwden hem de deur uit en hij verdween uit het zicht. Ik weet nog dat ik dacht: *dat was dan dat – hij is weg*. Travis Lembeck leefde al in een andere wereld, een andere dimensie. Het verleden bestond niet meer voor hem. De toekomst was te pijnlijk om over na te denken. Hij zat zijn straf al uit.

Maar toen, op de derde dag, nam alles een andere wending. Meester Fassett-Holt vroeg om een kort onderhoud met de rechter. Meester G. kwam er ook bij en samen stonden ze voor rechter Gamble met hun rug naar het publiek. We wachtten af. Meteen daarna kwam er een korte schorsing. Ik wist dat er iets aan de hand was omdat meester G. er beroerd uitzag toen hij terneergeslagen bij ons terugkwam – zijn gezicht was asgrauw en zijn ogen leken weggezonken in hun kassen. Na veel vijven en zessen, een kort gesprekje dat erop neerkwam dat er soms op het laatste nippertje nieuw materiaal werd aangedragen, en veel gemopper over de onverstandige procedure een getuige op te roepen zonder vooroverleg, legde hij ons uit dat mevrouw Fassett-Holt een laatste wanhoopspoging deed om het leven van haar cliënt te redden door mij als getuige op te roepen.

Op dat moment wrong een gluiperd in een grijs pak zich door de menigte, liep op mij af en vroeg of ik Phoebe Hertle was. Ik stond nog te duizelen van meester G.'s mededeling en kon amper knikken, maar dat was genoeg voor die vent om me een officieel uitziend papier te geven dat ma me al uit handen griste voor ik er goed en wel naar kon kijken. Op het document werd ik gesommeerd voor te komen als getuige.

Het uur daarna ging als een roes aan me voorbij. Ik weet nog dat Deirdre mijn verschijning probeerde te verbeteren door mijn haar en make-up te doen.

'Je ogen moeten spreken als je in die getuigenbank zit,' hield ze me voor. Dit was een van de populaire clichés die Deirdre had opgepikt sinds ze in Asbury Park naar Roberson's Beautyschool ging. Ik kon alleen aan Leonard denken en wenste dat hij lang genoeg had geleefd om te mogen meemaken hoe Deirdre was veranderd en hoe vaardig ze nu was met een mascaraborsteltje.

'Zorg dat ze er niet als een del komt uit te zien,' zei ma, wat naar mijn gevoel haar manier was om te zorgen dat Deirdre de oogschaduw zo subtiel hield dat ik een voorbeeldig meisje leek.

Ik zei niets. Ik moest nog wennen aan het feit dat ik een rol moest spelen in een echte rechtszaak.

Als ik geweten had dat ik zou worden opgeroepen, had ik

natuurlijk heel andere kleren aangetrokken en ik zou in ieder geval mijn haar gedaan hebben in een stijl die beter bij een getuige paste. Maar het ergste was eigenlijk hoe ze gebruik van mij maakten, of liever hoe Travis ze gebruik van mij liet maken, om de indruk te wekken dat de zaak misschien toch niet zo waterdicht was als hij leek. Meester Fassett-Holt deed precies wat ze doen moest om gerede twijfel te zaaien in de rechtsgang. Dat was haar werk, maar Travis had er de hand in gehad. Was het zijn idee geweest, vroeg ik me af, of had zijn advocate op het laatste nippertje een briljante ingeving gekregen, een geïnspireerde inval die met mij te maken had?

Travis keek niet van tafel op toen ik in de getuigenbank ging staan en mijn hand op de bijbel legde. En hij keek geen enkele keer naar me toen meester Fassett-Holt me het vuur na aan de schenen legde over mijn handel en wandel op de avond in kwestie. Hij keek ook niet op toen ik zei: ja, ik kende de verdachte. En: nee, het was niet waar dat je onze omgang romantisch kon noemen. Dat klopte echt niet.

Zag Travis het zelfingenomen lachje van zijn advocate bij dat antwoord? Ik zou het niet weten. Ik zat vooral te zweten in mijn ruime kabeltrui en op de jury te letten. Zag hij hoe Fassett-Holt naar de juryleden keek en hen in haar verbaasde reactie probeerde te betrekken, alsof ze haar kleine privéleger van vertrouwelingen waren? Ze hingen aan haar lippen. Eindelijk. Wat zou ze blij zijn. En wie had haar verteld, vroeg ik me af, dat Travis en ik gezoend hadden? Wie anders dan Travis en ik wisten dat hij me op een keer na middernacht in zijn achtertuin had aangetroffen toen ik zijn aandacht probeerde te trekken door steentjes naar zijn raam te gooien?

'Ik heb de ruit niet expres gebroken. Dat ging per ongeluk.'

Travis was beslist degene die haar dat verteld had.

Maar nog keek hij niet op om mijn gezicht te zien toen meester Fassett-Holt me recht op de man af vroeg of ik ooit in de schuur was geweest, de schuur in de achtertuin van Lembeck.

'Nee,' zei ik. 'Ik wist niet eens dat daar een schuur was.'

Ik zag waar ze heen wilde. Ze suggereerde dat ik heel gemakkelijk dat touw in de schuur had kunnen leggen, het touw dat later was gevonden en Travis in verband had gebracht met de moord.

'Ik zei toch al dat ik niet eens wist dat er een schuur was.'

Travis keek ook niet op toen meester Fassett-Holt me vroeg uit te leggen waarom ik überhaupt in de achtertuin van de Lembecks was. Ze leek geen genoegen te nemen met mijn antwoord. Maar zij had vast nooit een neef gehad die vermoord was, zij had vast nooit met haar moeder de gang naar het lijkenhuis moeten maken om een lichaam te identificeren en thuis te komen met een rotgevoel, omdat ze geen goede vriendin was geweest van die neef toen hij nog geen lijk was. Ze begreep vast niet dat je soms behoefte hebt aan iemand die je niet met stomme vragen bombardeert, maar in plaats daarvan zachtjes zijn hand op je borst legt en zegt dat het allemaal wel goed komt. Meester Fassett-Holt wilde dat het tussen Travis en mij op iets van romantiek leek, een liefdesrelatie. Ze wilde details horen over ons 'eerdere afspraakje', zoals zij het noemde, op Onafhankelijkheidsdag.

'Dat was geen afspraakje,' zei ik. 'We hadden helemaal niks afgesproken of zo. Het was gewoon toeval.'

'Ja, maar jullie hebben elkaar bij die gelegenheid gezoend. Dat klopt toch?'

Als Travis op dat moment had opgekeken, had hij veel kunnen zien. Hij had mij bijvoorbeeld zien blozen en als hij zich had omgedraaid, zou hij gezien hebben dat mijn moeder diep ademhaalde en haar ogen ten hemel sloeg, wat haar manier is om een hogere macht aan te roepen en tegelijkertijd haar ergernis te uiten over wat zich hier op aarde afspeelt. Ze was al net zomin als ik enthousiast over waar dit heen ging. Maar wat konden we eraan doen? Onwillekeurig keek ik af en toe naar Travis, al probeerde ik nog zo hard om het te laten. Maar wat wil je ook? Meester Fassett-Holt kon alleen van het zoenen weten als hij het haar had verteld.

'Maar jullie hebben gezoend.'

Ze zei het nog maar eens. En wat kon ik ertegen inbrengen? Meineed is zwaar strafbaar, bedoel ik.

'Ja, we hebben gezoend.'

Ik haatte haar en haar goedkope, afgeprijsde Ann Taylor-mantelpak met die foute pauwblauwe kleur en de dubbele rij zwartplastic knopen en de opgenaaide zakjes. Ze leek te veel op een slechte actrice in een aflevering van CSI.

'Is dat alles wat jullie deden? Zoenen?'

'Ja, dat is alles wat we deden.'

'Maar er was toch nog een afspraakje?'

'Dat was geen afspraakje. Hij gaf me een lift.'

'Hebben jullie toen ook gezoend?'

'Ja.'

Toen vroeg ze me of ik me misschien 'versmaad' had gevoeld door de verdachte, omdat hij na ons eerste afspraakje geen verder contact had gezocht. Versmaad? Waar haalde ze het vandaan? Versmaad is geen woord dat mensen nog gebruiken. Dat had iemand haar weleens mogen vertellen. Toen ik sarcastisch het woord 'versmaad' tegen haar herhaalde, voelde ik dat de jury op slag afstand nam van mijn versie van het verhaal. Ik was een getuige van de tegenpartij die tegenwerkte. Maar doe me een lol zeg – versmaad? Personages bij Brontë voelen zich versmaad. Heldinnen in boeken van Edith Wharton worden versmaad. Wij in de eenentwintigste eeuw worden gedumpt. We mogen ons klote voelen, ons in flutromannetjes begraven en ons volproppen met snacks terwijl we de jongen in kwestie vervloeken, maar we leggen geen vals bewijsmateriaal in een schuur in een achtertuin en we proberen niet iemand erbij te lappen voor een moord die hij niet heeft gepleegd.

'En de geldclip?' vroeg ze me. 'Jij bent degene die de geldclip heeft gevonden. Dat klopt toch? Vertel eens hoe dat ging.'

Ik vertelde haar hoe dat ging. Ik vertelde haar over de dag in het winkelcentrum toen Leonard hysterisch op me af kwam hollen, omdat Travis en Curtis zijn geld en clip hadden gejat. Ik legde uit dat de clip Leonards dierbaarste eigendom was geweest en dat hij hem nooit zomaar zou hebben afgestaan. Nooit van zijn leven. Ik vertelde haar dat Curtis me die dag in het winkelcentrum voor mijn voeten had gegooid dat ik een lesbo was omdat ik met Leonard omging, en hoe ik Travis op zijn mond had gezoend om te bewijzen dat dat gevaar er niet in zat. Het was allemaal stoerdoenerij, legde ik de rechtszaal uit. Mevrouw Fassett-Holt trok haar wenkbrauwen op bij dat woord.

Het maakte niet uit of Travis en ik alleen maar gezoend hadden. Mijn leven was opeens op onverklaarbare wijze verbonden met het zijne. We maakten deel uit van hetzelfde verhaal, en dankzij meester Fassett-Holt werd het een verhaal dat iedereen in de jury kon begrijpen – meisje ontmoet jongen, meisje zoent met jongen, jongen versmaadt meisje, meisje zint op wraak en luist hem erin. En wat ik ook zei in die getuigenbank, mevrouw Fassett-Holt verdraaide het op zo'n manier dat het leek alsof ik uit woede en wraakzucht het bewijs had geplant.

'Ik vraag niet of je het gedaan hebt, Phoebe. Ik vraag of het misschien mogelijk was dat je het had kúnnen doen. Je was er tenslotte voor in de gelegenheid.'

'Protest, edelachtbare.'

'Afgewezen. De getuige moet antwoord geven.'

Maar ik was met stomheid geslagen, zat ziedend van machteloosheid in mijn eigen waarheid verstrikt en kwam waarschijnlijk over als het toonbeeld van een versmaad meisje.

Ik had een rok aan, en onder mijn blote dijen werd het hout zo warm dat ik letterlijk op hete kolen zat. Iedereen die daar ooit had gezeten was ermee akkoord gegaan de waarheid en niets dan de waarheid te spreken. Misschien hadden sommigen zich blauw gelogen om hun huid te redden. Misschien hadden anderen de waarheid gezegd, zoals ze onder ede hadden gezworen. Misschien hadden weer anderen zichzelf zo vaak voorgelogen dat ze hun eigen leugens waren gaan geloven. Het deed er niet toe. Het deed er niets toe, want toen ik daar in de getuigenbank zat, werd de waarheid opeens even glibberig als het hout onder mijn blote dijen. In zulke omstandigheden kan iemand je dingen laten zeggen die technisch gezien waar zijn, maar die tegelijk de zuivere waarheid niet zijn.

'Ja, dat was mogelijk.' En toen voegde ik er snel aan toe: 'Maar ik heb het touw er niet neergelegd. En ik heb al gezegd dat ik de geldclip op de ladekast heb gevonden.'

Travis keek op dat moment beslist niet op. Hij zag niet hoe meester Fassett-Holt zich naar de jury wendde en met een veelbetekenend lachje zei: 'Ja, vlak voor je de slaapkamer van de verdachte uit ging. En hoe laat was dat volgens jou, Phoebe?'

Kon ze me niet onomwonden een slet noemen om ervanaf te zijn?

Toen kwam meester Fassett-Holt toe aan het gedeelte van haar optreden dat zonder meer bewonderenswaardig was. Ze had het beste voor het laatst bewaard. Ze deed alsof ze nog een laatste vraag voor de getuige had, en als het hof het haar toestond zou ze het kort houden. Rechter Gamble gaf toestemming en meester Fassett-Holt trok haar jasje recht. Ze had een potlood in haar rechterhand, dat ze om en om draaide tussen haar vingers als de minibaton van een majorette. Ze klaroende haar vraag door de rechtszaal in mijn richting: 'Phoebe, even voor de goede orde. Je hebt verklaard dat het je die dag in het winkelcentrum is gelukt Leonards geldclip terug te krijgen van Travis. Klopt dat?'

'Ja.'

'Goed. Voor alle duidelijkheid, kun je ons vertellen hoe je die clip van Travis hebt teruggekregen?'

De juryleden kenden me niet, en ze hadden geen reden om een woord van wat ik zei te geloven. Wat hun betrof was ik iemand – waarschijnlijk een versmaad meisje – die zowel de verdachte als het slachtoffer had gekend. Ik was de schakel geweest tussen die twee, de verbindende factor. Ook was ik, laten we dat vooral niet vergeten, degene geweest die zogenaamd de geldclip in Travis' kamer had gevonden en rechercheur DeSantis erop attent had gemaakt dat hij in aanmerking kwam als verdachte, als de moordenaar. Als de jury besloot mij te geloven, zou dat vanwege mijn karakter zijn, omdat ik eerlijk, oprecht en betrouwbaar overkwam, een fatsoenlijke burger die domweg haar burgerplicht deed bij de arrestatie en berechting van een misdadiger. Het bewonderenswaardige van meester Fassett-Holt was de manier waarop ze mijn daden zo wist te verdraaien dat er een bedenkelijke schaduw over dat karakter van mij viel.

'Misschien heb je de vraag niet gehoord.'

'Ik heb hem gestolen.'

'Ik versta je niet. Kun je harder spreken?'

'Ik zei dat ik hem gestolen heb. Ik heb de geldclip uit Travis' broekzak gestolen.'

Daarna maakte het niets meer uit wat ik zei. Als betrouwbare getuige of fatsoenlijke burger was ik door de mand gevallen. Wat de jury betrof, was ik een meid die jatte, een meid die schijnheilig moord en brand schreeuwde, die al bij de eerste afspraak met een jongen op de achterbank van een auto voosde, die bij nacht en ontij huisvredebreuk pleegde. Het blanke uitschot van de kust van New Jersey. Ik had afgedaan.

Ze had nog een allerlaatste vraag voor me in petto, en aan de manier waarop ze die aankondigde wist ik meteen dat dit de uitsmijter werd. Ik had genoeg afleveringen van *Law & Order* gezien om de tekenen te herkennen.

'Is het waar dat jij, voorafgaande aan de moord op Leonard, het plan had om hem te smoren met een kussen?'

'Protest!' riep meester G. vanaf de andere kant van de zaal.

*Als je niet op iets slechts wordt betrapt, betekent dat toch nog niet dat je de gevolgen ervan niet ondervindt?* Daar hadden we Bethany weer, met haar stem in mijn hoofd. Blijkbaar zou ze me nooit meer met rust laten. Het was waar – die dag in de aula had ik inderdaad de wens uitgesproken mijn neef te vermoorden. Maar zoals oma Hertle altijd zei: 'Wensen zijn paarden zonder ruiters.'

'Dat meende ik niet!' gilde ik. 'Het was een stomme grap.'

Ik weet niet veel meer van het kruisverhoor van meester G. dat volgde, behalve de eerste vragen die over mijn band met Leonard gingen. Daarna is alles blanco. Ik weet nog wel dat ik huilend instortte. Ik huilde erbarmelijk. Zo hard dat ik mijn gezicht in mijn rok moest verstoppen. De druk was me te veel geworden en ik stortte in.

Later werd me verteld dat Travis eindelijk van de tafel opkeek op het moment dat ik begon te huilen. Ik had het graag willen zien, omdat ik aan zijn gezicht had kunnen aflezen of hij door iets goedhartigs of iets kwaadaardigs werd gedreven om even naar me te kijken. Deirdre zei dat zij het ook niet wist, want ze had op de tribune achter hem gezeten en zijn gezicht niet goed in beeld gehad. Maar als ze hem wel had gezien, zei ze, betwijfelde ze of ze had kunnen zeggen wat hij dacht.

'Ik ken hem niet zo goed als jij,' zei ze, met een spoor van bewondering in haar stem. En om het er nog eens goed in te wrijven, voegde ze eraan toe: 'Dat spreekt vanzelf.'

Toen ik terugliep naar mijn plaats hoorde ik rechter Gamble het einde van de ochtendzitting aankondigen en daarna de harde klap van haar hamer die een schorsing tot na de lunch inleidde. En toen gebeurde het – Travis keek me aan. Onze ogen ontmoetten elkaar. Mijn hart stond stil, maar ik kon het bloed in mijn hoofd voelen bonken en ik wist dat ik niet dood was. Met zijn mond vormde hij de woorden 'dank je', toen glimlachte hij en keerde weer snel terug naar wat het ook was dat hij zat te doen. Ik wilde iets zeggen, maar net als in nachtmerries waar je leven ervan afhangt dat je het op een schreeuwen zet maar geen geluid uit je keel krijgt, was ik sprakeloos. Ik stond als verlamd midden in de zaal. Dagen gingen voorbij, weken, jaren, en nog steeds stond ik in die zaal, nog steeds wilde ik zeggen: *je moet me niet bedanken. Dat mag niet. En waag het niet naar me te lachen. Ik heb niets gedaan. Niets waar jij om mag glimlachen. Als ik al geholpen heb, was het tegen wil en dank. Ik heb mijn plicht gedaan, de waarheid verteld, en niets dan de waarheid. Maar de waarheid is er niet uit gekomen. Niet echt. Er is iets anders onthuld, een kant van de waarheid waaraan jij uiteindelijk misschien iets hebt, maar dat kwam niet door mij. Dus bedank me niet.*

Maar zoals ik al zei, er kwam geen woord uit.

Mijn moeder, die besefte dat ik daar midden in de zaal in een zoutpilaar was veranderd, kwam me te hulp. Ze pakte mijn arm en trok me zacht mee. Het was een zware dag voor me. Ik was een schim van wie ik geweest was, ik liep rond met haar dat rot zat, ik droeg de verkeerde kleren en er kwam geen zinnig woord uit.

De volgende dag zaten we op onze vaste plaatsen in de rechtszaal in afwachting van de slotpleidooien van beide partijen. Afgaand op de gezichten van de juryleden, zou ik zeggen dat beide advocaten met goede argumenten kwamen en conclusies trokken die hun lezing van het verhaal stevig onderbouwden. Ik wilde wel luisteren, maar na mijn optreden van de vorige dag had ik het gevoel dat iedereen heel anders dan eerst naar mijn achterhoofd staarde. Ik begon me in te beelden dat iedereen achter me zat te denken dat ik Travis' vriendin was. Dat is ze! dachten ze bij zichzelf. Het meisje dat een moordenaar heeft gekust. Morgen zou mijn foto in de krant staan met de kop: PHOEBE HERTLE, VRIENDIN VAN DE VEROORDEELDE. Mijn haar zou er niet uitzien, omdat de fotografen hun plaatjes schoten terwijl ik aan het einde van het proces de trappen van het gerechtsgebouw af rende. Het kon hun natuurlijk niet schelen dat ik erop stond als iemand die wegdook voor rondvliegende projectielen. En met zulke publiciteit kon ik maar beter de rest van mijn leven binnen blijven in plaats van me te onderwerpen aan nog meer vragen, verdraaide feiten en rotfoto's op klaarlichte dag. Op de lange duur zou de rechtszaak wel in het vergeetboek raken, maar dan was ik allang een stokoude vrouw, die er bekend om stond dat ze nooit een voet buiten de deur zette.

Na de pleidooien gaf rechter Gamble de jury instructies en hield een toespraak over het gewicht van hun beslissing in het bijzonder en het belang van rechtspraak in het algemeen.

De jury had nog geen vierentwintig uur nodig om overeenstemming te bereiken over de uitspraak, en de volgende dag zaten we weer in de rechtszaal om te horen wat het lot van Travis Lembeck zou zijn.

Een blonde vrouw met heftig opgekamd haar, vastberaden kaken en peperdure nagels was als woordvoerster van de jury gekozen. Rechter Gamble herhaalde de aanklacht tegen de verdachte (moord met voorbedachten rade) en vroeg toen aan de blonde vrouw hoe de jury had geoordeeld. Met kaarsrechte houding en trillende stem zei ze: 'Schuldig.'

Rechter Gamble zei een paar woorden en liet haar hamer hard neerkomen. De bewakers voerden Travis weg, en dat was dat.

Toen we de rechtszaal uit wilden gaan, stopte de bode ons

een briefje toe van rechter Gamble waarin stond dat ze ons in haar kamer wilde spreken. Ma, Deirdre, oom Mike en ik dromden door de deur van een vertrek met houtpanelen langs de wanden en een hoog plafond. Midden in de kamer was een groot bureau neergezet en we stonden ervoor met jassen aan en sjaals om als verhitte studenten die onverwacht bij de rector op het matje waren geroepen voor god mocht weten wat.

Rechter Gamble was een heel kleine vrouw. Afgedaald van haar juridische zetel en ontdaan van haar toga leek ze in niets op de imposante autoriteit die ze in de rechtszaal voorstelde. Ze had een verrassend klein hoofd en erg grote voeten. Ze had bruin haar met grijze plukken, geknipt in een zakelijk bobkapsel dat tot even onder haar oren viel. Charmant. Ze zat, of liever hing, op een hoek van haar bureau en bood ons water of koffie aan. Niemand ging erop in. Ze herinnerde ons aan de datum waarop het proces werd voortgezet om het vonnis te bepalen en zette toen haar bril af om te zeggen dat het heel wel denkbaar was dat de jury de verdachte de maximale strafmaat zou opleggen. Niemand van mijn groepje had meteen door wat ze bedoelde en ik trad op als vertaler.

'Ze zegt dat Travis de doodstraf kan krijgen,' lichtte ik mijn onwetende familieleden in. Ze gaven een kort knikje in mijn richting, alsof ze dat heus wel meteen hadden doorgehad.

Rechter Gamble vertelde ons dat, al zaten elf mensen in de dodencellen van de staat New Jersey, er sinds 1976 geen executies meer hadden plaatsgevonden. Als Travis Lembeck de doodstraf kreeg, zou dat vooral voor de show zijn, om een signaal af te geven dat Jersey hard optreedt tegen misdaad. Ze voegde eraan toe dat de gruwelijkheid van Travis' daad, de wreedheid die het slachtoffer was aangedaan en alle publiciteit rond de zaak konden betekenen dat de jury de maximale straf gerechtvaardigd vond. Als Leonards familie moesten wij ook weten dat we de mogelijkheid kregen een publieke verklaring af te leggen bij het vonnisproces. Het was aan ons of we dat wilden. We werden niet onder druk gezet. Ze stelde voor dat we erover na zouden denken en zo snel mogelijk zouden beslissen. Het was beter, zei ze, dat we er de tijd voor namen, zodat we niet alleen een verklaring konden opstellen maar ons er ook emotioneel op konden voorbereiden.

Mijn moeder vroeg wie van ons het woord moest voeren, en rechter Gamble keek naar ons over de rand van haar leesbril. 'Dat maakt niet uit. Maar diegene moet wél namens de hele familie spreken. Ik accepteer geen koor van tegenstrijdige meningen. Unaniem. En probeer het kort te houden. Hooguit vijf minuten.'

We stommelden de kamer uit en gingen naar huis. Niemand zei iets. Ik zat achterin en staarde uit het raampje. Thuisgekomen drongen we ons langs een groep wachtende journalisten. Alleen oom Mike wilde blijven staan om iets te zeggen. Net toen hij zijn grote, vette mond opendeed sleurde ma hem mee, waarbij ze bijna zijn mouw kapotscheurde. Gelukkig wisten we hem naar binnen te werken voor hij zijn riedel kon afdraaien dat de uitspraak van de jury 'een kleine stap voor de mensheid, maar een grote sprong voor de gerechtigheid' was, een zin die hij onderweg naar huis in de auto op ons had uitgeprobeerd. Natuurlijk wilde oom Mike degene zijn die in de rechtszaal zou opstaan om zijn zegje te doen. Dat was zijn recht, bleef hij ons voorhouden. 'Als Leonards wettelijke voogd...' Blablabla.

Wij drieën wisten niet wat we ervan moesten denken en hoe

we ermee moesten omgaan. Misschien kwam het vooral door onwennigheid, maar geen van ons wilde in een gerechtshof staan en een toespraak afsteken die in alle kranten kwam en in alle huiskamers van de stad geciteerd werd. Mijn moeder niet, Deirdre niet en ik niet. Geen van ons was zo dapper – of zo stom. De rechtszaal had vol gezeten met kennissen uit Neptune: de klanten van mijn moeder, docenten van de bovenbouw en vroegere klasgenoten van Travis. Je hoeft maar één keer in de fout te gaan in onze stad en je bent de bonte hond. Je staat erom bekend. Het verhaal kleeft aan je. Je komt er nooit meer vanaf.

Bij de koffie kondigde mijn moeder aan dat ze blij was dat het proces achter de rug was en ze niet van plan was het uit te melken, want ze was het meer dan zat dat ze nagetekend werd door mislukte kunstenaars die bijklusten als sneltekenaar voor de nieuwsprogramma's op tv.

'Wat zijn dat voor mensen? Ze maken altijd een zwerfster van me. Dat is toch geen baan voor een normaal mens? De hele dag lelijke portretten tekenen van mensen in een rotsituatie? Ik pas ervoor.'

Persoonlijk denk ik dat ze gewoon bang was om in het openbaar te spreken, maar hoe het ook zat, ze weigerde vierkant een verklaring af te leggen.

Deirdre had zich amper met alle heisa van het proces bemoeid. Ze was nog wel bereid geweest de laatste week mee te gaan omdat ze dan vrij had van school, maar vanaf het begin had ze goed laten merken dat het proces en alle bijkomstigheden haar gestolen konden worden. Nu ze op de Roberson's Beautyschool zat vond ze de sfeer van een rechtszaal niet samengaan met haar opleiding. Haar docent, Todd, had de groep voorgehouden dat ze als aankomende schoonheidsspecialistes maar één taak hadden: leren een omgeving van pure glamour te creëren en onderhouden. Dat was het hele eieren eten, vertelde hij hun. Blijkbaar was dat ook het motto van JLo, Nicole Kidman en al die andere glamourpoezen die vast nog nooit hadden gehoord van Asbury Park, New Jersey. Maar goed, tegen de tijd dat Deirdre een kijkje in de rechtszaal kwam nemen, had ze al zoveel dagen gemist dat ze geen idee had in welke relatie de deelnemers stonden tot de zaak. Als ze als woordvoerster werd aangewezen, zou ze hopeloos zijn; en bovendien voelde ze er niets voor.

Mijn vader en Chrissie waren nog geen dag bij de rechtszaak geweest. Ze hadden meteen in het begin laten weten dat het echt te ver was om elke dag naar Trenton op en neer te gaan, en dat het ook niet kon vanwege hun werk. Maar we zouden niet eens willen dat ze het woord voerden voor onze familie, want ze waren mensen met wie we in die tijd nog geen woord wilden wisselden.

Oom Mike kreeg bijna een beroerte toen hij merkte dat we er sterk over dachten hem niet namens Leonard te laten spreken. Hij herinnerde ons er maar weer eens aan dat hij en niemand anders in aanmerking kwam om voor Leonard het woord te voeren.

Mij kon het niet schelen wie het ging doen, al wilde ik wel het een en ander kwijt over wat er dan in de rechtszaal moest worden gezegd. Daardoor raakten we meteen verzeild in een knallende ruzie over wat rechter Gamble ons had opgedragen te doen, een eensgezinde verklaring afleggen. Dus moesten we het eerst eens zien te worden over wat we er als familie eigenlijk van vonden.

Oom Mike vond dat Travis voorgoed was opgegeven. Hij wees op het feit dat 'de klootzak', zoals hij hem noemde, geen spat berouw had getoond, nooit aan ons had laten merken dat hij spijt had en al helemaal niet midden op het meer genade voor Leonard had gekend. Ik ging ertegen in; ik zei dat we niet mochten doen alsof wij wisten wat Travis dacht of voelde.

'Dat is allemaal speculatie,' zei ik, met woorden die ik in de rechtszaal had opgepikt.

Oom Mike begon zo hard te schreeuwen dat de koppen en schotels ervan rammelden in de kast. Het huis was te klein – letterlijk, want ik wist niet waar ik het zoeken moest. Hij maaide met zijn handen door de lucht en riep dat hij al bij het begin van het gedonder zo'n beetje het gekkenhuis in was gespeculeerd. We moesten voor eens en altijd begrijpen dat hij er doodziek van was om over de moord op Leonard te praten alsof er plaats was voor nuancering.

'Het is zwart-wit,' zei hij steeds weer. 'Het is zo klaar als een klontje! Die klootzak verdient de doodstraf. En daarmee uit.'

Natuurlijk was oom Mike lang niet de enige die de doodstraf het enig aanvaardbare einde van de zaak vond. Vanaf het begin hadden allerlei mensen beweerd dat Travis, als hij schuldig werd verklaard, de ultieme boete moest doen: alleen dan was de zaak de wereld uit.

'Hoezo de wereld uit?' vroeg ik.

'Kwestie van oog om oog,' zei oom Mike. 'Dat staat zo in de Bijbel.'

Ik kon het niet met hem eens zijn.

'Oog om oog is gewoon een smoes waarmee je rechtvaardigt dat je mensen doodt.'

Oom Mike onderbrak me. 'Jij lult maar raak, en als je denkt

dat Leonards moordenaar met minder moet worden gestraft, ben je te jong om de waarde van een mensenleven te begrijpen.'

Ik begon zo hard tegen hem te krijsen dat ik de roosters in de oven hoorde rammelen.

'Ieder mensenleven is van waarde,' schreeuwde ik als de eerste de beste tv-predikant. 'En wat heeft Leonard eraan als Travis Lembeck gedood wordt? Daar hebben we Leonard niet levend mee terug. Daar worden we vanbinnen niet gelukkiger van, alsof er niets gebeurd is en alles weer gewoon wordt. Nee. Leonard is vermoord. We moeten daarmee leren leven. We moeten verder. Wij allemaal.'

'Maar Travis niet,' zei oom Mike hoofdschuddend, met een verbeten grimas.

'Jawel,' zei ik. 'Travis ook.'

Toen ik de keuken uit ging, kon ik oom Mike horen mopperen tegen wie het maar horen wilde: 'Wat is er nou weer gebeurd? Zo valt er toch zeker niet te praten!'

# 20

Na de lange dag in het gerechtshof en vervolgens ruzie met oom Mike wilde ik in mijn eentje weg om mijn gedachten op een rijtje te krijgen. Maar waar moest ik heen? Even dacht ik eraan om op het strand te gaan zitten, zoals Leonard volgens eigen zeggen vaak had gedaan om te kijken hoe de golven kwamen aanrollen en zijn weltschmerz te voelen; maar het was al donker, en het was domweg niet hetzelfde om de golven alleen maar te horen. Ik dwaalde door de zijstraten en dacht diep na over de afgelopen twee jaar. Ik moest al snel constateren dat ik vooral wilde dat we Leonard om te beginnen nooit in huis hadden genomen. Toen wenste ik dat Electra en ik nog altijd de beste vriendinnen waren. Daarna wenste ik dat pa er nooit vandoor was gegaan met Chrissie Bettinger en dat mijn ouders niet gescheiden waren. Ik wilde dat Deirdre nooit verdrietig en neerslachtig was geworden om wat er tussen haar en pa was voorgevallen. Ik wenste... En net toen ik het gevaar begon te lopen dat ik mijn hele leven verwenste, ontdekte ik dat ik voor de St.-Stephen stond, de katholieke kerk in het centrum waar mijn familie naar de mis gaat en waar ma en pa getrouwd waren. Ik wilde half en half naar binnen om te bidden of zoiets, maar de kerk zat hermetisch op slot.

Het twee verdiepingen hoge gebouw van baksteen ernaast was wel verlicht en er klonk Afrikaanse muziek. Daar woonde pastoor Jimbo sinds hij zich in Neptune had gevestigd. Het huis was oorspronkelijk ontworpen voor een bloeiende parochie met drie voltijdpriesters, terwijl er ook twee novicen konden logeren en er nog ruimte overbleef voor een inwonende huishoudster, maar tegenwoordig woonde alleen pastoor Jimbo er. Het was een huis van bruine baksteen en simpel beton, dat een stuk van de straat af stond met een grote, oude plataan erbij. De trappen naar de voordeur waren breed en sierlijk; ze leidden naar een kleine, beschutte veranda. De zware deur van eikenhout glansde. Twee fraaie glas-in-loodramen, aan weerskanten van de deur, droegen stilzwijgend de boodschap aan indringers en colporteurs uit dat dit geen gewoon huis was; het was een pastorie.

'Dag. Kan ik iets voor je doen?'

Ik draaide me om en zag pastoor Jimbo. Hij stond onder aan de trappen met zijn jas aan en een golfclub in zijn hand.

'O. Phoebe,' zei hij toen hij mij op hem neer zag kijken. 'Je bent Phoebe toch?'

Ik knikte. En ik denk dat hij me naar zijn golfclub zag staren, want hij stak hem in de lucht, keek er verbaasd naar en schoot toen in de lach.

'Ik weet het. Raar hè, golf. De nonnen hebben achter het klooster een kleine baan aangelegd. Ze hebben er zelfs lichten geïnstalleerd en zo.' Hij wees met de club naar een plaats die ik niet kon zien, achter het huis. 'Ze hebben hem jaren geleden aangelegd voor pastoor Cooper. Heb je pastoor Cooper gekend?'

Nee dus.

'Enfin, ik heb naast zijn parochianen ook zijn golfbaan geerfd. Maar je bent vast niet gekomen om over golf te praten.'

Toen we eenmaal binnen waren, zette hij de Afrikaanse muziek uit en verdween door een lange gang om een beker warme chocolademelk voor me te maken. Ik hoorde hem bijna meteen in de weer gaan met bekers en de ketel, want de geluiden ketsten hard en zuiver af tegen de diepglanzend geboende vloeren en kale muren. Ik was nooit in Afrika geweest, maar ik vroeg me af hoe de geluiden van pastoor Jimbo's jeugd hadden geklonken, in vergelijking met het steriele tikje van één enkele beker op een stenen aanrechtblad of het eenzame gefluit van een ketel die aan de kook kwam.

De kamers waren groot en ruim, alsof ze bestemd waren geweest voor een soort luxe die de kerk zich allang niet meer kon veroorloven. De goedkope vloerkleden in vage bruine en beige kleuren pasten niet bij de klassieke weefsels van de stoelkussens. De antieke, houten stoelen die eruitzagen alsof ze in een middeleeuws toneelstuk over ridders en draken thuishoorden, stonden vreemd bij de strakke, moderne houten salontafels. Het was een mengelmoes van stijlen en patronen met maar één verbindende factor: geldgebrek.

Pastoor Jimbo had me in een van die oude stoelen met weelderig houtsnijwerk in de salon geparkeerd. Ik keek om me heen. De ruimte werd blijkbaar vooral als kantoor gebruikt. Ik stelde me voor dat hier verloofde paren kwamen om hun komende huwelijksgeloften te bespreken met pastoor Jimbo, of treurige weduwen die hun rekeningen niet meer konden betalen, of kersverse bekeerlingen die toch nog geloofstwijfels hadden. Waarschijnlijk boog hij aandachtig luisterend naar hen toe en gaf ze daarna goede raad, die was gebaseerd op precies datgene wat ze toch al wilden doen. Mensen, zei hij weleens tegen ons in zijn zondagse preek, weten het zelf het beste, en wat ze vooral weten is wie ze zelf zijn. Hij was niet een van die priesters die de agenda van de kerk doordrukte, zich vierkant achter de paus schaarde of achter de misdienaars aan zat; hij was gewoon een prima kerel die gekleed ging in het zwart en zijn best deed om de wereld in het algemeen en elke ziel op zich lief te hebben.

Hij ging naast me zitten, en terwijl ik wat koelte over mijn dampende beker chocolademelk blies, haalde hij uit het niets een rieten onderzettertje tevoorschijn. Hij legde het op de rand van een groot, zwaar bureau en maakte met een handgebaar duidelijk dat de onderzetter voor mij was bedoeld. Alles op het bureau leek even zorgvuldig geplaatst als de onderzetter – het vloeiblad, de kleine kalender waarop iedere dag van de maand werd afgekruist, de plastic klok met wijzers die oplichtten in het donker, en een telefoontoestel uit de jaren tachtig, zo'n ding waarvan de hoorn met een lang krulsnoer aan het toestel vastzit. Er lag een blauwe ballpoint met een zilverkleurige inscriptie: DE SPAAR- EN LEENBANK VAN NEPTUNE STAAT SINDS 1964 VOOR U KLAAR. Ernaast lag een scherp geslepen potlood. Een philodendron in een groene keramieken bloempot stortte haar glanzende hartvormige bladeren weelderig over het tafelblad uit, en daar weer naast lag een rond keitje waarop met vilstift een lachend gezichtje was getekend.

'Ja,' zei hij nadat ik hem de situatie had uitgelegd. 'Dan zitten we met een groot probleem, jij en ik.'

Hij legde me uit dat het zinloos is om over Bijbelteksten te discussiëren, want mensen vinden altijd wel weer een andere tekst om hun argumenten kracht bij te zetten. Het maakt niet uit wat je gelooft, zei hij, want er is altijd een zinnetje in de Schrift te vinden dat jou gelijk geeft en de ander ongelijk. Maar hij wees er ook op dat je in het Nieuwe Testament kunt lezen hoe Jezus dat hele oog-om-ooggedoe relativeert.

'Ik moet me al wel heel sterk vergissen als Jezus er niet op aandringt dat iedereen maar eens moet ophouden met elkaar verrot te slaan en de ogen uit te steken. Hij zei dat mensen moesten proberen, minimaal proberen, om vergevingsgezind te zijn, ook tegenover hun vijanden.'

'Ja, dat is allemaal goed en wel,' zei ik, en ik staarde naar het kleine, plastic kruisje op zijn bureau, 'maar het punt is dat ik bang ben dat oom Mike iets heel ingrijpends van plan is. Hij gaat beslist in de rechtszaal een donderende speech afsteken dat Travis dood moet.'

Ik had mijn eigen standpunt al goed duidelijk gemaakt. Ook al was Travis schuldig, hij verdiende het niet gedood te worden. Om dit te benadrukken, voegde ik er ook nog eens aan toe: 'Als christenen hebben we de morele plicht ons best ervoor te doen dat de jury geen bloed gaat ruiken.' Ik was er zeker van dat pastoor Jimbo het met me eens zou zijn, vooral omdat ik dat christelijke gedoe zo lekker aandikte. Maar hij knikte alleen en trok zijn wenkbrauwen op ten teken dat ik door moest gaan.

Oom Mike, zei ik, schreeuwde moord en brand om met zijn standpunt ieder ander te overstemmen, en daar schoten we niets mee op. Maar, legde ik uit, we moesten beslist de goede weg in slaan door een beroep te doen op de jury en om clementie te vragen.

Het bleef even stil. Pastoor Jimbo leunde achterover in zijn stoel en wendde zijn blik af. Hij sloot zijn ogen. Ik kon bijna horen hoe de radertjes in zijn hersens aan het werk waren; ze draaiden en knarsten terwijl hij over de details nadacht. Nu had hij een compleet beeld.

'Phoebe, is Travis slecht volgens jou?'

'Ik weet het niet. Misschien wel. Maar maakt dat wat uit? Hij verdient nog steeds niet de doodstraf, omdat hij Leonard heeft vermoord. Toch? Iemand doden is toch een doodzonde?'

'Jazeker. Daar geloof ik in, en de katholieke kerk trouwens ook. Maar sommige mensen, zoals jouw oom, zeggen dat Travis slecht is, omdat hij iets slechts heeft gedaan; als ze de veroorzaker van het kwaad vernietigen, bevrijden ze de wereld van misschien nog meer kwaad. Dat geeft ze rust, dan kunnen ze 's nachts slapen. Zij vinden dat logisch.'

'Maar het is niet goed,' zei ik, geïrriteerd omdat pastoor Jimbo oom Mikes kant koos in de discussie, al was het alleen maar om ook die kant te belichten. Daar had ik die avond al meer dan genoeg over gehoord.

'Nee. Nee, goed is het niet. Voor ons niet. Voor jou en mij is dat geen oplossing. Maar voor anderen is het een daad die ze kunnen stellen om zich te verweren tegen het kwaad als ze het gevoel hebben dat het te dichtbij komt.'

'En wat moeten u en ik dan doen? Werkeloos toekijken en ze hun gang laten gaan?'

'Die vraag, Phoebe, daar draait het om. Wat kunnen we doen? En naar mijn mening is dat de enige juiste vraag. Wat kunnen wij doen?'

'Ja, maar dat is het hem nou net, pastoor Jimbo. Ik kan niets doen. Dat zei ik toch al. Oom Mike staat erop dat hij het woord voert als het proces wordt hervat.'

'Ja,' zei hij, en hij glimlachte zo breed dat ik bijna al zijn tanden zag. 'Maar het duurt nog dagen voor het zover is.'

Daarna zaten pastoor Jimbo en ik zeker een halfuur lang aan zijn bureau over goed en kwaad te praten. En al had ik over dat onderwerp gepiekerd vanaf het moment dat Leonard was verdwenen, het was voor het eerst van mijn leven dat me werd gevraagd te formuleren hoe ik dacht over mensen en hun enorme neiging kwaad aan te richten op de wereld. Waren we van nature goedaardige schepsels die zich af en toe te buiten gingen aan slecht gedrag? Of waren we in wezen slecht, met het verlangen beter te zijn? Het zal wel troostrijk zijn bedoeld toen pastoor Jimbo me vertelde dat deze vraag grote denkers en theologen al sinds het begin van de menselijke geschiedenis kwelde, en dat we er niet op konden hopen om in één avond het antwoord te vinden. Toch maakte het me eigenlijk pisnijdig toen ik zag hoe laat het was. Het was al na negenen. Er was meer dan een uur voorbijgegaan en het enige wat pastoor Jimbo me had kunnen geven was chocolademelk. Hij had me geen plan de campagne aangereikt. Ik reikte naar mijn muts en das.

Hij pakte zijn jas en liep met me mee de avond in. Hij zei dat hij nog iets in de kerk moest doen en voegde er toen aan toe: 'Er is altijd wel iets.'

We bleven even staan op de stoep om afscheid te nemen.

'En wat moet ik nou doen?' vroeg ik hem. 'Wilt u in ieder geval met oom Mike praten?'

Hij schokschouderde even. Toen vroeg hij, alsof hij een vlaag van inspiratie kreeg, of ik mee naar binnen wilde. Ik keek omhoog en de voorgevel van de kerk was donker en onheilspellend. Dit was niet zo'n grote, protserige kerk zoals die in de jaren zeventig in de stijl van een luchthaventerminal waren gebouwd om mensen een optimistisch toekomstgevoel te geven. Dit was geen plek waar filmsterren terugkeerden om er te trouwen en gefotografeerd te worden tussen de uitgelaten juichende fans van hun geboorteplaats. (Jack Nicholson was de enige filmster die Neptune had voortgebracht, en hij was ongetrouwd.) De St.-Stephenkerk greep terug op vroegere tijden. De architect had het gebouw gemodelleerd naar zijn idee van een knusse dorpskerk ergens in het Engeland van voor de Tweede Wereldoorlog, met een hoge, spitse kerktoren, kerkbanken van donker hout, bidkussens met echte leren bovenstukken en een heleboel kleine boognissen waarin droevige heiligen stonden verscholen in de stoffige schaduw. Met zijn donkere baksteen, traliewerk van smeedijzer en zware glas-in-loodramen had de kerk op mij altijd de indruk gemaakt van een overblijfsel uit voorbije tijden waarin katholieken nog de baas waren, de tijd van de kruistochten bijvoorbeeld.

Pastoor Jimbo was al op het bordes en deed de zware voordeuren van het slot. Hij stond in de vestibule en hield met één arm de deur open. Ik zag hoe duister het binnen was, maar de duisternis was dan ook het enige wat ik zag.

'Kom,' zei hij, en met een rukje van zijn hoofd wees hij naar binnen. 'Ik wil je iets laten zien.'

'Ik moet eigenlijk nodig naar huis. Anders belt ma de politie.' Maar zelfs terwijl ik het zei, ging ik al de treden op in zijn richting.

'Het duurt maar kort.'

Toen we eenmaal binnen stonden, met achter ons de dichte deuren, kon ik de ruimte van de kerk voor me meer voelen dan zien. In de verte flakkerde een kaarsenvlammetje, te klein en veraf om het gebouw te verlichten; het was niet meer dan een ver lichtpuntje. Ik kon onze ademhaling horen, maar zodra pastoor Jimbo begon te praten hoorde ik ook hoe groot de ruimte was. Het geluid van zijn stem droeg tot de achtermuur en galmde daar naar ons terug.

'Niet bang zijn,' zei hij. 'Dit wilde ik je laten zien.'

'Wat?'

'Dit.'

'Het is donker. Ik zie niets.'

'Ja,' zei hij. 'Precies. Maar wat stelt het donker voor?'

'Hè?'

Hij begon me op mijn zenuwen te werken met dat gezeur over duisternis, zijn vragen, zijn ademhaling. Ik kon zijn aftershave ruiken en hoorde het schuren van de priesterboord om zijn nek toen hij zich omdraaide en in het donker naar me keek. We stonden te dicht bij elkaar, en opeens voelde het alsof alles helemaal mis was – en griezelig.

'Kunnen we zeggen wat het donker betekent?'

Ik stond op het punt om de benen te nemen toen pastoor Jimbo een schakelaar aan de wand naast hem omzette en de lichten achter in de kerk aangingen. Meteen zag ik het interieur van de kerk, dat me bij dit eng vage schijnsel wel vreemd voorkwam, maar toch zonder twijfel het gebouw was waar ik altijd kwam met Kerstmis, Pasen en op zondagen waarop ma erop stond dat we ons netjes aankleedden, naar de mis gingen en baden om god-mag-weten-wat.

'Het is donker als er geen licht is,' gaf pastoor Jimbo antwoord op zijn eigen vraag. 'Het donker is de afwezigheid van licht, Phoebe. Hoe meer licht er is, hoe minder donker. Met goed en kwaad is het net zo. Ga maar na. Hoe meer goed er is, hoe minder kwaad.'

'Dus eigenlijk zegt u...' vroeg ik zonder hem echt aan te kijken, 'dus eigenlijk zegt u dat ik zelf met oom Mike moet praten?'

Onderweg naar huis dacht ik na over pastoor Jimbo's demonstratie van licht en donker, goed en kwaad. Ik liet de scène steeds opnieuw door mijn hoofd spelen, probeerde uit te dokteren of het eerlijk van hem was geweest mij het donker in te lokken en de kerk te gebruiken als decor voor zijn goocheltruc. Ik vroeg me af of hij die stunt geperfectioneerd had in Afrika. Ik zag al voor me hoe hij als jongeman van dorp naar dorp was getrokken om hele volksstammen te verbijsteren. Misschien had hij een generator meegenomen in de laadbak van een busje. Misschien had hij snoeren en een grote schakelaar bij zich gehad, zodat hij zelfs in een gehucht dat niet op het lichtnet was aangesloten zijn kunstje kon flikken om de menigte een loer te draaien. *Hoe meer licht er is, hoe minder donker. Met goed en kwaad is het net zo. Ga maar na.* Ik bedacht zelfs een scenario waarin pastoor Jimbo als beginnend priester zijn truc in een kerk ergens in de Verenigde Staten had uitgehaald. Ik zag al voor me dat er paniek was uitgebroken onder de parochianen, die daarna de bisschop met zoveel klachten bombardeerden dat pastoor Jimbo uiteindelijk op het matje was geroepen om hem op het hart te drukken niet nog eens zoiets te flikken.

Maar hoe kon hij de neiging bedwingen om zich uit te leven in zo'n dramatische demonstratie van een vraag die de grondslag vormt van ons begrip van de menselijke aard, een vraag die, zoals hij het had uitgedrukt, door de hele geschiedenis van de mensheid heen grote denkers en theologen had gekweld? Nu het kwaad nog hoogtij vierde in de wereld en niets erop wees dat de invloed daarvan minder werd, moest hij het toch wel als een morele plicht voelen om steeds weer de schakelaar om te zetten, zodra het nodig was, zodra hij de kans kreeg, zodra iemand bij hem kwam met de vraag: *en wat moet ik nu doen*?

In mijn geval vond ik een persoonlijk antwoord op mijn vraag. Ik liep naar Electra's huis en klopte op de achterdeur. Mevrouw Wheeler keek door de gele, geplooide vitrage, die ik meer dan een miljoen jaar geleden zelf had helpen ophangen. Ze deed de deur open en greep mijn schouders beet.

'Waar heb je toch gezeten, meid? Ik kan je wel slaan omdat je zo lang bent weggebleven. Ik zeg nog tegen Electra, kind, zeg ik, ga die vriendin van je halen en sleep haar aan haar haren mee als het moet, maar... Wat heb je trouwens met je haar gedaan, meid? Dat is toch geen kleur? Kom onmiddellijk binnen zodat ik je in het licht kan zien.'

# 21

We waren een jaar lang geen vriendinnen geweest, en daar zat ik, daar zat ik dan weer op een vrijdagavond aan Electra's keukentafel te wachten tot ze beneden kwam, bij me ging zitten en we samen onze geintjes konden uithalen. Net als vroeger kon ik haar moeder met haar horen bekvechten, haar opdragen een vervelende klus te doen. Maar dit keer was ik die klus.

'Ze is helemaal hierheen gekomen om je te zien. Je kunt toch minstens even naar beneden gaan.'

'En dan?'

'Dan zeg je hoi. Doe aardig. Praat met haar. Praat het uit.'

'En als ik daar geen zin in heb?'

'Meid, dan ben je een nog grotere idioot dan de mensen je toch al vinden. Schiet op.'

Electra verscheen in de keuken en leek verre van blij me te zien. Ze had een paarse sjaal om haar dreads gewikkeld en alleen de uiteindjes staken erbovenuit als een bosje bloemen. Ze droeg een versleten roze T-shirt en de jeans die we bijna twee jaar geleden bij The Gap hadden gejat. Zodra ik haar zag, besefte ik hoe dol ik op haar was, en ik moest mezelf bekennen dat ik wel halfslachtige pogingen had gedaan, maar dat ik haar in de verste verte niet door een ander kon vervangen als beste vriendin. Ik haalde mijn schouders op en zei: 'Het is gewoon een rotjaar. Voor ons allebei. Ik weet niet eens wat we nou eigenlijk hebben gedaan dat het mis is gelopen tussen ons. Maar ik zal je wel vertellen dat het niet klopt dat wij geen vriendinnen meer zijn. Ik kom zeggen dat ik er spijt van heb. Oké?'

Electra verschoof haar gewicht van het ene been op het andere en hield haar hoofd een beetje scheef. Ze bekeek me keurend, alsof ze een keus moest maken of over mijn kleren nadacht. Na een tijdje hield ze me de binnenkant van haar korte, ronde arm voor en zei: 'Likken, kreng.'

We moesten zo verschrikkelijk hard lachen dat mevrouw Wheeler de trap af kwam rennen en de keuken in vloog. Toen ze ons zag met de armen om elkaar heen, schudde ze alleen maar haar hoofd en sloeg haar ogen ten hemel alsof het plafond dit gedoe kon verklaren. Ze deed alsof ze zich dood geschrokken was van ons gekrijs, maar volgens mij had ze allang door hoe de vlag erbij hing en wilde ze ons gewoon weer samen blij zien.

Ik praatte Electra in sneltreinvaart bij over de situatie, beschreef het gedrag van oom Mike en zijn hardnekkig vasthouden aan de doodstraf als vorm van gerechtigheid. Ze hield haar adem in van schrik op de juiste momenten en reageerde zoals je beste vriendin hoort te doen, met overdreven grimassen en korte begrijpende knikjes. Ze had al door wat ik probeerde te zeggen voor ik klaar was. Ze greep dan ook mijn hand en trok me mee de trap op naar haar kamer. Ik zat op de rand van haar bed terwijl zij op haar imitatie-Aeronbureaustoel neerviel en op haar toetsenbord begon te rammen.

'En je zorgt maar dat je een computer krijgt,' deelde ze me

mee zonder haar ogen van het beeldscherm te halen. 'Het is te bizar hoe jij nog in de middeleeuwen leeft. Ik hou net zoveel van lezen als jij, maar allejezus, zelfs Jane Austen heeft nu een website.'

'Ja ja.'

'Nee, ik meen het. Je zorgt dat je er een krijgt. Als we weer vriendinnen worden moet jij online zijn. Ik zal je wat laten zien.'

Binnen luttele minuten had ze een website te pakken die gewijd was aan de doodstraf. Ze schoof opzij zodat ik me naast haar op de stoel kon wringen en we samen op het scherm de tekst konden lezen. Ze scrolde en klikte als een expert. Ik was verbaasd om haar kennis en snelheid. Ze had het afgelopen jaar blijkbaar niet stilgezeten.

'Daar komt het,' zei ze.

Het was een schok om te lezen dat voor het einde van de maand bij zeven mensen ergens in de Verenigde Staten de doodstraf zou worden voltrokken door middel van elektrocutie of een dodelijke injectie. Electra las de namen van de terdoodveroordeelden hardop voor, met de datum die was vastgesteld om het vonnis te voltrekken en de staten waar de executie zou plaatsvinden.

'Stephen Hopper – 2 maart – Texas.
George Mobley – 7 maart – Ohio.
William Ray Smith – 8 maart – Ohio.
Henry Wallace junior – 10 maart – North Carolina.
William Dillard Doyle – 12 maart – Indiana.
Jimmy Ray Pollard – 15 maart – Texas.
Julio Melendez – 16 maart – Oklahoma.'

Omdat we allebei sprakeloos waren, namen we als vanzelf een minuut stilte in acht.

'En kijk,' zei Electra toen het moment voorbij was. Ze klikte de volgende maand aan. 'Nog meer namen in april. Zelfde laken een pak.'

'Wauw,' was alles wat ik te melden had.

'Ja. En niemand kijkt ervan op,' zei ze toen ze de muis losliet en haar hand naar mij uitstak om het haar uit mijn ogen te strijken. 'Niemand staat erbij stil. Het gaat gewoon door.'

'En nu moet je me nog even vertellen,' zei ik, me stompzinniger voelend dan anders, 'hoe ik hiermee oom Mike kan ompraten?'

Electra liet zich op bed vallen en keek naar me alsof ik knap achterlijk was dat ik de dingen niet even helder zag als zij.

'Wat?' vroeg ik.

'Niks. Alleen dat de doodstraf je geen bal kon schelen tot het gezeik met Travis. En nu ga je opeens op de barricade. Hoe zou dat komen, denk je?'

'Ik ken Travis nu eenmaal,' opperde ik, al zag ik aan de alwetende uitdrukking op Electra's gezicht dat ik precies het antwoord gaf dat ze van me verwachtte. 'Niet dat ik het niet erg vind van die andere kerels. Ik vind het wel erg. Maar ik ken ze niet. Niet persoonlijk.'

'Pre-cies!' zei ze en ze zwaaide haar benen van haar bed om overeind te gaan zitten en me recht aan te kunnen kijken. 'Je moet zorgen dat je oom Travis leert kennen. Travis moet een echt, levend, ademend mens voor hem worden. Dan kan je oom met geen mogelijkheid nog willen dat hij eraan gaat.'

'Zo. En hoe moet ik dat klaarspelen?'

Ze slaakte een verbaasde kreet en liet zich weer achterover

op haar bed vallen. Nadat ze een been omhoog had geschopt en met het puntje van haar in sokken gehulde tenen de hemel van het hemelbed had aangeraakt, zei ze: 'Meid, dat moet je mij niet vragen. Jij bent degene die met hem heeft gezoend.'

Een week later besloot ma dat het tijd werd dat oom Mike uit de woonkamer verhuisde. Hij had daar vanaf het begin van het proces geslapen en ma was het beu om 's ochtends beneden te komen en hem half gekleed en snurkend als een zeerover op de bank te zien hangen. Ze vond dat ik mijn kamer voor hem moest opgeven en zelf op het opvouwbare kampeerbed in Deirdres kamer kon slapen. Dit was geen gelukkige toestand om de volgende redenen:

1. Mijn bed was te klein voor een uit de kluiten gewassen vent als oom Mike.
2. Deirdre kon in deze fase van haar leven een kamergenote missen als kiespijn.
3. Hetzelfde gold voor mij. En:
4. Alleen al de term 'opvouwbaar kampeerbed' bezorgde me serieuze nekkramp.

'Waarom kan hij niet naar het dozenhok in de kelder verhuizen?' vroeg ik ma.

Ze kneep haar lippen samen en schudde haar hoofd alsof ik zojuist op iemands graf had gespuugd.

Stel je dus voor hoe ik daar lag, een week voordat oom Mike het hof zou toespreken, zonder één oog dicht te kunnen doen. Ik had een lange, bevlogen brief aan Travis geschreven om erop aan te dringen dat hij zijn spijt zou betuigen aan oom

Mike; ik had uitgelegd dat mijn oom om genade vragen zijn enige kans was om het er levend vanaf te brengen. Daarna had ik de brief in een verzegelde envelop aan pastoor Jimbo gegeven. Hij glimlachte naar me toen hij de brief in ontvangst nam en beloofde hem ruim voor het begin van het vonnisproces eigenhandig aan Travis te geven. Omdat pastoor Jimbo een godsdienstig man was, nam ik aan dat hij niet tegen me loog en zich aan zijn belofte had gehouden. Maar er was een dag voorbijgegaan zonder een woord van Travis, geen verontschuldiging, geen brief. Ik zag steeds voor me hoe vernederend het voor mijn familie was als oom Mike in de rechtszaal opstond om te betogen dat het een kwestie van oog om oog, tand om tand moest zijn. In het allerergste geval zag ik hem zelfs nog een eigengemaakte song in de rechtszaal zingen, een song die hij al de hele week uit zijn gitaar ramde wanneer hij zich terugtrok, een song die hij wilde opdragen aan Leonard. Na zich een paar uur te hebben beraden, zouden de juryleden dan weer naar hun banken terugkeren en met een unaniem oordeel komen, dat uitdraaide op de executie van Travis Lembeck.

Ik moet uiteindelijk toch zijn ingedommeld, want ik schrok uit een diepe slaap wakker door het geluid van zware voetstappen in de gang vlak bij onze kamer, gevolgd door hard gebonk op de deur van mijn moeder en gejammer om hulp. Op Deirdres Hello Kitty-wekker zag ik de cijfers verspringen naar 5.17. Ik stond van het kampeerbed op en drukte mijn oor tegen de deur. Inmiddels stond mijn moeder oom Mike te vertellen dat hij moest kalmeren en stil zijn en waar was hij in godsnaam mee bezig, wou hij soms de hele stad bij elkaar tieren? Oom Mike stond tegen de muur te bonken en jankte als een gewonde beer. Ik hoorde een harde dreun op de vloer en het was me een raadsel dat Deirdre door al die herrie op een paar meter afstand van haar hoofd heen sliep.

'Sta op, Mike! Allemachtig, sta in godsnaam op!' fluisterde mijn moeder furieus. 'Je kunt daar niet zo blijven liggen. Het is vijf uur 's ochtends. Sta op!'

Op een of andere manier wist ze hem zover te krijgen dat hij naar beneden ging, en ze trokken zich terug in de keuken. Ik ging vlak achter de keukendeur staan, zodat ik hun gesprek woordelijk kon volgen.

Volgens het verslag van oom Mike was hij wakker geworden (in mijn kamer) en had hij midden in de kamer een verward kijkende Leonard in spookachtige gedaante zien staan. Ze zeiden geen van beiden een woord. Ze bleven elkaar zeker een minuut lang aanstaren en overwogen ieder voor zich wat ze nu moesten doen.

'Zeg, wat doe jij hier?' zou Leonard toen hebben gezegd. 'Waar heb je haar gelaten? Waarom ligt Phoebe niet in haar bed?'

'En dat zei hij echt?' vroeg ma aan haar broer. 'In diezelfde woorden?'

'Nou ja,' zei oom Mike, op de hakkelende toon van een kind dat op een leugen wordt betrapt. 'Dat nou ook weer niet. Het was meer dat ik kon vóélen dat hij het wilde zeggen.'

'Ga door.'

Oom Mike zei dat hij met starre ogen lag af te wachten wat Leonard ging doen, en wat Leonard deed was opgaan in rook. Hij was weg. Oom Mike strompelde de kamer uit en wist niet hoe snel hij de gang door moest komen naar mijn moeder.

Oom Mike was ervan overtuigd dat Leonard maar met één

doel was gekomen – mij op te zoeken. Hij geloofde dat Leonard een boodschap had, en hij wilde dat mijn moeder mij wakker maakte om erachter te komen wat die boodschap kon zijn. Hij zei dat we het moesten weten voor het te laat was, voor we iets deden wat niet ongedaan kon worden gemaakt.

Toen ik eenmaal weer in mijn kampeerbedje lag, begon het net wat lichter te worden in de kamer. Deirdre rolde zich om in haar bed en tuurde naar me.

'Wat gebeurt er allemaal?'

'Niets,' zei ik. 'Oom Mike zag spoken.'

'Goh,' mompelde ze en ze krabde zich op haar hoofd. Toen gooide ze de dekens open en schoof naar de muur om ruimte voor me te maken. 'Toe maar, kom erbij.'

Dat deed ik en ik trok het beddengoed over ons heen. De plek waar ze had gelegen was warm, en haar warmte straalde uit van de plek waar ze nu lag. Ik had het gevoel dat ik eindelijk zou kunnen slapen.

'Is het laat of is het vroeg?' vroeg ze.

'Allebei,' zei ik.

We gingen een lange dag tegemoet.

Toen ik later aangekleed en wel voor het ontbijt beneden kwam, roosterde ik krentenbrood, dronk sinasappelsap en vroeg oom Mike of hij van plan was binnenkort mijn kamer vrij te maken. Hij staarde me aan.

'Wat?'

'Of misschien kunt u beneden in Leonards kamer slapen,' stelde ik voor.

Hij schudde heftig van nee.

De rest van die week werd er geen woord meer over gezegd, maar ik had zo'n gevoel dat ik mogelijk een oplossing voor mijn problemen had gevonden – niet alleen het probleem waar ik zou slapen (oom Mike verhuisde de nacht erna weer naar de bank in de woonkamer) maar ook voor het probleem-Travis Lembeck. Maar pas toen we samen kant-en-klaar op de achterbank van ma's auto op ma en Deirdre zaten te wachten, kon oom Mike zich ertoe brengen om erover te beginnen.

'Ik spreek zelden in het openbaar,' zei hij. 'Voor een hele zaal mensen staan en zo... dat is niets voor mij.'

Ik knikte en deed of ik mijn tasje op orde zat te maken. Het was oud nieuws dat hij zenuwachtig was. Het was aan alles te merken. Hij had zich de halve ochtend in de badkamer opgesloten en stond tegen zichzelf in de spiegel te mompelen. Ook had hij meer geurwater op dan normaal, en hij had zich twee keer gesneden bij het scheren. Dit was de ochtend waarop het proces begon om het vonnis vast te stellen – de fase waarin er over Travis' lot werd beslist.

'Was hij nat?' vroeg ik ten slotte, zonder op te kijken van mijn tasje.

'Wat?'

'De laatste keer dat Leonard mij opzocht was hij drijfnat. Van het meer, hè. Maar hij zag er wel goed uit. Blij. Keek hij blij?'

Oom Mikes adem stokte en zijn mond viel open.

'Heb jij hem ook gezien?' perste hij er schor uit.

'O, zo vaak. Hij begint alweer een lastpak te worden. Net als toen hij nog leefde.'

We zaten zwijgend naast elkaar tot mijn moeder en Deirdre op de voorbank schoven en we vertrokken. Toen we over de tolweg in de richting van Trenton reden, begon Deirdre, die zich als onze chauffeur had opgeworpen, aan een lange verhandeling over de oorsprong van de wrong achter op het hoofd, een onderwerp dat niemand anders dan zijzelf interessant vond. Oom Mike staarde onafgebroken uit het raam en hield de opgerolde blaadjes van zijn toespraak in zijn vuist geklemd, maar hij keek ze niet één keer in.

We kwamen in het centrum van Trenton en vonden meteen een parkeerplek aan de straat; maar voordat we uitstapten, fatsoeneerden we onszelf zo goed mogelijk. Je kon er donder op zeggen dat we op de trappen van het gerechtsgebouw dezelfde kluit fotografen en journalisten weer tegen het lijf zouden lopen, en al deden we wel alsof het ons koud liet, we wilden er stilletjes toch op ons best uitzien. Als Leonard ons al iets over het leven had geleerd, was het dat je altijd moest proberen er het beste van te maken, want je wist maar nooit waar het goed voor was.

Het kon alleen oom Mike niet schelen hoe hij erbij liep; hij stond op de stoep omhoog te staren naar de heldere blauwe lucht en liet de wind een warboel van zijn haar maken. Zijn ogen stonden wild en nerveus en hij zag asgrauw. Maar wat kon je ook anders verwachten van iemand die door een spook werd achtervolgd?

'Gaat het?' vroeg ik hem.

'Ik sta na te denken.' Hij wreef over zijn gezicht en trok aan zijn wangen, alsof hij een wanhopige poging deed een andere uitdrukking op zijn gezicht te toveren en daarmee te veranderen hoe hij zich voelde. Toen ging hij verder: 'Misschien wilde Leonard ons iets duidelijk maken. En ik heb zo'n idee dat ik weet wat het is.'

'O ja?' zei ik. 'Wat dan?'

'Ik denk dat hij misschien niet wil dat ik vandaag spreek.'

Het was bijna te makkelijk gegaan.

'Zeg,' zei ik tegen oom Mike, 'daar zou u weleens gelijk in kunnen hebben.'

Toen draaide hij zich naar me toe, legde zijn hand op mijn schouder en zei: 'Jij hoort voor hem te spreken, Pheebs. Jij bent degene die daar moet staan en zeggen wat Leonard wil. Je weet wat het is, hè? Hij heeft het je toch verteld? Jij weet het.'

'Wat is er met jullie?' riep ma van verderop.

'Niets,' zeiden oom Mike en ik tegelijk.

'Nou, kom mee dan. Hoe eerder het voorbij is, hoe beter.'

Eenmaal in het gerechtsgebouw gaf ik me over aan de gebruikelijke routine van metaaldetectoren en chagrijnige beveiligingsmensen. Zoals altijd wilde ik alles liever dan dit – op mijn sokken op de koude linoleumvloer van een gerechtsgebouw in New Jersey staan.

'In orde,' zei de beveiligingsbeambte.

Toen ik op een van de ijzeren stoeltjes ging zitten om mijn schoenen weer aan te trekken, zat oom Mike naast me zijn hoge schoenen dicht te rijgen. Ik voelde dat hij naar me keek.

'Dus jij gaat spreken, goed?' fluisterde hij.

'Mij best,' zei ik. En dat was dat. We waren eruit.

# 22

De rechtszaal zat stampvol, en de journalisten verdrongen zich rijendik tegen de deuren in afwachting van een vonnis dat over leven en dood zou beslissen.

Ma keek argwanend naar de rechtbanktekenaars toen we binnenkwamen en schudde haar haar los, zodat het hun niet kon ontgaan dat ze een nieuwe coupe had. We kregen het teken dat we stil moesten zijn; rechter Gamble kwam binnen en opende de laatste fase van het proces. Meteen aan het begin vroeg ze of iemand van de familie naar voren wilde komen om namens Leonard te spreken. We stonden allemaal op; ik had er wel in toegestemd het woord te doen, maar ik keek naar oom Mike en knikte hem toe, alsof hij nu iets mocht zeggen of voor altijd zijn mond moest houden. Ik weet dat het laf van me was, maar nu ik weer in die rechtszaal stond – met mijn gezicht naar dezelfde juryleden en mevrouw Fassett-Holt – besefte ik dat mijn pleidooi voor Travis' leven veel weg zou hebben van de wanhoopspoging van een versmade vriendin die iets had goed te maken. Oom Mike keek alsof hij op het punt stond onder ieders ogen ter plekke zijn eten uit te kotsen. Ik keek terug met een blik van 'ik ben er niet'. Hij rolde zijn toespraak open, maar wist zich duidelijk geen raad. Hij slikte een paar keer moeizaam, vroeg om een glas water en na een paar slokken schraapte hij zijn keel. Ik dacht dat het hem nog zou lukken ook er een paar woorden uit te persen; maar net toen hij zijn mond open wilde doen, kreeg Deirdre medelijden met hem, stootte hem zacht aan en liep naar voren.

'Mevrouw de rechter, als het mag wil ik namens de familie iets zeggen. Maar eh... kan ik rechtstreeks tegen Travis zelf praten? Ik bedoel, mag dat?'

Rechter Gamble keek het vertrek rond, schatte de sfeer onder de aanwezigen en maakte met een kort knikje duidelijk dat het goed was. Ze gaf een klap met haar hamer om een einde te maken aan het geritsel en gefluister. Toen draaide Deirdre zich om naar Travis, die aan de tafel van de verdediging zat.

Ze zei tegen hem: 'Hoi, Travis.'

Hij keek op, overdonderd door die plotselinge aandacht. Voor het eerst sinds het begin van het proces leek hij een echt mens; en misschien kwam dat doordat iemand voor het eerst tijdens het hele proces rechtstreeks tegen hem praatte, in plaats van uitsluitend óver hem. Het was een geniale zet, die iedereen wel moest opvallen. Opeens was hij gewoon Travis Lembeck, een jongen met wie Deirdre op school had gezeten, iemand die je op straat kon tegenkomen en tegen wie je 'hoi' zei. Maar alsof het een te zware druk was om weer gewoon te zijn, wendde Travis zich weer af en keek weg.

'Kijk, ik weet ook niet hoe dit hoort, dus...' Deirdre friemelde aan haar haar en liet een kort, zenuwachtig lachje horen. Ze droeg een grijze sweater met capuchon en een zwarte plooirok. Ze had zelfs kniekousen aan, haar Adidasloopschoenen en ze had een haarband om, al was dat bij haar korte haar niet echt nodig. Het was alsof ze zich expres zo had gekleed om bij iedereen in de rechtszaal in de smaak te vallen. Bovendien had ze van de zenuwen een diepe, plotselinge blos op haar wangen gekregen. Ze zag er fenomenaal uit. 'Maar goed, ik wou maar even zeggen dat volgens mij niemand hier in de rechtszaal een excuus kan bedenken voor wat jij hebt gedaan, of het je kan vergeven. Daar kan een gewoon mens niet bij. Dat lijkt me meer iets voor God. En voor ons, voor onze familie, is er eigenlijk geen straf ter wereld die het verlies van Leonard Pelkey goed kan maken. Dat begrijp jij toch ook wel?'

Travis reageerde niet. Hij keek niet naar haar, zelfs niet eens in haar richting. Hij staarde strak voor zich uit naar de plek waar de muur overging in het plafond; hij had zijn ogen half dichtgeknepen alsof hij alleen maar wilde dat hij de boodschap kon lezen die daar in onzichtbare inkt stond geschreven. Onverschrokken ging Deirdre verder.

'En weet je, ik vind het rot dat ik het moet toegeven, maar als dat waar is... ik bedoel, als het waar is dat niemand je kan vergeven, dan is het eigenlijk al even waar dat niemand het recht heeft jou ter dood te veroordelen.'

Hier zweeg ze om een van haar sokken op te hijsen, maar ik verdacht haar er vooral van dat ze pauzeerde voor het dramatische effect. In beide gevallen had ze succes en daarna ging ze verder.

'Zal ik je wat zeggen? Wat mijn hele familie betreft, we hadden je het liefst langzaam en met veel pijn willen zien sterven. In het begin, bedoel ik. Zo kwaad waren we. Maar zelfs oom Mike hier, die fel tegen je was, is er in de afgelopen weken anders over gaan denken.' Oom Mike draaide met een ruk zijn hoofd om en keek naar Deirdre met een blik die zei: bedoel je mij?! 'We beseffen allemaal dat het misschien beter is dat je gedwongen wordt ermee te leven.' Bij die opmerking viel ieders mond open. 'Want ik bedoel, zo lang je leeft, Travis, moet je iedere dag opnieuw met je geweten worstelen.' Er steeg verbijsterd gemompel op onder het publiek, gevolgd door een klap van de hamer. 'Maar weet je wat mijn enige en vurige hoop is, Travis? Wat mijn hele familie hoopt? Dat je geweten je dan iedere dag weer zo'n dreun verkoopt dat er niets van je rottigheid overblijft. Mensen klagen weleens dat moordenaars door zo'n manier van denken letterlijk buiten schot blijven. Zij zeggen dingen als: "Wie moordt, heeft geen geweten om mee te worstelen." En misschien dacht ik eerst ook wel zo. Maar wil je weten waardoor ik van gedachte ben veranderd?'

Weer gaf Travis niet thuis. Hij zat maar wat in de verte te staren. Deirdre wachtte tot hij eindelijk in haar richting zou kijken. Hij keek niet.

'Travis! Ik vraag of je wilt weten waardoor ik van gedachte ben veranderd?'

Opnieuw bleef het stil terwijl iedereen afwachtend naar Travis keek, in de wetenschap dat hij wist dat we naar hem keken. Het was zo'n gespannen stilte dat ik dacht dat de klok aan de muur in duizend stukjes uiteen zou spatten. Je kon de potloden op het papier horen krassen terwijl de tekenaars Deirdres mooie gezicht verprutsten. De stenografe zat werkeloos achter haar machientje. Iedereen wachtte. Maar Deirdre was niet van plan één woord te zeggen tot Travis een reactie vertoonde; en hij was blijkbaar even vastbesloten geen sjoege te geven.

Rechter Gamble deed haar mond open om iets te zeggen, wilde misschien antwoord van hem eisen; maar voordat ze maar het kleinste geluidje kon maken, draaide Travis zich naar Deirdre toe en zei op ongehoord uitdagende toon: 'Nou?'

Het was schokkend om zijn stem te horen. En ik geloof dat niet alleen ik, maar iedereen er zo over dacht. Voor de allereerste keer sinds dit hele gedoe was begonnen, nam hij zelf deel aan het proces. Deirdre nam met dat ene woordje genoegen en kon daarmee verder.

'Door mijn zus. Phoebe. Omdat bleek dat ze een beetje verliefd op je was.'

Hier draaide ze zich om en keek me aan. Alleen al de uitdrukking op haar gezicht was één en al spijtbetuiging dat ik er weer werd bij gesleept. Ik zag aan haar dat ze het echt rot vond dat ze mijn naam had moeten noemen in de rechtszaal. Maar het was gebeurd. Intussen wenste ik vurig dat ik waar dan ook ter wereld kon zijn behalve hier. Mijn mond was zo droog en korrelig als een zak chipito's, ik dook met gekromde schouders in elkaar en zelfs mijn haar prikte onder de druk van al die starende vreemden. Om het nog een graadje erger te maken viel er opeens een stroom zonlicht door het raam alsof God niks beters te doen had dan voor speciale lichteffecten te zorgen.

'Sorry, Pheebs. Maar...'

Ondanks het feit dat ik vast een kop als een boei had en mijn lichaamstemperatuur was gestegen tot honderd graden boven normaal, vond ik het niet erg wat ze tot nu toe allemaal had gezegd, en ik zou alles wat ze verder nog ging zeggen ook wel overleven. Voor het eerst in jaren had ik het gevoel dat Deirdre en ik weer zussen waren. Maar het kwam niet alleen door onze bloedband, het kwam vooral door het feit dat zij en ik – weer – door iets waren heen gegaan wat ons onherroepelijk had veranderd. Ik knikte, zodat ze aan mijn ogen kon zien dat ze mijn heldin was, dat ze dat altijd al was geweest en altijd zou blijven. Ze knikte terug en richtte toen weer haar aandacht op Travis.

'En ik dacht zo, als iemand die zo goed, lief en slim is als mijn zusje iets ziet in een loser als jij en verliefd op hem wordt, dan moet je toch iets hebben wat de moeite waard is om gespaard te blijven. Oké, misschien kunnen de meeste mensen het niet zien, of willen ze het niet zien, maar dat wil niet zeggen dat het er niet is. Een vonk, een... ja, weet ik het, toch iets goeds of zo dat heel diep zit. Eerst snapte ik niet waarom Phoebe het wel zag als niemand anders dat kon. Ik bedoel, ze heeft te vuur en te zwaard voor je leven gevochten. Dat mag je best weten. Maar na die ochtend hier in de rechtszaal, tja, toen viel opeens het kwartje bij me, want ik zag dat het uit liefde was. Er is toch geen andere verklaring? En misschien kan ze daardoor ook het goede in andere mensen zien, was ze daarom de eerste die met Leonard bevriend raakte toen hij bij ons kwam wonen. Oké, soms kon ze Leonard wel wurgen. Dat gevoel hadden we allemaal weleens. Hij kon je ongelooflijk op je zenuwen werken. Maar vergis je niet – Phoebe hield van Leonard. Ze hield van hem en zag iets in hem wat anderen niet zagen. Idem met jou, Travis. Je verdient het niet, maar het is wél zo. Zo gaan die dingen nu eenmaal.'

Ze was aan het einde van haar Latijn en ik zag dat ze op de binnenkant van haar wangen kauwde. Dat was een oeroude gewoonte van haar. Ik kende dat al vanaf mijn vroegste kindertijd. Op haar wangen kauwen was altijd haar manier geweest om niet te gaan huilen. Ik had het gevoel dat ze weleens aan pa kon denken. Wat er ook tussen hen was voorgevallen, hij was en bleef haar vader. En al verdiende hij haar liefde niet, ze hield toch van hem. Zo gaat dat nu eenmaal.

Ten slotte schraapte ze haar keel en stak opnieuw van wal. Maar het werd algauw duidelijk dat ze niet langer alleen tegen Travis praatte; ze richtte zich nu tot de hele rechtszaal.

'In de afgelopen weken is er bij ons thuis heel wat afgediscussieerd. Het liep hoog op en het draaide steeds om hetzelfde. Het ging over wraak en gerechtigheid en dat soort gelul – sorry, mevrouw de rechter – en de nadruk lag op haat. Mijn zusje bleef erop hameren dat het eerder om liefde moest gaan. Om vergeving. En uiteindelijk kwam het erop neer dat ik partij moest kiezen – voor de haat of voor de liefde. Het was niet mijn bedoeling om hier vandaag een hele rede af te steken, ik wilde eigenlijk alleen zeggen dat je in die discussie, over haat en liefde bedoel ik, zelf moet uitmaken wat je voelt. Met je hart, zeg maar. We moeten allemaal elke dag weer partij kiezen en ons tegen het kwaad verweren. En ik weet het ook niet zeker, maar ik denk dat het hele nut van het kwaad in de wereld is dat mensen die niet echt goed en niet echt slecht zijn gedwongen worden op te komen voor, nou ja, het goede. Als er geen kwaad was, zouden gewone mensen, die gewoon hun leven leiden en zich met hun eigen zaken bemoeien... zoals de familie Hertle... tja, als er geen kwaad was, zouden ze nooit de moed hebben om zich uit te spreken en te doen wat goed is.'

Hier zweeg ze even en ze keek neer op haar loopschoenen, maar ik kende haar van haver tot gort. Ze was volkomen geconcentreerd op het publiek. Ze leek zich bewust van het effect dat ze had op de zaal, op de jury, op mij en, ja, zelfs op Travis. Het was toch logisch dat ze dat moment even wilde koesteren voor ze doorging? Maar ze had genoeg gezegd, en als iedere goede publieksspeler die de kunst verstaat het gehoor aan te voelen, wist ze dat het tijd werd om af te ronden.

'Dat was het wel zo'n beetje.' Toen viel haar iets in. 'O. Eén ding nog. Ik vind het echt lullig dat Leonard zelf er niet bij is. Hij zou genoten hebben van het hele drama. Zijn mond zou niet stil hebben gestaan. Zo was hij. Altijd het hoogste woord. Maar omdat hij er niet meer is, vond ik dat ik maar iets moest zeggen.'

Ze wendde zich tot de dames en heren van de jury.

'Kijk. Het komt dus eigenlijk hierop neer: als u zich straks terugtrekt om te besluiten of Travis Lembeck moet leven of sterven, hoeft u alleen maar uw hart te volgen – en te kiezen tussen haat of liefde.'

Toen we die dag uit het gerechtsgebouw kwamen en het zonlicht van de late middag in liepen, zag ik de mensen zich verdringen in een poging ons goed te kunnen bekijken. De hele zwerm persmensen en fotografen was er; ze vielen over elkaar heen om hun microfoons en camera's op mij, Deirdre of ma te richten en schreeuwden intussen om onze aandacht en ons commentaar. Maar ook gewone mensen die het proces hadden gevolgd stonden te wachten om een glimp van ons op te vangen. 'Daar is ze! Zijn vriendin!' schreeuwde een vrouw met melkboerenhondenhaar, die een regenjas over haar sweater droeg en sportschoenen aanhad. Een kerel in een leren bomberjack, goedkope spijkerbroek en met een gouden ketting om zijn nek riep Deirdres naam alsof ze hem hoorde te kennen. Ik zag een kluwen schoolmeisjes, die eruitzagen zoals ikzelf twee jaar geleden, naïef en allemaal met hetzelfde soort modekleertjes; ze sprongen op en neer om ons boven de hoofden van andere mensen uit te kunnen zien. 'Ik zie haar!' gilde een van hen naar de anderen. 'Ik heb haar gezien!' Maar ik wist niet of ze mij, Deirdre of Carol Silva-Hernandez bedoelde, de verslaggeefster van NEWS 5.

Ook veel klanten van ma waren komen opdagen, stonden met gespannen gezichten naast elkaar en hadden een arm door die van hun buurvrouw gehaakt. Ik had ze nog nooit zo vastberaden gezien, zo serieus. Het duurde even voor ik besefte dat ze een blokkade vormden tussen ons en de opdringerige menigte. Ze bleven vlak bij ons, schuifelden met ons mee, en schermden ons stilzwijgend af van de drukkende horde sensatiezoekers en ramptoeristen tot we de trappen af waren en het ergste hadden gehad.

'Verder red je het wel,' zei mevrouw Liggeria tegen mijn moeder. 'Als er nog gedonder komt, heb je mijn mobiele nummer, toch?'

Ma knikte en bedankte hen, zei dat ze elkaar weer in de salon zouden zien. Ik wilde hen ook bedanken, maar Deirdre pakte mijn arm beet en trok me mee. Omkijkend zag ik hoe ze daar stonden – mevrouw Liggeria, mevrouw Kavanaugh, mevrouw Mixner, mevrouw Trabucco, mevrouw Landis en mevrouw Grig – en ons nakeken toen we wegliepen. Toen ik mijn arm opstak om gedag te zwaaien, bekroop me het gevoel dat ik een vreemde was, niet alleen voor hen, maar ook voor mezelf.

# 23

Op een zonnige voorjaarsdag in mijn laatste schooljaar kwam ik thuis en zag dat er in de brievenbus een echte brief voor me was. We kregen zelden of nooit slakkenpost, zodat een brief met handgeschreven naam en adres meteen opviel. We kregen wel verjaardagskaarten; soms eens een ansichtkaart van een vaste klant van ma om de weersomstandigheden in Tampa te melden of het feit dat haar eczeem onverwachts was opgeklaard; en soms stuurde een klant, die aan me moest denken omdat ik een keer zo'n succesvol permanent bij haar had gezet, een kerstkaart met een biljet van vijf dollar erin. Maar de dagelijkse postbestelling (zoals Jane Austen gezegd zou hebben) bestond in ons gezin vooral uit rekeningen en reclame. Nadat Electra mijn computer had geïnstalleerd en me op internet had aangesloten, was ik dag en nacht in de weer met mailtjes, mijn MySpace-account en de IMing-vrienden die ik online had leren kennen. De enige reden waarom ik elke dag de moeite nam de gewone post door te kijken, was dat ik nog niets had gehoord van een van de drie universiteiten waar ik een aanvraag voor een studieplaats had ingediend.

De brief was aan mij geadresseerd in een onregelmatig handschrift dat ik niet meteen herkende. Maar nog voor ik hem openmaakte, wist ik al dat hij van Travis was. Wie anders kon me schrijven uit een staatsgevangenis? Ik stond maar wat in de gang, woog de brief op mijn hand, bekeek de postzegels en vroeg me af waar ik hem het beste kon gaan lezen.

Niet zo heel lang geleden zou ik een brief van een jongen tegen mijn hart hebben gedrukt, met twee treden tegelijk de trap op zijn gerend, mezelf op Deirdres sprei hebben gegooid en haar hebben gedwongen hem te openen en voor te lezen, omdat ik er zelf te opgewonden voor was. Dan hadden we samen zijn schrijfstijl uitgeplozen, ons afgevraagd of de puntjes op de i een bijzondere boodschap inhielden, besproken wat er tussen de regels door stond en een toepasselijk antwoord hebben bedacht. We zouden van Travis eenzelfde project hebben gemaakt als het verzamelen van vlinders of het maken van kaarsen, projecten waar we enthousiast aan begonnen om na een maand te beseffen dat we allang weer iets heel anders leuk vonden.

Vroeger vertelden Deirdre en ik elkaar altijd alles. We waren tenslotte zussen; we woonden onder hetzelfde dak en hadden dezelfde ouders, deelden dezelfde haarborstel en douchten met hetzelfde stuk zeep. Maar er was de laatste jaren zoveel met ons gebeurd, waarvan zoveel los van elkaar was gebeurd, dat we langzamerhand onze gezamenlijke taal waren kwijtgeraakt. Na het proces en die verbluffende ingreep op het laatste nippertje van haar, waren zij en ik weer in hetzelfde universum terechtgekomen; maar dat was voor ons allebei nog nieuw en we deden het kalm aan. Bovendien had Deirdre haar diploma van Roberson's Beautyschool gehaald en was ze begonnen als receptioniste bij een salon in Asbury Park die P.S. Love Your Hair heette, waar ze de telefoon aannam en afspraken inboekte. Ze was nooit thuis. Na alles wat er was gebeurd, wilde ze niets liever dan een succes maken van haar nieuwe baan, zodat het leven weer zo gewoon mogelijk kon worden. En wie kon haar ongelijk geven?

Met mijn moeder kon ik al helemaal niet over de inhoud van de brief praten, maar om heel andere redenen. Zij was wel in de buurt, maar ze sloot zich af van elk gesprek waarin Travis Lembeck voorkwam. Na afloop van het proces werd de naam Travis bij ons thuis niet meer genoemd, evenmin als die van pa. Toen pastoor Jimbo op een keer voorstelde dat we met ons allen Travis in de gevangenis zouden opzoeken, reageerde ma met een zucht, greep het aanrechtblad vast en zei: 'Nooit van ons leven willen we nog iets met die jongen te maken hebben. Daar hebben we onze buik van vol.' Toen liet ze pastoor Jimbo uit en het idee kwam niet meer ter sprake. Dat was maar goed ook. Een paar maanden geleden had ik helemaal geen zin het gezicht te zien van de persoon die door heel Neptune werd gekarakteriseerd als door en door slecht, ook al zou dat een gezicht aan de andere kant van kogelvrij glas zijn.

Ik overwoog naar beneden te gaan om in afzondering Travis' brief open te maken, maar een halfjaar eerder was alles in de kelder door een overstroming verwoest en we hadden bijna alles weg moeten doen. Doorweekte boeken en kleren waren in grote, zwarte zakken gepropt en naar de stoep gesjouwd op de avond voordat het grofvuil werd opgehaald. Wat er nog over was van nana Hertles eigendommen, de posters van de Sierra Club en de prullenbak met de treintjes hoorde letterlijk van de ene op de andere dag bij een voorbije tijd. De dozen waren verdwenen en er was geen spoor meer van Leonard. Het leven ging verder, en mijn moeder stuurde alles een nietsvermoedende wereld in via liefdadigheidsinstellingen die oude spullen aannamen zonder vragen te stellen. Ze wilde het beneden helemaal anders inrichten, had het over een fris geschilderde betonnen vloer en open ruimte. Toen het daar leeg was, moesten we aanhoren hoe ze steeds een nieuwe bestemming voor de kelder bedacht. We konden een pingpongtafel neerzetten, of er een soort recreatieplek voor ons allemaal van maken, of wat dachten we van fitnesstoestellen. Wij droegen geen ideeën aan. Wat mij betreft zou de kelder, wat er ook van werd gemaakt, altijd van nana en Leonard blijven. Maar zonder hun spullen vond ik de kelder niet gezellig meer; het werd een van de vele ruimtes op de planeet aarde waar ik alleen nog zou komen als ik op doorreis was naar een ander doel.

Ik zat in mijn eentje op de trap naar de voordeur en maakte Travis' brief open. Evenals het handschrift was de boodschap eenvoudig en recht voor z'n raap.

*Hé Phoebe,*

*Hoe is-ie? Alles oké op school en met je familie hoop ik. Ik red me zo goed en zo kwaad als het gaat hier in de gevangenis. Ik moet veel te vroeg op, het eten is waardeloos en ik word gek van de teringherrie, maar verder is het minder erg dan ik had verwacht. Al blijft het natuurlijk wel zwaar klote. Maar ik mag niet klagen, onder de omstandigheden bedoel ik. Het is misschien een stomme vraag, maar wil je eens op het bezoekuur komen? Als je er geen zin in hebt, ook best. Ik kan er inkomen dat mensen hier liever met een wijde boog omheen lopen. Alleen al de verlichting is je reinste afknapper. Maar het zou tof zijn om elkaar weer eens te zien. Nou ja, wat het ook wordt, hou je taai.*

*Dag hoor,*
*Travis Lembeck*

*P.S. Ook de groeten aan mijn vriendin Deirdre.*

Ik vouwde de brief op en probeerde me voor te stellen dat ik in de bezoekruimte van een zwaar beveiligde strafgevangenis zat. Ik moest er niet aan denken. Wat moest ik aandoen, was de eerste vraag die bij me opkwam. En dan was er nog een reeks andere vragen van meer gewicht. Want waar moesten Travis en ik het dan over hebben, hoe moest ik me ertoe zetten hem aan te kijken en ten slotte: wie bracht me naar Trenton?

Ik had inmiddels wel een rijbewijs, maar zonder auto had ik daar niks aan. Openbaar vervoer was nog een mogelijkheid; maar toen ik erover nadacht, leek het me beter dat er iemand met me meeging. Deirdre kwam niet in aanmerking. Ik zei al, die had het druk met haar eigen leven.

Mijn moeder moest niets hebben van het idee dat ik naar Trenton ging. Ze zei dat het geen goed idee was en misschien zelfs gevaarlijk. Ik wierp tegen dat ik als aspirant-schrijfster levenservaring nodig had. Zie het als onderzoek, zei ik. Dan kon ik er een artikel voor de schoolkrant over schrijven en extra studiepunten verdienen. Ze keek me aan met een dodelijke blik en de stilzwijgende boodschap: 'Hou een ander voor de gek.' Toen vroeg ik of ze soms dacht dat moeders van schrijvers als Norman Mailer en Truman Capote hun kinderen ooit verboden hadden te doen wat ze moesten doen, want die waren allebei met zware criminelen omgegaan om er een boek over te kunnen schrijven. Haar weerwoord was: 'Ik begrijp niets van jou. Maar de moeders van die schrijvers moesten zich doodschamen als ze het goedvonden dat hun kinderen dikke maatjes werden met moordenaars.'

'Is het omdat ik een meisje ben?' opperde ik ruzieachtig. 'Is dat het soms?'

Ze keek me vierkant aan en zei: 'Ja, hoor. Dat zal het zijn. En als je naar me had geluisterd en op balletles was gebleven, zaten we nu niet met de gebakken peren.'

Onder de gegeven omstandigheden kwam mijn vader er niet meer aan te pas. Hij was naar Las Vegas verhuisd, zodat Chrissie haar droom om croupier te worden kon waarmaken. Niet lang na zijn verhuizing stuurde hij ons een ansichtkaart met een namaak-Eiffeltoren en zijn nieuwe adres achterop gekrabbeld. Ik werd er altijd treurig van als ik mezelf al toestond om aan hem te denken.

Ik kwam tot de conclusie dat rechercheur DeSantis eigenlijk de enige was die in aanmerking kwam me erheen te brengen. Ik wist al een tijdje dat Chuck en zijn levenspartner Craig vaak op zaterdagochtend naar Trenton gingen om daar te snuffelen in tweedehands- en antiekwinkels, te lunchen bij hun favoriete eetcafé en zich te trakteren op de pedicure voor ze weer naar huis gingen. Ze hadden al eens gevraagd of ik zin had een keer mee te gaan.

Dat kwam zo. Toen alle heisa rond het proces achter de rug was, ging ik steeds vaker met Chuck en Craig om. Ik kwam graag bij hen. Het was een leuk stel, vooral wanneer ze het met elkaar aan de stok kregen. Het was altijd goedmoedig geharrewar, dat niet om wereldschokkende dingen ging. Meestal waren ze het niet eens over stomme bijzaken, of een lap stof een Schotse ruit of een madrasruit had, of deze of gene iets had gezegd of juist iemand anders en zo ja waarom. En hoe hoog het ook opliep, ik kreeg nooit het gevoel dat het menens werd of dat de een uit zou halen en de ander een dreun zou verkopen. En dat was maar goed ook, want het waren allebei reuzen.

Eerst vond ik dat verwarrend. Voor zover ik wist had ik nog nooit zulke stoere homo's ontmoet. Craig vertelde me dat hij en Chuck wel getypeerd werden als 'poot' of 'beer'.

'Dus een poot is stoerder als een nicht?' vroeg ik voor de zekerheid.

'Dán een nicht,' corrigeerde hij me, zonder de moeite te nemen zich om te draaien in zijn stoel.

Craig gaf Engels aan brugklassers van de middelbare school in Manasquan, maar ook in zijn vrije tijd was hij een pietlut in grammatica. Hij was iets kleiner dan Chuck, maar hij compenseerde dat minieme nadeel met het volume waarmee hij sprak en de ruimte die hij innam waar hij ook ging of stond. Ik wil niet beweren dat hij echt knap was; zijn ogen stonden iets te veel uit elkaar en hij had te kleine oren, waardoor hij eerder op een otter dan op een beer leek.

Voor het geval het nieuws voor je is, 'beren' of 'poten' zijn een klasse apart in de homoscene, een groep mannen die je makkelijk herkent aan hun stevige lijven, bierbuiken en gezichten met veel haargroei. Toen me dat allemaal was uitgelegd, moest ik erkennen dat Chuck en Craig aardig in het profiel pasten. Maar het was me nog steeds niet duidelijk hoe ik op straat een poot van een doorsnee stoere gozer kon onderscheiden.

'Ik bedoel, waar zie je dat dan aan?'

'Ik merk het gewoon,' zei Craig, die zich nu wel omdraaide en over zijn baard streek.

'Je ziet het gewoon,' voegde Chuck eraan toe.

'Maar waaraan dan?'

'Tja, gewoon, kleine dingen. Kleren,' zei Craig. En hij verduidelijkte: 'Niet eens zozeer de kleren zelf, maar de manier waarop een man ze draagt.'

Dit gesprek vond afgelopen zondag plaats toen ze me een lift gaven naar mevrouw Kurtz. Het was mevrouw K. steeds meer moeite gaan kosten goed voor zichzelf te zorgen, zodat er algauw stemmen opgingen dat er maatregelen nodig waren voor er ongelukken van kwamen. Toen kwam er een ongeluk van. Eerst was haar straalkachel in de fik gevlogen en vervolgens haar hondje Joey. De hond overleefde het niet, maar haar huis had alleen rookschade. Toch werd er een vergadering belegd, waar het besluit viel dat mevrouw K. naar een verzorgingshuis in Sea Crest moest verkassen. Iedereen was het erover eens dat dit de beste stap was. Iedereen, behalve mevrouw K. zelf; ze had geen goed woord voor het plan over en weigerde pertinent.

Er waren heel wat tranen, woedeaanvallen en aan gruzelementen gegooide beeldjes voor nodig voor ze uiteindelijk een voet in verzorgingstehuis Bonnie Dune zette. Maar toen ze er eenmaal woonde, draaide ze bij en vond ze het toch niet zo'n gek idee om een nieuw leven op te bouwen in een veel veiliger omgeving. Om de overgang makkelijker te maken, spraken oude vrienden en buren af op toerbeurt bij haar langs te gaan, in ieder geval tot ze gewend was. Op een of andere manier werd ook ik in het rooster opgenomen, sliep eens in de week bij haar en las haar voor.

Zodra Chuck en Craig me af hadden gezet en ik de achterkant van hun auto nazwaaide, besefte ik dat ik vergeten was te vragen of ze me naar Trenton wilden brengen. Nou ja, hield ik mezelf voor, Travis loopt niet weg. Levenslang zonder voorwaardelijke vrijlating duurt heel, heel lang. En misschien was ik er domweg nog niet aan toe; dat kon nog wel een tijdje duren.

Mevrouw K. en ik zaten nog midden in *Grote verwachtingen*, het boek van Charles Dickens over de weesjongen Pip, die heel wat pijn en tegenslagen moet verwerken in zijn groei naar volwassenheid maar die, natuurlijk, toch het meisje van zijn dromen krijgt. Mijn regel is: zodra mevrouw K. luidruchtig begint te snurken, stop ik met lezen. Ik ga geen strijd met haar aan. Volgens mij hangt het erom of die arme Pip in ons tempo nog ooit de volwassenheid bereikt.

Maar op die bepaalde avond bleef mevrouw K. ongewoon wakker. We hadden net de laatste alinea's van hoofdstuk 47 afgerond, toen ze haar hand met de snotlap uitstak en me aanraakte. Ze zei: 'O, tussen haakjes, dat zou ik bijna vergeten. Ik heb nog iets voor je.' Ze hees zich uit haar stoel en stommelde naar haar slaapkamer. Ik hoorde haar rommelen en toen volgde er een geluid dat leek op het omvallen van dozen of papieren of zo.

'Gaat het?' riep ik vanaf mijn stoel.

Ik wilde net de alarmknop indrukken, waarmee de faciliteitenmanager een teken kreeg dat de verzorging gealarmeerd moest worden, toen ze terugkwam met een spiraalschrift en intussen wat stof van haar peignoir sloeg; het schrift had een groen omslag met ezelsoren. Ik kende dat ding. Het was van Leonard geweest. Ze hield het me voor en zei: 'Ik was al heel lang van plan je dit te geven. Hij heeft het destijds in mijn oude huis laten liggen, weet je, voor... voor de brand en zo. Ik heb het opgeborgen en meeverhuisd, maar ja, ik heb amper plek voor een extra tandenstoker in dit hok. Bewaar jij het maar.'

'Bedankt,' zei ik, en ik pakte het schrift aan en stopte het in mijn rugzak. Mevrouw K. zette de tv aan. Ik sloeg *Grote verwachtingen* dicht en legde het boek op de salontafel, waar het thuishoorde wanneer we er niet in lazen. Het was duidelijk dat we voor vanavond klaar waren.

Na een poosje vond mevrouw K. het voor vandaag mooi geweest en ging naar bed. Het was de bedoeling dat ze sliep, maar ze zou wel wakker liggen, want ze had me eens verteld dat ze niet meer zo makkelijk in slaap valt als vroeger en soms uren wakker ligt voor ze indommelt. Ze zei dat ze 's nachts bang is. Ze kan me niet vertellen wat haar bang maakt, maar ze zegt dat het haar nu eenmaal overvalt, dat griezelige gevoel. Soms voelt ze het griezelige bij haar voeteneinde, soms onder haar bed. Volgens mij maakt ze zichzelf doodsbang. Maar om ervoor te zorgen dat ze niet gillend wakker wordt en de andere bewoners de stuipen op het lijf jaagt, blijf ik 's nachts bij haar en slaap op een bedbank die naar hond en hete soep ruikt. Ik bleef die avond veel langer wakker dan verstandig was, keek tv, las, schreef en deed van alles en nog wat.

Weer later herinnerde ik me Leonards schrift. Ik haalde het oude ding uit mijn rugzak. Tot mijn verbazing merkte ik dat ik er liever niet in keek, bang dat ik de bladzijden zou omslaan en opeens een gedicht geschreven door Leonard Pelkey zou aantreffen, of een kort verhaal dat hij had gemaakt, of een onafgemaakte brief. Daar zou ik echt niet tegen kunnen. Tegelijkertijd zag ik ertegen op om alleen onopgeloste wiskundesommen, gedachteloze tekeningetjes in de kantlijn, een onaf werkstuk over de geschiedenis van de tomaat of een korte biografie van Cotton Mather te vinden. Daar zou ik ook kapot van zijn, maar om een heel andere reden.

Uit het schrift gleed een envelop, die op mijn schoot viel. Het was een gewone witte, zakelijke envelop, met een postzegel met de nationale vlag en Leonards naam en ons adres geschreven in een onregelmatig handschrift dat ik onmiddellijk herkende. Er was geen afzender. Ik maakte hem open en haalde een velletje gelinieerd papier tevoorschijn dat uit een schrift met ringband was gescheurd.

*Leo,*

*Nog bedankt voor die geldclip, man. Wel stom om hem aan mij te geven. Ik raak zulke zooi altijd kwijt. En ik weet dat hij veel voor je betekent omdat-ie van je moeder is geweest en zo. Ik zal dus proberen hem goed te bewaren. Afijn, bedankt dus.*

*Je makker,*
*Travis*

De volgende ochtend werd ik wakker en maakte ik een ontbijtje klaar in mevrouw K.'s nauwe keukenhoekje. Bij de ontdooide wafels en koffie hadden we het over de nacht en de conditie van haar haar. Zoals altijd hielp ik haar eraan herinneren haar pillen te slikken en toen ze die één voor één weg-spoelde, vertelde ze me voor de zoveelste keer dat zij lang niet de kansen had die ik nu heb toen ze zo oud was als ik. Ze zei dat ik geen tijd moest verspillen en er het beste van moest maken. Ze vertelde me over jongens op wie ze verliefd was geweest toen ze nog in de Bronx woonde, waar ze opgroeide. Ze noemde hun namen en beschreef hun uiterlijk en hebbelijkheden alsof ze nog vlakbij woonden en ze hen 's avonds op een karaokefeestje zou tegenkomen.

Al die tijd zat de brief in mijn zak. Ik moest wachten tot ik thuiskwam om hem te kunnen vergelijken met de andere brief, die Travis aan mij had geschreven. Om er helemaal zeker van te zijn. Maar één blik was genoeg om me ervan te overtuigen dat Travis het briefje echt had geschreven. En dat zette alles op z'n kop: het feit dat Travis en Leonard een soort vriendschapsband hadden gehad, het feit dat die vriendschap onopgemerkt was gebleven door anderen, het feit dat Travis de waarheid had verteld over hoe hij aan de geldclip kwam. Al die feiten vochten om mijn aandacht, alsof ze dat ene onherroepelijke feit probeerden te overschreeuwen dat Leonard Pelkey op gruwelijke wijze door Travis Lembeck was vermoord.

Een autoclaxon loeide. Ik pakte mijn spullen snel bij elkaar, gaf mevrouw K. een zoen op haar voorhoofd en holde haar appartementje uit. Eenmaal op straat schaamde ik me ervoor dat ik zo blij was daar weg te zijn, uit die kleine, bekrompen wereld, met nog een hele lange dag voor me.

Electra zat achter het stuur van haar tweedehands staalgrijze Geo Prizm. Ze had nog geen rijbewijs en mocht officieel zonder een bevoegd iemand naast haar niet rijden, maar ze deed het toch en haar ouders konden haar niet tegenhouden.

'Schiet op,' riep ze me toe. 'We komen te laat!'

Toen ik op de stoel naast haar gleed legde ze uit dat ze strontchagrijnig was. Ze had haar broer naar fysiotherapie moeten brengen, wat betekende dat ze allejezus vroeg was opgestaan en doodmoe was. Ook wilde ze niet te laat op school komen en voor straf moeten nablijven.

'Rustig maar,' zei ik. 'We zitten in de eindexamenklas. Wat kunnen ze ons maken? We zijn goden.'

'Godinnen,' verbeterde ze me. En toen stortte ze zich in een overpeinzing over het studentenleven, en moesten we ons eigenlijk wel onderwerpen aan nog vier jaar van geestelijke slavernij of konden we niet beter de boel de boel laten en regelrecht op weg gaan naar Europa?

Ik luisterde niet. Niet echt. Ik had het allemaal al zo vaak gehoord. Elke dag, nota bene. En bovendien zat ik aan de brief te denken.

'Ik heb een brief van Travis gekregen.'

Ze wierp me een zijdelingse blik toe en maakte een sissend geluid tussen haar tanden om lucht te geven aan haar afkeuring. Ik stond op het punt te vragen of ze me op een dag naar Trenton wilde rijden, maar ze was me voor.

'Wat heb ik je gezegd? Heb ik het je niet gezegd?'

'Hij wil dat ik naar het bezoekuur kom,' zei ik.

'Niet doen,' antwoordde ze direct.

'Het punt is dat hij verder niemand heeft.'

'Niet doen.'

'Hij moet met iemand praten. Iemand van buiten.'

'Iemand?' herhaalde ze, op een toon alsof ik zojuist haar en haar hele familie had beledigd. 'Iemand?'

De auto stond abrupt stil bij de kruising. Ze boog zich naar me toe en zei recht in mijn gezicht: 'Beloof me, Phoebe Hertle, dat je dat geen seconde, maar dan ook geen seconde, serieus overweegt. Die jongen is door en door verrot en ik rij geen meter verder voor je op je erewoord zweert dat je hem voorgoed uit de weg gaat.'

Ik keek haar aan en moest denken aan een tijd waarin alles anders was, een tijd waarin alles nog zuiver was en ik moeilijkheden gemakkelijk uit de weg kon gaan. Mijn wereld was overzichtelijk en alles was zo helder als maar kon. Trenton was een vlekje op de kaart en we hadden er geen enkele band mee, hoorden er alleen over als de stad in het nieuws was. We kenden niemand die daar woonde, en al helemaal niet iemand in de extra beveiligde strafgevangenis daar. Mijn oudere zus en Winona Ryder waren mijn idolen. Mijn beste vriendin hield er geen meningen op na die tegenovergesteld waren aan die van mij.

Als in die dagen het kwaad een menselijke gedaante aannam, was het gewoon in de vorm van een meid die achter mijn rug rotdingen over me zei, of het ging om een volslagen onbekende in een andere stad of een heel ver land. Slechteriken hadden misschien weleens in een geparkeerde auto vlak bij mijn huis gezeten, maar in die tijd wist ik niet wie het waren en had er geen idee van waar ze woonden of wat ze van plan waren.

'Pheebs?' zei Electra, terwijl we op de hoek stonden te wachten tot het licht op groen ging. 'Zeg eens wat. Je moet het beloven. Zeg het.'

Maar wat kon ik zeggen? Ik kon Electra niets beloven, want ik wist dat het geen oplossing was om hem uit de weg te gaan. Ze begreep niet, nog niet, dat Deirdre gelijk had – we moeten ons elke dag opnieuw tegen het kwaad verweren. Misschien moest je dan het lef hebben in een auto te stappen en helemaal naar Trenton te rijden. Misschien moest je dan in een bedompt vertrek zitten en het kwaad recht in de ogen kijken, net zo lang tot je zag dat het een maar al te menselijk gezicht had. En als je dan op een dag in de greep van het kwaad raakt, vastgebonden wordt en naar de bodem van een meer zinkt, kun je eraan terugdenken dat je ooit in dat kwade oog een vonkje hebt zien gloeien, een glimpje goedheid dat er zonder jou nooit zou zijn geweest.

De auto achter ons toeterde, om ons aan te sporen door te rijden.

'Ga nou maar,' zei ik tegen Electra en ik knikte naar de weg voor ons. 'Ga nou maar gewoon.'

# Dankwoord

Dit boek zou niet tot stand zijn gekomen zonder aanmoediging en steun van Christopher Potter: hij zag het voor het er echt was en geloofde erin. Ook veel dank aan mijn eerste lezers, die de tijd namen voor het manuscript en me de nodige raad gaven om het te voltooien: Michael Cunningham, Eve Ensler, Katherine Deickmann, Michael Downing, Daniel Kaizer, Daniel Minahan, Adam Moss, Cy O'Neal en Duncan Sheik. In het bijzonder bedank ik mijn vriend en agent Bill Clegg, die het geheel mogelijk heeft gemaakt. En mijn goede vrienden Gary Janetti, Armistead Maupin, en Ken Corbett, de kanjers die altijd voor me klaarstaan. Daarnaast ben ik iedereen bij Laura Geringer Books erg dankbaar, vooral Lindsey Alexander, Jill Santopolo, Mary Albi, Cindy Tamasi, Amanda Lipnick, Dina Sherman, Martha Rago, Renée Cafiero en Jaime Morrell. Maar het leeuwendeel van mijn dank gaat natuurlijk naar Laura Geringer zelf, die mijn boek goed vond en het prachtig heeft uitgegeven.

Neptune in New Jersey bestaat echt. Wél heb ik hier en daar de vrijheid genomen om geografie, karakter en sfeer van de stad aan te passen aan mijn verhaal. Alle personages zijn door mij bedacht, en elke overeenkomst met bewoners van Neptune is puur toeval.